守望者的凝思
读懂学校
读懂校长
系列论丛

教育部哲学社会科学研究重大课题攻关项目“我国学校教育创新研究”成果

“守望者的凝思：读懂学校、读懂校长”系列论丛

主编 裴娣娜

# 格致文化的传承与创新

GEZHI WENHUA DE CHUANCHENG YU CHUANGXIN

## ——上海市格致中学教育创新研究

张志敏 等 著



教育科学出版社

·北 京·

# 格致文化的传承与创新

## ——上海市格致中学教育创新研究

# 基于学校教育变革性实践的反思与建构
## ——中国基础教育改革创新之路

裴娣娜

学校教育创新是目前世界各国基础教育改革中一个具有战略意义的重要问题。如何变革学校教育观念，培养具有创新精神和实践能力的高素质人才，是世界各国共同关注的问题。事实证明，以创新挑战危机，谁最先把握了时代发展变化的需求，谁就掌握了发展的主动权。

"守望者的凝思：读懂学校、读懂校长"系列论丛，是"十一五"期间教育部哲学社会科学研究重大课题攻关项目"我国学校教育创新研究"的研究成果，是对改革开放三十多年来中国基础教育阶段学校教育创新发展的思路、策略及方法基本脉络的全面系统的反思梳理。这套论丛有着独特的时空定位，限定在我国改革开放以来学校办学层面的改革与创新，采取自下而上的分析思路，是对学校已有的基于变革性实践的学校现代发展经验的总结提升。系列论丛中一本本研究性的专著翔实地记录了这些学校的校长基于不同的办学实际带领各自团队所走过的学校发展之路，这些学校的办学理念及经验经过了时间积淀和实践的检验，是富有鲜明特色、带有中国本土气息的原创性实践。

反思总结来自实践的学校创新经验，从中解读并汇集学校教育创新力指标，从而为进一步探讨学校教育创新发展理论模型与实践模式的建构、形成有较强的实践操作策略奠定坚实的基础。因此，我们的研究，以反思与建构为主线，聚焦“两个读懂”：读懂学校、读懂校长。这套系列论丛所呈现的不仅是每个学校独特的“我”，更重要的是通过一个个独特的“我”集合形成的具有一定典范意义的学校变革性实践的基本认识。

## 一、学校教育创新理论反思与现实建构的战略性意义

进入21世纪，面对世界各国对于经济社会可持续发展目标的诉求以及日益激烈的国际竞争对高素质人才提出的更高要求，面对工业社会和信息社会发展的要求，面对极不平衡的区域性社会经济发展以及多元文化价值取向、伦理道德问题、文化生态危机等一系列严峻挑战，中国基础教育的改革与发展进入一个十分关键的时期，正是社会转型凸显了中国学校教育创新发展的主题。

教育创新是学校教育发展的根本动力。学校需要变革，学校必须变革，变革的目的在于坚持“以人为本”的科学发展观，办好让人民满意的学校。学校教育创新研究的重要意义在于以下三个方面。

### （一）为构建优质高效的学校办学模式提供一种理论分析框架

学校教育创新研究旨在对中国学校教育创新发展进程中的若干重要问题作出理性的思考和科学的回答，探索适应社会发展和人的自身发展需要的、优质高效的学校教育发展模式与育人模式。通过教育学、心理学工作者的跨学科研究，跨校际的教育工作者协同研究，以及理论与实践工作者的合作研究，为有中国特色的基础教育改革和发展提供思路，为构建优质高效的学校教育提供一种理论准备和分析框架，为促进青少年儿童全面发展提供一种新的教育方式，为教育行政部门和教育机构的相关决策与措施的制定提供科学依据。因此，这一研究成果是中华民族的，也是世界的；既有本土性，又有国际的普遍意义。

### （二）通过典型个案研究，呈现我国当前具有特色的和有代表性的学校教育创新发展实践模式、评价指标、推进机制及成功经验

系列论丛的内容强调以下三点。

一是以学校教育改革与发展为中心线索，阐明项目学校从学校教育价值观念的重新定位到学校教育体系的全面更新，从改造教育过程到改

变教育教学各个环节中的方法与手段，从全方位地营造育人环境到创造性地开拓各种教育教学模式，从而提升学校整体的综合实力，形成学校教育创新的思路和特色的历程。

二是尝试揭示学校教育创新主体的培育与生成过程。论丛力图在深层次上揭示创新主体如何建构一种创新的观念、思想与目标，从而进一步生成为具体的办学行为的复杂过程。

三是表明学校创新发展是基于学校自身条件的特殊性，展现我国中小学校现代发展的多样化发展形态，同时也展现我国中小学校长追求持续发展和创建一流教育的特色与智慧。

(三) 通过解读，将学校办学理念与行为提升到自觉和自为层面，进一步促进学校教育创新的实践探索

通过对不同学校教育创新力形成与发展过程的审视，有效促进科学的质量意识、特色意识的确立，提升对学校办学特色和学校潜在的创新能力的认识。

当然还应看到，项目研究成为高师院校集教育科研、人才培养、为基础教育改革提供咨询服务三种职能于一体的重要平台，从而对参与研究的高等院校在凝练学术方向、汇聚学术队伍、开展高水平学术交流等方面同样发挥重要作用。

通过研究，我们认识到，尽管学校发展存在差异，但有一点是共同的。那就是随着国家教育体制改革的推进，学校作为办学主体，面临前所未有的生存和发展的压力。实质是，变革的时代要求学校通过变革进行根本性的转型。我国的中小学校，正是顺应时代发展的潮流，不失时机地抓住发展机遇，凭借校长的胆识和战略思想，挖掘学校的优势和潜力，形成应对变革的自我更新机制，提升学校整体的综合实力，从而走出竞争中的劣势处境，构筑起了学校新的竞争优势。创新已成为学校发展的内在生命力。

论丛的撰写是一个大工程，不仅推动了学校对自我办学理念、举措的反思，而且为项目研究在理论的概括提升上提供了丰富厚实的思想资源。研究具有开拓意义，而且是原创性的，是项目研究重要的标志性

成果。

## 二、项目研究的共识与思考

作为一项国家级的高端科研项目，论丛从实践研究层面反映了研究成果的创新性及实践效益，我们概括为以下几个主要方面。

### （一）回应了我国社会转型时期政治、经济、文化变革关于教育的现实诉求

一个具有强大生命力的思想和理论的孕育形成与发展，关键在于它对所处时代改革中重大的理论和实践问题的回答。始于20世纪末的中国社会转型，将现代化、市场化、社会主义改革三重重大的社会变革浓缩在同一时空，构成了一场极特殊复杂又波澜壮阔的社会变迁。正如有的学者所指出的，社会变迁的核心在于人的生存方式的变化。

正是当前中国社会的现代转型，从根本上决定了中国基础教育学校创新发展的主题，而回应中国社会的现代化发展与基础教育改革提出的新矛盾、新问题，在很大程度上又进一步决定了中国学校教育创新发展过程中关注和研究的问题。

现代教育的本质在于解决人自身的发展与价值问题，是人的发展的潜在可能的现实实现，而不是把人作为社会的被动客体来塑造。人的个体与群体的发展是现代教育的出发点和归宿，是使学校实现跨越式超常发展的生命力，是激发教育工作者潜在创造力的原动力。将这一主题置于中国社会的特殊语境中，置于中国基础教育现代化发展的历史进程中，置于多元文化的多种价值选择并存的环境中，从而形成了目前研究的论域（范畴）和主线。这就是在学校教育中，关注学生的文化生存环境和活动方式，关注学生的生存状况和生命价值，尊重学生的主体地位和主体人格，培养学生自主性、主动性和创造性，使他们在掌握人类优秀文化基础上学会学习、学会创造。这一价值目标定位，从根本上反映了学校教育创新发展研究主题从工具理性到价值理性的转化。

学校教育的创新发展，不仅是对工具化的教育追求、人的发展目标偏离、主体缺位的反动，而且是对迷茫的教育理论、观念的价值澄清。正是敏锐地抓住了时代的挑战，回应了时代发展的需求，才形成了学校

现代发展的视阈，导致学校教育进行结构性调整而实现了功能、形态上的根本性转变。

（二）形成我国学校教育创新的基本理论分析框架

1. 学校教育创新是学校教育主体，通过新的创意、新的构想、新的思维和行为方式、新的教育技术和手段，对原有不合理的理论观点、思想方法、技术手段进行突破和超越，在学校变革与发展中更有效地实现教育目的的一种创造性活动。这一定义强调通过创新性活动，构建有变革创新能力的学校教育，从而突破种种阻碍学校改革与发展的限制，使学校实现根本性的变革。

2. 学校教育创新的基本内涵是以科学发展观为核心的现代教育理念，是一种勇于变革的实践活动，是一种先进的学校文化，是一种在不断回答每一时代提出的重大问题的过程中获得发展的内在生命力。创新是一个过程，创新的实质在于变革、超越和发展。

3. 学校教育创新的目标是促进高素质人才的培育成长和学校的现代发展。(1) 培养学生的自主性、主动性和创造性，使他们具有正确人生观、价值观，基础扎实，有创新精神、独立思考和实践能力，从而最大限度地实现每个人的个性与才能的发展。(2) 形成锐意改革、张扬个性、鼓励探索、宽容失误的有特色的学校教育创新文化。(3) 创建具有生成性的学校生态制度与管理系统。(4) 营造内外部良好育人环境。(5) 塑造具有“生成”意识、“理论”气质、“变革”能力的校长。

（三）初步构建学校教育创新力评价指标

学校教育创新力评价指标，旨在用统计体系构建学校教育创新的内涵与本质。通过研究，我们初步构建了由四个要素组成的学校教育创新力评价指标体系：办学理念、办学目标组成的价值目标系统；课程开发、课堂教学、班级建设组成的育人模式系统；人事制度、组织管理制度组成的制度与管理系统；战略性谋划能力、领导者品格组成的校长领导力。通过四个子系统以及系统的优化组合，学校不断调整内部结构，扩大自组织的功能，成为一个自我更新、自我发展的有机体，成为一个具有强适应能力的教育生态系统，以期达到提高质量、增长效益、有序运行的效果。

（四）形成学校育人模式创新的基本思路和举措

立足于读懂变革性实践，我们将“优质高效的学校教育发展模式及育人模式”作为探讨的重要内容。汇集众多学校的实践探索，形成的基本思路是：依据学校的培养目标及办学方略，重点在育人模式的创新。

1. 学校课程系统的创新

取得的主要突破如下。

第一，以人为本的课程目标的创新以及课程功能的创新。

基础教育的课程功能，由普及功能与选拔（筛选）功能、个体功能与社会功能、适应功能与超越功能之间的矛盾关系所构成。然而应试教育在将“课程考试化”的同时，也造成基础教育课程功能关系的错位、扭曲和失谐。学校课程开发首先要正确处理不同功能之间的矛盾，课程的设置应关注学生学习能力、实践能力和创新能力的培养，并坚持能力培养的层次性。

第二，课程领导力的提升以及基础教育课程结构与形式的变革。

课程领导力指学校按照一定的办学定位、培养目标进行课程开发建设，全面提升学校教育质量的能力。课程领导力的内涵，指校长领导教师团队创造性地实施国家课程计划的能力，合理开发和整合教育资源建设校本课程的能力，组织学校课程实践的决策、引领和调控能力。

针对以学科课程为主课程形态的弊端，我们探索新的课程结构体系的构建，使分科课程与综合课程、必修课程与选修课程、普通教育课程与职业技术教育课程相结合，并设置旨在指导学生进行专题研究性学习的综合实践课程、地方自主选择的课程，体现灵活性、多样性和选择性，从而为不同地区、不同学校以及学生发展提供更大的选择余地。

学校课程结构与形式的变革，大致呈现为以学生素养发展目标为依据，按照课程功能和学习领域知识的重新整合来构建学校课程结构，以及基于学校办学特色的体现对国家规定的课程进行重组和改造几种不同的思路，展现了中国课程存在形态的丰富多样性。

课程建设的创新，还表现在面向社会、生活实践的课程内容的创新以及校本课程开发中的创新。

2. 学校教学系统的创新

学校教学创新发展研究聚焦于从多视角讨论学科教学本质，学生的学习与创造性思维的培养，发展性教学策略，教学内容改革，课堂教学质量观与有效教学的水平评估，教师专业化发展等问题，并形成了若干有创意的认识。

第一，确立现代教学观，关注学生的文化生存环境和活动方式，实现学生的发展。

第二，学生的学习具有选择性、研究性、体验性和反思性，教学设计应体现学生学习的内在机制及学习特点。

第三，教学内容的选择与设计，重在理解和掌握知识，加强学科知识的整合，面向生活实际，体现教学的实践性以及文化性。

第四，通过教与学的行为分析，实施以主体参与、合作学习、差异发展、体验成功为内涵的发展性教学策略。

第五，确立体现学生发展的课堂教学质量观，进行有效教学的水平评估，促进教与学方式变革，使学生会学习、会创造。

第六，揭示现代课堂教学的基本特色，形成教学的不同流派与风格。教师应有发展意识、反思意识、效率意识、特色意识。教学系统要创新就要读懂教师，要培养一批学科带头人并形成教学风格与特色。

3. 学校德育系统的创新

主要包括以下几点。

第一，对德育功能的重新理解。

以“人在社会中生活”为主线，揭示德育的正义功能、意义功能与幸福功能。旨在培养具有独立人格、民主意识、人权理念和公共责任的公民基本特质。对意义的追寻，构成了人之独特的存在方式。通过人性化、个性化和创造性，使人的自由本性得以充分展呈。

第二，构建了“经验—体悟”定向的德育创新体系。

强调通过经验和体悟过程来培养受教育者的价值取向体系，并通过行为实践经验及内在的自我调整和重构的体悟过程，形成稳定的行为驱动体系，并在此基础上逐步养成稳定的行为习惯，形成固化为内在的自觉价值取向体系和外在的习惯化行为方式的稳定品德特点。

第三，在分析当今中国德育实践及其根本性挑战基础上，形成学校德育创新的几个基本命题：

（1）批判德育中的工具论立场，确立“人是目的”的核心理念；

（2）道德教育的逻辑起点、核心是价值取向与行为习惯；

（3）通过对道德教育内容与形式加以审美化改造，实现“价值引导”与“道德主体的自主建构”的统一；

（4）德育实践需要创造性地拓展有促进意义的资源，引导学生积累经验与重构性体悟（体验）。

项目研究实现了15所高校的跨校际、10个专业方向的跨学科整合，以及高校理论工作者、地方教育行政领导干部、中小学实践工作者多方研究力量的整合，组成优势互补的科研群体协作攻关①，从而使研究体现原创性、过程性和整合性。

## 三、论丛撰写的特色

论丛从历史、现实和未来三个视角把握总体，每一部专著内容框架由三部分组成。第一部分是学校发展历史及传承文化传统的审视，第二部分是全书主体，以学校教育创新力指标为依据，对学校办学的目标与价值系统、育人模式系统、制度与管理系统以及校长领导力几个方面的改革创新进行全面系统总结，第三部分是学校未来发展的设想。

每部专著的撰写前后历时2—3年，是一个再研究再思考的过程。我们深感每所学校、每位校长本身就是一个故事，而每部专著的问世也

---

① 15所高等师范院校分别为北京师范大学、西北师范大学、哈尔滨师范大学、南京师范大学、华中师范大学、河南大学、东北师范大学、天津师范大学、广西师范大学、首都师范大学、山东师范大学、四川师范大学、上海师范大学、浙江师范大学、江西师范大学鹰潭分院；3所科研机构分别为中央教育科学研究所、天津教育科学研究院、四川省教育科学研究所；7个区域性教育行政部门分别为北京市海淀区、湖北武汉市武昌区、四川成都市、河北石家庄市桥东区、深圳市南山区、甘肃省兰州市、四川阿坝藏族羌族自治州理县的教育行政部门；参加项目研究的中小学共有95所。

是一个故事。要保证著述的质量，关键在于如何对每所学校多年积淀的丰富鲜活的实践研究成果进行筛选、整理与提升，而不仅是对事实材料的罗列。

反思论丛撰写的全过程，在以下几方面呈现出其独特性。

1. 起点高位。立论于“中国具有进行原创性研究的优势，这种优势潜力的挖掘，主要在于充分调动深厚的本土资源、经验和智慧”这一论断，立论于学校的现代发展实质是变革性实践的判断，所以采用从变革实践的经验中提升的研究范式，定位于读懂学校、读懂校长、读懂变革性实践。

2. 立足研究。每本书的问世，是一系列的选择、提炼、重组、建构的过程。经过多次研讨碰撞，几上几下的反复修改，凝结的是每所学校对变革性实践的基本认识，同时也渗透了热情参与和关注基础教育改革发展的有识之士的心血，它是用“心”写出来的。

3. 理性思考。遵循“问题—思路—举措”这一叙事逻辑，尽可能处理好反思与建构、理论的概括提炼与实际问题的阐述解释、继承与超越、共性与个性的关系，认真搜索和挖掘创新点，在这个过程中不断提升研究意识和研究能力。

4. 个性特色。教育研究需要宽容、尊重和理解。二十余所学校有不同的身份和角色，每位校长也有不同的成长背景和工作风格，正是每个独特的“我”带来了丰富和生动，而在每个个别中展现的是学校锐意改革、开拓创新的可贵精神，因为高尚的心灵都是相通的。

本论丛是教育部哲学社会科学重大攻关项目的研究成果，我们在此谨对教育部社科司批准立项，对社科司杨光司长、张东刚副司长，基础教育司王定华副司长，以及社科司的同志们给予本项目研究的关怀和指导表示衷心感谢。以德高望重的顾明远教授为首的项目指导专家组——谈松华、郭振有、卓晴君、张民生、文喆、谢维和、朱小蔓、周满生、吕达、曹志祥、杨银付等专家，他们四年来对项目研究发表了富有启发性的重要见解并对项目研究寄予了殷切的期盼，他们的很多重要思想和观点对项目研究产生深远影响，我们将铭记在心。

论丛出版之际，我们还要特别感谢教育科学出版社，感谢李东总编辑以及教育科学出版社的所有编辑出版人员。教育科学出版社热心奖掖学术与创新，他们不仅为论丛的出版付出了辛劳，更难能可贵的是对论丛出版予以无偿支持，从而使我们的成果远离了“文化包装”之嫌而保持了学术研究的纯洁，他们的支持和鼓励是我们做好这一论丛的重要动力。

对中国基础教育学校创新发展这一具有战略性、全局性问题的探讨和研究还刚刚起步。《国家中长期教育改革和发展规划纲要（2010—2020年)》(以下简称《教育规划纲要》) 描绘了未来10年我国教育改革发展的宏伟蓝图，特别强调“改革创新是教育事业发展的强大动力”。我们将遵循《教育规划纲要》的指示精神，继续不懈地探索，以求在学校教育创新问题上不断取得新的认识。我们深知，在中国基础教育改革的大潮中我们是“之一”而不是唯一，若干重要的理论与实践问题还需要进一步的展开、充实、挖掘和进行深层次的理性思考。我们坚信，在这条教育改革创新之路上，我们会越走越踏实。

# 目　录
CONTENTS

## 第五章 格致教学



## 第六章 校长领导力与教育创新

# 令人骄傲的传统与充满挑战的未来

上海市格致中学校长　张志敏

我校的前身为格致书院，由中国近代化学家徐寿和英国汉学家傅兰雅等创建于1874年，迄今已经走过了136年的历史。格致书院开创了我国近代科学教育的先河，是我国近代最早系统传播西方自然科学知识，培养民族科技人才的新型学堂之一，也是上海近代第一所中外合作创办的学校之一。我校的先驱们取《礼记·大学》中提出的“格物，致知，诚意，正心，修身，齐家，治国，平天下”八目中的“格致”两字为书院命名，就是为了强调只有反复思考推究，才能明了“物之本末，事之始终”，才能实现“治国平天下”的理想。这是中国近代进步知识分子所追求的“修身治平”的理想境界，也为我们揭示了一条培养民族精英人才的育人之道。

作为现任校长，我和我的同事们为能在这样一所历史名校服务而感到骄傲。我深切地感受到历史名校所具有的由鲜明的个性所构成的多样性，以及在多样性基础上表现出来的共同性。学校文化是彰显办学个性的旗帜，对于像我校这样历史悠久的学校，也可以说学校本身就是一种历史文化，就是一个教育品牌，就是一个教育理想。

历史老校不是一蹴而就的结果，而是天时、地利、人和交集的结晶。每一所受人尊敬、令人向往的一流学校都是在充满挑战的历程中，通过不懈的努力而成就的。这种成就是在不断变革的世界中传承、发展、完善、创新的必然结果。学校作为文化传承和文化创新的场所，应该具有自己崇高的追求。当我们拥有和享用这些令人骄傲的优秀传统的时候，我们不能陶醉，不能止步，而必须清醒地认识所面临的挑战。

追求卓越的学校在传承学校优秀文化的同时都致力于文化的创新。追求卓越的学校不满足于一般意义上的成功，而是倾心关注每一个学生真正意义上的成才，在致力于传授知识的同时也承担起促进学生生命成长的教育责任。一流的学校应该有一种崇高的社会责任感，培养自己的学生拥有“以天下为己任”的人生信仰。

新的历史挑战、新的发展机遇考验着我们的智慧和毅力，需要我们全神贯注、殚精竭虑、创造性地去开创新的事业，唯有如此才能不负百年历史老校和名校的使命。让我们共同努力开创这所百年老校新的辉煌！

# 第一章 学校的历史沿革

我校坐落在上海市中心人民广场附近，是一所有着136年历史的名校。校区面积不大，五栋赭红外墙的建筑错落有致，透出庄重和典雅。我校的前身“格致书院”，是我国近代教育史上最早系统传授西方自然科学知识，培养民族科技人才的新型学堂，也是上海近代最早的中外合作创办的学校。在一个多世纪漫长的办学历程中，我校形成了“格物致知，求实求是”的校训、“爱国”和“科学”的办学传统以及“和谐发展，理科见长”的办学特色。

# 一、格致书院（1874—1915）

## （一）格致书院创立的背景

我校的前身“格致书院”，创建于1874年。它的创建顺应了当时我国的国情。有清一代虽有康熙、雍正、乾隆三朝的励精图治，但自嘉庆（1796年）开始到道光朝鸦片战争前夕（1840年），帝王昏聩，朝政腐败，军队弛瘫，民不聊生，危机四起。1851年，中国爆发大规模农民起义太平天国运动，将中国封建社会的动荡推向一个高潮，此时的清政府已深深陷入了内忧外患的双重困境。

在与西方列强的交锋中，清政府感叹列强的科技日新月异，坚船利炮威猛凶悍。于是，朝中一些有识之士提出“师夷长技以制夷”的口号，发动了一场轰轰烈烈的洋务运动。在洋务运动中，引进西学的最主要载体则是兴办各级各类的新式学校。清政府自1901年起实施新政，在教育方面先后颁布了《钦定学堂章程》和《奏定学堂章程》。1905年，废除科举制度，设立了专管教育的“学部”。在这一背景下，北京、上海等经济文化比较发达的地区纷纷兴建各类新式学堂。它们有的是由清政府建立，有的是由西方人士创办，有的是由旧书院改建。格致书院作为一所新式书院，开启了中国近代教育的先河，为中国近代教育作出了重要的贡献。

当时，一批有识之士深感新式学校应大力培养国家需要的人才，必须强化实验演示，着重推广应用性的科学技术，推动国家的兵工制造和厂矿建设，只有国家军事强大、科技领先，才能跟西方列强抗衡。创办格致书院的动议最早由英国驻华领事麦华陀先生提出，他说“立此书院，原意是欲中国士商深悉西国人事，彼此更敦和好”，希望借此让更多华人了解西方科技，引发华人对西方文明的兴趣。因为这一倡议顺应了时代潮流，在当时得到广泛响应。后来，随着中西纷争不断，广大国人对西方列强的不满情绪日益增长，麦华陀又补充说，希望通过书院建设“消除目前和中国人之间存在的疙瘩”，促进两国在科学技术上的交流、学习。虽然麦华陀提出的想法自有他的立场，但在当时却在客观上促成了西方先进科学技术的引进和传播，而且和当时洋务运动的宗旨不谋而合，因此书院的建立得到了清政府以李鸿章为首的洋务派的大力支持。洋务派提出“御侮图强尤以人才为亟要”，“用人最是急务，储才尤为远图”。李鸿章大力支持开办格致书院，批准了徐寿等提出的一系列建议，并亲自带头为格致书院倡办捐资，书院开张时他还亲笔题赐院匾“格致书院”。

**20世纪20年代的格致书院校舍**

有这样一种中西共持的局面，国内有识之士和外国友好人士闻之都倍感欣慰，他们对格致书院的创立已然达成共识，纷纷为书院的筹建游说奔走，筹措资金招募人才。当时中国一流的科学家、思想家，如徐寿、徐建寅、华蘅芳、王韬等，外国友人傅兰雅、伟烈亚力、福弼士等就是其中杰出的代表，他们为了格致书院的事业，不惜献出自己毕生的财物和心血。由于他们的努力，格致书院在创办之初就得到了社会各界的广泛支持，除李鸿章外，很多官员和洋行、中国企业、英伦董事会都解囊相助，其中不乏个人出资。后来，书院在经营中还不断收到各方面的捐赠，捐赠者有当时的比利时国王、孙中山、胡雪岩等。

格致书院召开董事会

## (二)“格致”的由来

格致书院的创办人以“格致”为书院命名，含义非常深刻。“格致”一词最初在中国的含义就是“科学”的意思。胡适在《格致与科学》(1933 年 12 月 19 日)一文中说：“科学初到中国的时候，没有相当的译名，当时的学者就译作格致。格致是格物致知的缩写。”从明清以来的西学东渐开始，一些学者像徐光启在翻译西方书籍时就将“science”译成“格物穷理之学”，后来简称“格致”、“格物”或“格致学”。

“格致”作为书院的名称，至少包含了两层内涵。

第一，它出自古籍《礼记·大学》中的“格物，致知，诚意，正心，修身，齐家，治国，平天下”，它是儒家宏大抱负的起点，也是中国封建时代知识分子孜孜以求的理想境界。晚清帝国主义列强的侵略引发了他们的深层思考，促使他们认识到实现自身价值必须另辟道路，必须唤醒和改造民众，同时也使他们感到要引进西方科技新知，要以科学精神来挽救日渐衰退的国势。格致书院的创办正是这种思想的体现。

第二，从字面上理解“格致”，即为“穷究事理，获得真知”。《礼记·大学》把“格物致知”放在“大学之道”的“八目”（格物，致知，诚意，正心，修身，齐家，治国，平天下）之首，就是为了强调只有反复思考推究，才能明了“物之本末，事之始终”。这就道出了格致书院在读书、做学问、认识事物和认识世界时需要把握的基本原则与方法。

据考，格致书院的创始者麦华陀最初拟将学校命名为“宏文书院”，后来才定名为“格致书院”。“宏文”改为“格致”，体现的是时代精神和教育价值的新取向。用“格物致知”的精神与方法去学习，掌握“格致”诸学，为国为民尽责尽力，这就是格致书院创始人以“格致”为书院命名的深刻原因。

### （三）主要创办者及其业绩

走进我校的校园，首先映入眼帘的是草坪上的两尊青铜雕像，他们是格致书院的主要创始人——徐寿先生和傅兰雅先生。他们和华蘅芳、王韬等一批格致书院的先驱开创了我校辉煌的办学历史，值得我们永远缅怀。

格致书院主要创始人：
徐寿（中）、傅兰雅（右）、华蘅芳（左）

今日格致中学校园一景

1. 徐寿

徐寿，字雪村，江苏无锡人，是将西方近代化学系统介绍到中国的第一人，我国目前使用的化学元素标准译名即由他制订，并一直沿用至今。他与傅兰雅合译的《化学鉴原》、《化学考质》等为西方近代化学在中国的传播奠定了基础。

徐寿清醒地看到单凭中西民间志士的力量创办格致书院很困难，于是，他多次上书李鸿章，要求清政府酌拨经费。书院董事会成立后，徐寿被任命为“司库”专管财政，他率全家缩衣节食，多次为书院垫捐资金，以解办学之困。

作为书院创始董事，徐寿在《申报》上发表文章，动员社会各界捐建格致博物院和图书馆。他主持修订格致书院章程，参与买地建院，并亲自打绘图样，指导院舍设计。书院在教学中开创演示实验的先河，所需要的仪器设备和成品样板，徐寿也都自画图纸设计制作。

从格致书院初创起，徐寿就全力以赴，矢志不渝，为书院的事业呕心沥血。他在长期办学过程中表现出来的责任意识、超前意识着实可嘉，其满腔热忱和爱国情怀让人感动。

### 2. 傅兰雅

傅兰雅，英国在华的杰出翻译家、教育家、西学的传播大师，格致书院的创始董事之一。他担任格致书院的首任秘书长达 21 年之久，几乎参与了书院一切重大活动的策划与实施，是格致书院当之无愧的元老。

傅兰雅大力引进西方先进的教学理念，亲自编制课程和教习数学。他还力推山长①王韬推行考课改革，采编关注西学传播与时政革新的全新试题，一时格致考课盛行，产生了深远的社会影响。傅兰雅还特别注重对师生进行赏识鼓励，他对栾学谦、陆仁堂老师的化学实验课大加赞赏；他让学生走上讲台授课，既补充了师资不足，又锻炼培养了学生的能力。他安排他的儿子到格致书院教书，临终时还嘱咐儿子用家族的积蓄回到上海创办了上海首家盲童学校。

傅兰雅是一位精通汉语并熟悉中国多地方言的学者，他在中国工作几十年，翻译大量西方科技著作，创办格致书院，帮助格致书院从欧美筹集实验、机器设备，还创办了中国第一份综合性科学杂志《格致汇编》并亲自担任主编，刊物在全国引起了广泛关注和好评。1885 年，他还出资成立了“格致书室”，出版以介绍西方自然科学和社会改革为主要内容的书籍，为当时中国人了解西方先进思想与科学技术打开了一扇窗户。

### 3. 王韬

1884 年，徐寿先生逝世，王韬出任格致书院山长。王韬掌管书院的 12 年，是格致书院办学成就最为辉煌的时期。

王韬是晚清著名学者，洋务运动时期的政治家，我国近代新闻事业的开山祖。他早年曾因被清政府缉捕流亡国外逾 22 年，期间他游历欧

① “山长”是历代对书院讲学者的称谓。废除科举之后，书院改称学校，山长的称呼废止。

美，广交友人，在世界各地传播国学，考察异国政局，开阔了眼界。57岁时，王韬经李鸿章默许回国，来到格致书院任职。

王韬上任初始，即把格致书院的办学目标定位为“有益于时，有用于世，为国家储备人才，以备将来驱策”，在书院实施了一系列教育改革。

第一，招收生童，实施初等自然科学教育。在王韬担任山长之前，格致书院尚未正式招收学生。上任后，王韬决心改变现状，他在主要报刊上发表文章，大力抨击旧时教育制度，宣扬格致之学对国家富强以及个人生计的功效。同时，他四处奔走宣传，招收了一个正规的教学班，虽称之为“书塾”，但在教学内容与形式上都作了大胆创新。这个教学班改变了传统的教学内容，单讲外语和自然科学，虽然规模不大，但开创了中国人主办课堂教学之先河。

第二，四方张罗，为书院筹集经费和招募师资。当时的格致书院办学经费来源不稳定，时常入不敷出。为了“格致”之学在中国不至于毁于垂成，王韬借助自己的声望和个人私谊，不顾花甲劳顿，四方游说，其为延续中国近代教育之香火而不辞艰辛、忍辱负重的苦心令人欷歔。

第三，创立考试制度，引导士人研究现实问题。王韬主张实用主义的教育思想，强调学习西方的目的就是为了解决中国社会存在的现实问题。为了改变书院“来学者不多”的局面，他改变原先单纯学习自然科学知识和关门面授的做法，创立了一种把学习自然科学知识与探讨国内外实际问题糅合在一起的新知考课制度，即傅兰雅称为“汉语论文竞赛项目”的制度。考课每年举行六次，考题内容主要是西学新知识和社会现实问题。

在考课方法上，王韬也作了一番改进，提倡自由讨论法和问答法，并接受傅兰雅的提议，请一些社会贤达为考课命题，命题者大多为倾心洋务的主政大吏及具有时代眼光的中外有识之士，譬如李鸿章、盛宣怀、郑观应等。命题者不仅负责出题，还亲自批改，最终自己出资对获奖学生进行嘉奖。当时考课的题目大多是跟西学和中国社会现实密切相关的“时务”。这种做法反映了王韬创办考课的良苦用心。

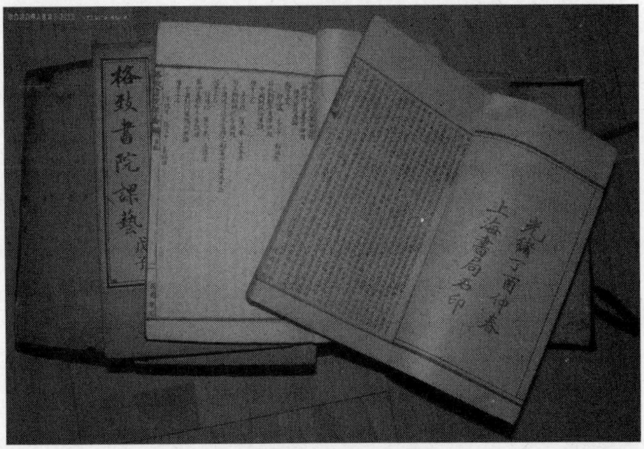


由上海书局石印的《格致书院课艺》

我校先贤创立考课制度的用意不只在引导学生研究西学、探讨时事，更深远的意义在于推进中国现实政治与经济的改革实践。王韬每年都将考课中的优秀论文以及考官的评语、眉批一起编入《格致书院课艺》。后来的学者称这是格致书院奉献于社会的一份瑰宝，其影响已经超越教育范畴，具有社会启蒙的深远意义。

无论是思想上还是实践上，王韬都是中国近代教育发展史上当之无愧的先行者。

## 二、格致公学和上海市市立格致中学（1915—1949）

从1915年到1949年新中国成立前，伴随着时代的变迁和社会的动荡，格致书院经历了格致公学、上海特别市市立格致中学和上海市市立格致中学三个不同历史时期。

## （一）格致公学时期（1915—1942）

### 1. 格致公学的成立

格致书院开办以后，由于双方利益不同，中西董事的意见经常不合，特别是在书院发展这一问题上始终难以统一。1911 年，西人董事欲将书院规模扩大，但所需巨额款项难以筹措，有人建议把书院的部分土地租借给上海工部局，再由工部局出面开办一所高规格的学校，招收华人儿童入学。这一建议没有得到华人董事的赞同，但格致书院董事会西人主席仍执意向上海工部局提出了这一建议。建议内容包括校名、课程与书院管理。如将“格致”作为这所学校的永久校名；“科学”应成为学校课程的突出特征；学校由工部局委任的董事会管理，董事会中要有格致书院的代表；书院土地出租的收益须用于学校开支、奖学金发放等。

1912 年，格致书院西人董事与工部局法律顾问草拟了一份合同。次年，此合同获工部局董事会批准。1913 年底，华董、西董、工部局三方正式签订了《格致书院分办合同》。1915 年 6 月，原格致书院董事会宣布解散。从此，格致书院结束了 41 年的办学历史，进入了“格致公学”时期。

### 2. 辗转中的格致公学

1919 年，上海经历了“五四”反帝反封建运动的洗礼，1925 年又经历了“五卅”反帝爱国运动。1930 年前后，上海的爱国民众受到北伐军收回武汉英租界的鼓舞，教育界发起了收回上海租界“教育界权”的斗争，迅速得到了社会各界的广泛支持，迫使工部局在对租界的教育政策上作出了调整，并提出“为公共租界的居民儿童提供教育机会，而不论其国籍”。

格致公学就是在这一背景下应运而生的。改制之后，格致公学有资金保证，有师资来源，有地处市中心的地理优势。因此，在易名后的初期，学校尚能稳步发展，培养了一批操行良好、学业优秀、身体健壮的新一代华人子弟。

1915—1942 年的 27 年间，中国的政局风云变幻，内战频繁，时局动荡，公学的基本教学秩序常常不能维持，教育质量更难保障。1937 年，日本发动了侵华战争。8 月 13 日，日军进攻上海，11 月，上海沦陷。日军炮火所到之处，无不遭到严重摧残，格致公学校舍亦难以幸免。工部局卫生处将学校改为“应急医院”，格致公学师生无法正常上课。但是，战火并不能阻挡师生们对知识的渴求，学校想方设法寻找能够上课的地方，校舍几经迁移，虽条件简陋，且分为两部，只有半天的学习时间，但师生们都很珍惜。在这样一个特殊的年代，师生们更加认识到科学知识对于救国的重要性，他们视民族危亡为己任，强烈希望通过学习科学知识实现救国愿望。

格致公学时期，格致师生在各界爱国人士的支持下，克服时局艰难，突破工部局原先的英式教育，努力实施以中华民国教育管理体系和方法为主要内容的本土化教育，继承格致书院开创的优良传统，艰苦奋斗，取得了难能可贵的办学业绩。

### 3. 格致公学中共地下党支部的建立

1937 年，格致公学的初中学生麦新，在七七事变当月于上海谱写了彰显中华民族大无畏气概的《大刀进行曲》。这首战歌吹响了抗日的号角，极大地鼓舞了民族精神，鼓舞了亿万中国军民拿起刀枪驱除日寇，保家卫国。当时，学校里还有一件非常轰动的“政治事件”，有一位爱国学生毛乾丰不怕日寇及汉奸势力的威胁，在教室里悬挂了一面中国国旗，学生们奔走相告，学校上下为之震动。可贵的是，当时麦新和毛乾丰均仅就读初中，年龄只有十三四岁，小小年纪敢干敢为，其爱国精神正是格致人传统精神的真实写照。

1937 年，格致公学中共地下党支部成立，由吴庆德（吴学谦）担任第一任支部书记。他带领地下党员通过上海学生界抗日救亡协会这个半公开的组织，在校内积极开展抗日活动。当时，格致公学处于日军控制之下，整个学校死气沉沉，校长为了维持日常教学，不敢过于得罪日本人。格致公学地下党突破各种封锁，巧妙地在学生家里或者其他学校开展活动。当时格致公学地下党的骨干还有黄煜椿、蔡明德、钟信超等人，他们带动了一批爱国学生，在抗日宣传活动中发挥了重要作用。格致公学的学生认识到：读书求职是必需的，但是，国家危亡、民族利益更是第一要义。他们用自己的实际行动，为学校的爱国主义传统增添了光辉的一页。

原中共中央政治局委员、国务院副总理、全国政协副主席吴学谦（原名吴庆德，曾担任过格致公学地下党党支部书记），原中共中央宣传部宣传局局长钟沛璋，《大刀进行曲》词曲作者麦新等，都是格致地下党及爱国学生中的杰出代表。

《大刀进行曲》词曲作者麦新

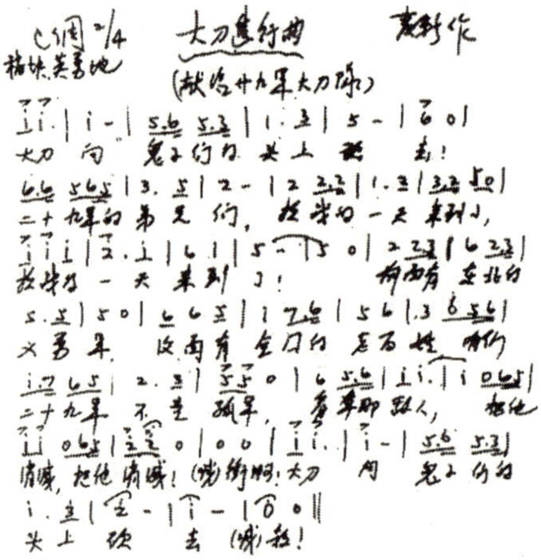


《大刀进行曲》手稿

4. 爱国校长刘崇本

格致公学时期，学校归英租界管辖，所任校长都是英国人，他们受命于工部局，文化倾向以西方为主。期间唯一的华人副校长刘崇本值得大书一笔。

刘崇本早年留学美国哥伦比亚大学，师从杜威。担任格致公学副校长时，他分管学校中文部教学，凡开设中文课程必经其手。他为学生们精心挑选教材，除了教育部规定的之外，还选定一些古今中外文情俱佳的作品，陶冶学生的情操，拓展学生的视野。

他主管学生的思想教育与管理，开设了“公民课”，还辟有专室，暗中对学生进行爱国主义教育，潜移默化地影响学生，激励学生做堂堂正正的中国人。

刘崇本校长管理学校的最大贡献是其独创的“四院”模式。所谓“四院”，即将一个班级的学生按学业和性行分成四组，然后分别编入四院。这四院以我国古代名人学士命名，分别为“光启”院、“念孙”院、“炎武”院和“有光”院。四院设置分别为自然科学系、语言学及经济系、历史及地理系、文学系。以徐光启、王念孙、顾炎武、归有光四人来命名格致公学的院系，不难看出刘崇本校长的良苦用心。他希冀格致公学学生以这些名士为楷模，要有顾炎武“天下兴亡，匹夫有责”的爱国心，徐光启勇于进取的科学头脑，归有光那样文从字顺的神来之笔和语言大师王念孙的治学态度。

格致公学“四院”的设立，在于“各级学生不计程度之高下，年龄之大小，可以同属一院，与他院相竞争”，以此唤起学生之间团结合作、竞相进取的精神。这种模式其实就是今天学生社团的前身，当年的“四院”模式，为我校社团活动开创了优良传统。

刘校长对学生着装的要求意味深长，他规定以同款同质的长衫为校服，其用意除“朴素大方”、“互助平等”的含义外，还在于时时刻刻提醒学生不能忘记自己是一个中国人。在动荡的年代，格致学生的修身养性一天都没有停止过，即使寄居外校，与外校学生一起上课，格致学生也从未与人发生冲突，“学生之品行，弥堪嘉上”。

1942 年，学校被汪伪政权接管，有着强烈爱国心的刘崇本校长不愿臣服汉奸，愤然辞职，举家迁往美国，这种爱国骨气至今仍受到我校师生的称道。

### （二）上海特别市市立格致中学（1943—1945）

随着抗日战争的热化，日本对上海租界的侵占进一步扩大。1941

年12月，太平洋战争爆发，日军全面占领公共租界，强行接管英美资产，完全控制了工部局。日方打着“中日亲善”的幌子企图对上海实施进一步的殖民统治，提出了所谓“取消租界归还中国（指归还汪伪政权）”，“撤销治外法权”等主张。在教育方面，日本侵略者大量删改上海占领区学校的课程和教材，日方指使伪政府规定日文为必修课，而且课时必须确保。面对这种奴化教育，我校师生从来没有停止过抵抗。

1942年，上海市汪伪政权第一、第八公署教育处“接管”了当时工部局管辖的中小学及原法租界所属的学校，将这些学校一律改称为“上海特别市政府市立学校”。英租界工部局所属的“格致公学”也就跟着更名为“上海特别市市立格致中学”。

### （三）上海市市立格致中学时期（1945—1949）

1945年8月抗战胜利，9月国民党政府成立上海市教育局，10月接收格致中学，校名定为“上海市市立格致中学”，同时任命周斐成为校长。

#### 1. 格致中学重回故址

周斐成校长上任后，把将学校迁回北海路原址列为第一要务。此举受到了当时教育局局长的高度关注，通过与市卫生局多次交涉，并经当时行政院驻上海办事处官员调停，几经周折，学校终于在1946年迁回原址。经历战乱变迁，校舍、教学设备损坏严重，但是全校师生充满信心，立即投入重建自己家园的艰苦工作。

#### 2. 学校的重建和发展

抗战胜利后，全国人民满心希望建设一个和平的国家，振兴教育、发展教育的呼声空前强烈。在“战后教育第一”口号的推动下，从1945年下半年起，我校的办学状况有所改善，教学质量稳步提升。

学校坚持“格物致知”的教学传统，在重点抓好自然科学课堂教学的同时，注重通过实验使课堂教学形象化。学生通过大量的理化实验，不仅提升了感性认识，加深了对书本知识的理解，而且提高了对学科的兴趣。学校还特别设置劳作课，锻炼学生的动手能力。

当时，学校延聘了很多高学历、在国外获得学位的教师。他们敬业精神强，业务造诣深，而且教学风格各异。教师们的讲授提纲挈领，深入浅出，生动活泼，教学效果十分理想。

### 3. “地下学联”运动高涨

抗战胜利后，国内形势与阶级关系起了新的变化，抗日统一战线领导下的民族解放运动转变成中国共产党领导下的新民主主义革命。中国共产党在白区的斗争依然遵循“隐蔽精干，长期埋伏，积蓄力量，以待时机”的总方针，加强对地下党组织的领导。我校的地下党支部也以满腔的革命热忱积极开展工作，加强校内外的各种联系，扩大党组织的影响。

在国共关系日趋紧张、内战即将爆发的时候，我校地下党组织发动学生群众，支持当时各校教师“罢教怠教”的合法斗争，积极配合上海市地下党学委的一系列斗争活动，揭露国民党反动政权破坏和平的阴谋，显示了人民群众爱国、爱和平、争民主的力量。学校地下学联运动的发展，既锻炼了学生的能力，也培养了学生的社会责任感。

### 4. 市立格致中学的特色

抗战期间，学校流离搬迁，没有定所，学生的体育活动受到很大的影响，但师生们认识到身体的强壮对一个民族振兴的重要性，即使条件困难也从未放弃过，校园体育活动依然开展得有声有色。可以说不管在哪个时期，我校在体育方面都取得了值得称道的成绩。

当时我校的体育强项是足球、游泳。1948 年，我校学生代表上海市参加全国运动会，在跑步、游泳、拳击等各项比赛中取得了引人注目的成绩。

学校还非常重视锻炼和培养学生的社会实践能力，积极鼓励学生广泛参加社会活动。据记载，学生们参加了市里举办的一系列演讲比赛、运动会、青年节、国语竞赛等活动。

## 三、上海市格致中学（1949—1978）

1949 年，上海市格致中学与我们伟大的祖国一起获得了新生。

### （一）新中国成立初期的发展

1949 年 12 月 23—31 日，第一次全国教育工作会议在北京召开。这次会议研究和解决了当时全国教育工作中的一些共性的问题，确定了全国教育建设的总方针，明确了改革旧教育的方针、步骤和发展新教育的方向，明确了建设共和国新教育的基础和途径。会议提出“要以老解放区新教育经验为基础，吸收旧教育有用经验，借助苏联经验，建设新民主主义教育”的方针，这样才可以在改造旧教育和建设新教育的过程中得到更多的启示，取得更大的成绩。强调教育必须为工农服务，必须为国家的生产建设服务的方针。提出教育工作的发展应是普及与提高的结合，即在普及的基础上提高，在提高的指导下普及。在当时和以后相当长的时间内，必须把教育工作的重点放在普及上面，并将这种教育与国家建设的需要（目前的需要和长远的需要）密切地联系起来，使教育有计划地配合生产建设，培养各种建设人才。同时，各级各类学校都必须向工农开门，招收工农干部和工农子女入学。根据新老解放区的不同情况，提出了新老解放区办教育的任务和原则。新解放区教育工作的关键是争取、团结、改造知识分子。旧学校的教职员除个别反动分子外，都应继续留用；要在师生中进行思想政治教育，使他们逐步树立革命人生观；要维持原有学校，逐步改善。

地处新解放区的上海市格致中学，同样面临着对旧教育的改造和新教育的重建问题，新生的格致中学承载着为新中国培养建设者和接班人的使命。

### 1. 师生喜迎解放

1949 年，我校师生喜迎上海解放和新中国成立。5 月，我校中共党支部由地下转为公开，党员人数最多时达到 12 名。6 月 17 日，上海市军事管制委员会文管会教师杭苇主任率领接管工作组进驻我校，宣布学校由军管会接管。接管工作在我校地下党支部、学生自治会、进步教职工代表及进步学生代表的协助下顺利完成，学校发展由此也翻开了新的一页。9 月，我校成立了上海解放后教育界第一个新民主主义青年团团支部，49 届春季班学生李金贵担任首任团总支部书记，当时的《解放日报》对此进行了一系列报道。在全市开展的一系列迎解放、慰问驻军、宣讲党的城市政策等活动中，我校师生积极参与，受到了社会各界的赞誉。新生的学校步入了正常的教育教学轨道，师生们在安定、团结的氛围中开始了新的学习生活。

1949 年年底，上海市人民政府任命陈尔寿为我校校长。陈尔寿校长毕业于南京中央大学地理系，在地理学方面颇有建树。他为人正直，对待教育事业认真敬业，在主持我校工作期间，实施了一系列改革和创新的举措。

上海刚解放时，旧社会残留的各种影响还未能彻底消除，陈尔寿校长就任以后的第一件事情就是对师生加强思想教育。他组织师生自觉投入思想改造，并积极参加镇压反革命、抗美援朝、“三反”、“五反”等重大政治运动，组织动员学生积极加入新民主主义青年团，参军、参干等，大大激发了师生热爱共产党、热爱新中国的政治热情。

### 2. 规范学校日常教学活动

新中国成立初期，我校有一部分学生比较自由散漫，学习不认真，染有考试作弊等不良习气。为此，陈尔寿校长组织学生开展学习目的教育，从思想上端正学习风气，使学生认识到光有政治热情，没有真才实学是无法为国家效力的。同时，他倡导成立“互帮互助”小组，让成绩好的学生帮助落后的同学共同进步。他还在全校组织“荣誉考试”，请教师发完试卷后退出考场，不进行“监考”，相信学生能自行克服作弊陋习。这种“荣誉考试”获得了极大成功，学校逐步树立了勤学互助的优良学风，学习质量普遍提高。新中国成立初期，全国重点大学着力培养国家急需人才，我校为此输送了大批优秀的毕业生。

#### 3. 招收女生，增扩班级，创办夜校，践行平民化教育

我校原来规模较小，为满足社会需要，陈尔寿校长充分挖掘校舍潜力，把教学班扩大到 18 个。他主张男女平等，应享受同等受教育权，反对学校原来只招男生不招女生的做法。他向教育局上书，要求招收女生，并得到批准。从此，我校开始招收女生。陈尔寿校长的这一改革具有深刻的社会意义。

陈尔寿校长认为，每一个人都应该有受教育的权利和机会。他把学校资源、设备对社会开放，除了办夜校，学校周边社区的居民也可来旁听学校课程，从而让更多的人共享学校教育资源。为了满足迫切需要提高文化素质的青年职工、店员入学的需求，他还创办了格致夜中学，培养了一批又一批对社会有用的青年。

### （二）上海市重点中学

1958 年，学校被上海市政府首批命名为市重点中学。当时的格致中学是一所初中、高中合校的学校，承担招收黄浦区优秀小学和初中毕业生，并向高等院校输送优秀毕业生的任务，与此对应的办学目标主要是彰显理科见长的特色，为高等院校输送高素质的理科人才，为社会输送高素质的劳动者。当时，在全市 25 所市重点中学里，我校的校舍最小，设备最简陋，但我们继承了格致优良的传统，勤奋工作、踏实进取，在教育系统内外获得了良好声誉。20 世纪 90 年代初，时任上海市市长的朱镕基同志来到我校，给予我校高度评价：“三流的校舍，二流的设备，培养了一流的人才。”这是对我校办学水平的高度肯定，是对我校高素质教师队伍、教学质量的高度肯定，也是对我校坚持以学生发展为本，为国家培养大批高质量人才的办学业绩的高度肯定。

## 四、改革开放后的格致中学（1978—　）

1978 年，党的十一届三中全会召开，我国开始了全面的改革开放。我校教师焕发出无比高涨的热情，学校的改革发展也步入了新的时期，这所百年老校重新焕发青春，迎来了前所未有的发展机遇。

审视改革开放以来格致中学的发展历程，我校名誉校长、特级教师高润华对格致的发展起了非常重要的作用。1983 年，《人民日报》头条刊登了一则消息：黄浦区政府将高润华老师直接由语文特级教师提升为格致中学校长。高校长上任时，格致的校舍面积仅有十亩，各方面设备都比较简陋。“鸽子”棚里如何飞出金凤凰？高校长秉承“格物致知、求实求是”的治学治校精神，传承并拓新了格致文化。

### （一）坚持格致的办学指导思想，贯彻“三全”、“三出”、“三特”的要求

#### 1. “三全”：德智体美劳全面发展，课内课外全面安排，全体同学全面提高

20 世纪 80 年代，高校长提出学校发展要“坚持德智体美劳全面发展，课内课外全面安排，全体同学全面提高”，即“三全”的办学理念，并把是否贯彻“三全”作为衡量和评估学校各项工作的要求与标准。作为一所初、高中兼设的市重点中学，我校的主要培养目标是向高一级学校输送优秀人才。尽管我校的学生都是择优录取来的，但学校也应该对每一位学生全面负责，让他们都能符合高一级学校的选拔和挑选标准，而不能认为有几个学生落选是无所谓的。

学校的“三全”办学理念得到了全体教师的认可，并被列入了学校的五年规划中。全体教师的高度认同和共同努力结出了丰硕的成果，我校 85、86、87 三届高中毕业生 100% 被高校录取，其中 70% 左右被部属重点高校录取。

### 2. “三出”：出升学率，出人才，出经验成果

学校并没有满足于100%的高升学率，而是进一步提出要“出升学率，出人才，出经验成果”的“三出”办学思想。我们认为，高升学率是办学成果的一个方面，高分数不一定代表高能力、高素质。因此高润华校长提出，在保持高升学率的前提下，更应重视成才率，即培养出高质量、高层次的人才。学校坚持“三出”就是发展学生的个性特长，“课内、课外”全面安排成为这一目标达成的重要举措，“第一课堂打基础，第二课堂出人才”这种“双规同步”的课程设置成为格致人的行动指南，同时也成为格致人的具体行动。我校的具体操作如下几方面。

遵照“第一课堂打基础”的举措，学校要求教师关心每一个学生的学习。基于学生差异是客观存在的现实，学校要求每位教师要对每一个学生负责，潜心研究学情，落实因材施教，让每一个学生都能打好扎实的基础。为了实现“第二课堂出人才”的办学目标，学校创造条件（包括选修课、兴趣小组、课外活动小组、科技小组、知识讲座、运动队、合唱队等）让学生发挥自己的个性，发展自己的个人爱好。学校开设了多门选修课和活动课，这在应试教育盛行的20世纪80年代可谓独树一帜。选修课和活动课的开设吸引了100%的学生参与进来，学校出现了各种课外活动小组36个，其中文艺组5个，运动队9个。第二课堂的开设丰富了学生的课余生活，扩大了学生的知识视野，增强了学生的动手能力，也培养锻炼了一批教师。这一阶段，我校学生在国家级、市级竞赛中取得了大面积的丰收。

在学校教育改革不断深化的过程中，高校长认为，引导教师们认识并掌握教育规律，用教育规律指导教学实践尤为重要。因此，学校鼓励教师参与教育科研，总结教育教学经验，“出经验成果”成为格致又一办学思想。“出经验成果”催生了一大批高水平的教育、教学管理经验的科研论文，并在发展格致传统特色的基础上，总结出新形势下格致办学的特色。

**3. “三特”：学校要办出特色，教师要有特长，教学要有特点**

高校长认为，学校的特色是学校的生命力所在，学校的特色需要一大批教有所长的教师支撑，而教学有特点是有特长的教师必备的专业素养。

格致中学教学有特点的教师分布于各学科中，尤以数学学科居多，刘永贞、孙兆桂、刘汉标三位数学特级教师各有特长，教学各有特点，在他们指导下的数学团队，创造了格致中学的数学殿堂，使格致的理科特色发展到了极致。上海市首批特级教师刘永贞老师的特长是“代数”，研究教材更是她的强项。通过研究学生和教材，她设计和布置的作业少、精、活。刘老师特别注重基本概念的讲授，特别善于启发学生，并注重个别补差。刘老师不仅自己教学技艺精湛，作为教研组长，她还开放自己的课堂，拿出自己的教案供其他教师学习，使我校的数学团队整体得到了飞跃。在她的悉心指导下，数学组的孙兆桂老师和刘汉标老师先后被评为特级教师。孙兆桂老师擅长“三角”，其教学容量大，讲课细腻，既注意思维过程的剖析，又重视证明、演算的完整，努力用学生易懂的语言来讲解数学，孙老师在20世纪80年代就实践了学法指导。刘汉标老师擅长“几何”，重视基础，因材施教，注重培养学生的学习能力，尤其在数学第二课堂的教学实践中成绩斐然。“双规同步”教学体系就是在总结数学教研组经验的基础上，以点带面，全面开展而逐步形成的。格致中学的数学尖子之所以不是某一届、某几个学生的昙花一现，其主要原因就是坚持“第一课堂打基础，第二课堂出人才”的课程设置不懈努力的成果。高校长说，教学是科学，来不得半点浮夸，也不可能一口吃出一个胖子，只有勤奋踏实，一丝不苟地遵循育人的规律，辛勤耕耘，才能为国家输送有用的人才。用经商的方式来抓教育，最多也只能是昙花一现。格致中学教师特长的培养和教学特点的形成使得格致的特色长盛不衰。

高校长也非常重视格致教师特长和教学特色的带教纽带。青年教师来校后都有老教师带教，业务上是这样，班主任工作也是一样。学校充分认识到老教师们的厚重力量，发挥他们的带教和示范优势来抓好学校工作，提高教育教学质量。如一方面，高校长把已经退休的特级教师刘永贞、陈彩云等请回学校当“老顾问”；另一方面，她也从学校年轻一代的教师身上看到了未来学校的发展。她坚持老教师负责把关，培养青年教师的制度，请两位老顾问深入教研组、备课组，帮助青年教师备课、听课、评课，对青年教师进行“四心”教育，即对于教育工作的热心、安心、专心、虚心。这种“师傅带徒弟”的形式促进了年轻一代教师特长和教学特点的形成，为格致中学“理科见长”特色的进一步彰显打造了高质量的教学团队。

### （二）加强师资队伍的建设，狠抓“三风”是格致的生命力所在

我们认为，教育教学质量的关键是师资队伍的建设。随着老教师一批批退休，青年教师不断地充实进来，格致的优良传统出现了传承不足的端倪，这是自然规律。因此，总结青年教师培养的经验成为格致进一步发展的需要。学校实施对新教师的“传、帮、带”工程，以老教师的“传、帮、带”帮助青年教师继承格致“热爱学生，教学严谨，勇于探索，言传身教”的教风，为教育、教学质量的保持及提高发挥了重要作用。

在管理中，高校长大胆创新，打破“大锅饭”，建立“岗位责任制”。1984 年学校建立了岗位责任制，核定工作量，第一次定编定员。1987 年，学校将奖金总额和工作量挂钩，进行结构工资改革。在整个过程中，高校长充分发扬民主，发挥工会组织的作用，广泛听取教职工意见。通过不断讨论修改，这一改革最终由教职工代表大会落实。经过全体格致人的努力，学校出现了“四争”的新气象，即人人争取工作量足，多数教师争跨两头课，人人争当班主任，职工争挑两副担。

同时，学校狠抓“三风”建设，即抓教风，创学风，振格致雄风。学校把“热爱学生，教学严谨，勇于探索，言传身教”作为全体教师教书育人、为人师表的具体表现。在 1988 年“读书无用论”有所抬头

的情况下，学校开展了“管教管导”百花奖、“教书育人”伯乐奖和“服务育人”绿叶奖的评比活动，全面开展“做一个热爱学生的好老师”活动。在教学管理上坚持双向信息反馈，从抓教风来带学风，坚持学风管理上的有效制度。如每月召开一次年级组会议，分析学生情况，每半学期任课教师对任教班级进行学风讲评，又如建立课堂情况的双向记录表以及学生评教的调查表等。

学校努力建设一支精干的德育工作队伍，积极组织育人合力，党、政、工齐抓共管，努力把德育与各学科的课堂教学结合起来，努力把德育与课外活动结合起来，逐步形成了“三线一面”的德育体系，对学生进行爱校、爱集体、爱祖国教育。在德育工作研讨会上，学校组织班主任分析学生在学风中存在的问题，研究如何形成学校德育工作的合力，探讨各部门在德育工作中的主要任务、职责以及德育工作的管理。同时结合学校实际，讨论了学风建设应包括学生非智力因素的培养，开展了学习动力因素研究，分析了我校学生的学习动力状态，探讨了增强学生学习动力的有效途径及落实措施。学校还加强了德育工作队伍的建设，包括班主任队伍的建设、学生干部队伍的建设，强化了德育工作的奖惩、德育科研论文的专题交流及评选等。

教师们充分认识了德育工作的重要性，统一了必须狠抓“三风”的认识，对学校全面贯彻教育方针，对学校教育教学质量的提高发挥了极大的作用，也为格致进入21世纪的发展奠定了坚实的基础。

# 第二章 21世纪的办学理念与规划

跨入21世纪，纵观国际国内形势，我们深切感到时代对教育发展提出了更高的要求。作为一所百年老校，学校迎来了新的机遇，同时也面临着新的挑战。应该以怎样的新理念和新策略来发展学校，这成了校长们思考的首要问题。经过不断反思，我们认为一所学校的校长应该是学校历史的传承者、发展者和创新者。因此，我校确立了“在传承中创新，在创新中发展”的发展策略，力求站在历史巨人的肩膀上，开创新的发展局面。

# 一、办学传统的传承与创新

## （一）时代与社会发展的挑战

跨入新世纪，党中央进一步明确实施科教兴国战略和人才强国战略的重大意义，提出要把发展教育和培养德才兼备的高素质人才摆在更加突出的战略位置，深化体制改革，加大投入，加快科技教育发展，努力建设学习型社会、创新型国家和人力资源强国。

教育是生命成长的事业，是社会发展、国家兴盛的基础。近二十年来，全球跨入知识经济时代，科学技术尤其是信息科技发展迅猛，社会对经济发展的强烈诉求，促使各个国家和地区空前关注教育、研究教育。快速响应全球化，力求经济及社会的发展，已形成一股世界潮流，并成为当前国际上普遍开展的教育改革与发展的动力。

所谓“全球化”，是指不同地域及不同社会间的价值、知识、科技以及行为规范的转移、调适与发展，从而影响社会、社区、机构或个人的过程。对教育来讲，全球化涉及教育目标、办学策略、课程内容、学法教法等诸多方面的问题。我校有着“世纪名校”、“市重点中学”、“实验性示范性高级中学”这样的称号，理应积极迎接全球化的挑战，主动站在当前这场教育改革的前列。继承我校优良的传统，创新学校教育的理念，建立新的架构，改革课程与教学环境，让我校学子接受更适合的教育，使他们能够适应未来社会的生存环境，是时代赋予我们的使命。

### （二）学校内涵发展的需要

无论是文化底蕴、软硬件质量，还是办学业绩、学生素质，我校都享有很高的社会声誉。然而，我们从不满足，从不放松对学校发展的理性思考与执著追求。我们深刻认识到名校绝不能被动地被时代大潮裹挟着向前跑，而应该在推进教育现代化的进程中审时度势、继承传统、创新发展，做大、做强、做活名校品牌，要始终走在时代发展的前列。名校的魅力在于文化底蕴，更在于它不断萌发着的先进教育理念和与时俱进的精神。

我校地处中国特大型城市上海的市中心，即上海政治、文化、金融、商贸的中心，人流、物流、信息流高度集聚，全球化、国际化特征鲜明，社会资源和教育资源丰富。黄浦区作为上海中心城区，区政发展目标是建设“经典黄浦”，而黄浦教育发展的目标是打造“精品教育”，其特征是“精、特、优”。我校作为一所历史老校和名校，在新的发展时期，要牢牢把握历史机遇，努力找准发展方向，继续彰显办学特色，走融合中国传统文化精髓和世界先进文化的发展之路。

党的“十六大”提出要用科学发展观来指导我们的工作。根据这一精神，我校新一轮发展也要用科学发展观来引领，要用辩证唯物主义的观点与方法来分析和把握学校已经取得的成绩及面临的任务。我校一贯以“办人民满意的教育”和“以学生发展为本”为基本宗旨。作为上海市第一批示范高中之一，我校在新的高度上审视和崇尚理性，突出办学的“科学性”，努力贯彻“教育民主”思想，追求新的价值取向，以课程改革为核心，营造一流的学校文化环境，巩固成果，深化改革，提高质量。随着学校二期改扩建工程的完成，办学硬件条件也极大改善，为新一轮发展创造了前所未有的良好条件。

# 二、格致文化的解构与重塑

## （一）格致文化的历史内涵

张志敏校长在为《格致掌故》作序时指出："学校文化是彰显办学个性的旗帜，对于像格致这样办学历史悠久的学校，也可以说学校本身就是一种文化、一种机遇品牌、一种底气。""格物致知"作为学校的传统精神既是历史的积淀，又是学校长期坚持的办学理念。它作为品牌的内涵，是学校文化的核心，决定并支持着品牌的发展，既是办学理念的体现，又是区别于其他学校文化的根本标志。所以，我们现在所说的"格致文化"绝不是简单的学校办学历史，也不是几位创始人和一批杰出的校友，而是能够体现办学传统和办学特色的学校精神。它是一种呈现办学理想的、融理念与实践的文化现象。

"格致"是"格物致知"的缩写，而"格物致知"作为我国一种传统的学术思想，博大精深、凝练厚重，蕴涵着历代先驱对于认识论曲折的探索，是千百年来民族文化的宝贵积淀。"格物致知"，通俗地讲，就是研究事物原理而获得知识。它是中国古代认识论的重要命题之一，是一个哲学概念。它出自《礼记·大学》，传说是孔子弟子曾参的学生记录老师言论的文字，原文如下："欲诚其意者，先致其知，致知在格物。物格而后知至，知至而后意诚，意诚而后心正，心正而后身修，身修而后家齐，家齐而后国治，国治而后天下平。自天子以至于庶人，壹是皆以修身为本。"东汉著名经学大师郑玄在对《礼记》作注释时，如此解释："格，来也；物犹事也。其知于善深，则来善物；其知于恶深，则来恶物；言事缘人所好来也，此致或为至。""格物致知"到了宋代，被朱熹提到了特别重要的地位。他对此意进行了补充，认为"致知在格物者，言欲尽吾之知，在即物而穷其理也"。这是朱子对"格物致知"最概括、精确的表述。"推极吾之知识，欲其所知无不尽也。穷至事物之理，欲其极处无不到也。"对于朱熹的解释，我们的理解是，"格物"

就是即物穷理，凡事都要弄个明白，探个究竟，“致知”即做个真正的明白人，为人行事决不糊涂。要获得知识，必须考察事物，以求认识事物的“理”。任何事物都有“理”，任何人都有一定的知识。求学者应该把心中已知的“理”作为基础，进一步努力，以达到认识的顶点。

《现代汉语词典》对“格物致知”的解释是：“推究事物的原理法则而总结为理性知识。”“格物致知”的内涵在不同的时代也发生着变化。著名物理学家、诺贝尔奖获得者丁肇中先生曾在《实验精神是中国文化的一部分》一文中谈道：“我觉得真正的格物致知精神，不但是在研究学术中不可缺少，而且在应付今天的世界环境中也是不可或缺。在今天一般的教育里，我们需要培养实验的精神。就是说，不管研究科学，研究人文学，或者在个人行动上，我们都要保留一个怀疑求真的态度，要靠实践来发现事物的真相……我们要自己有判断力。在环境激变的今天，我们应该重新体会到几千年前经书里说的格物致知真正的意义。这意义有两个方面：第一，寻求真理的唯一途径是对事物客观的探索；第二，探索的过程不是消极的袖手旁观，而是有想象力的有计划的探索。希望我们年轻的一代对于格物和致知有新的认识和思考，使得实验精神真正地变成中国文化的一部分。”丁肇中先生对“格物致知”在当今时代背景下应该如何理解作了科学而详尽的阐述，对于提高我们的认识有着极其重要的指导意义。

“格致文化”的深刻内涵可以概括为以下五个方面。

——它传承了中国儒家文化关于“修身养性注重个人品德，进而兼济天下”的传统。

——它体现了现代中国知识分子学习西方先进思想和技术，科学救国的务实探索。

——它崇尚科学和民主精神，体现了实现民族富强的理想。

——它注重科学知识、科学精神的培养，形成格物致知、求实求是的学习方式。

——它凸显热爱祖国、教书育人、和谐发展、理科见长的办学特色。

## （二）格致文化的两大传统："爱国"和"科学"

在这一个多世纪里，我校从"格致书院"到"格致公学"、"市立格致中学"再到今天的"格致中学"，学校继承、发展了办学先驱开创的优良传统，致力于探索科教兴国的道路，逐步形成了独具特色的教育风格。这种学校风格的形成，跟我校百年来的两大历史传统"爱国"和"科学"的传承是密不可分的。

格致教育的爱国传统首先来自"格物致知"的思想。格物致知、经世济国，体现了中国进步知识分子穷究事理，获求真知，从而修齐治平、兼济天下的宏伟抱负，同时，它也饱含了中国进步知识分子对国家和民族的责任感与使命感，因为它本身就是一种爱国精神。在格致书院创立之时，徐寿等一批进步知识分子竭尽所能，致力于国家的自强和富裕，他们急切要求借助西方科学技术发展本国军工产业，从而拥有自己的坚船利炮，抵制外国的侵略。他们透过所谓"物质"层面，看到西方军事技术的种种优势都有其先进的科学基础，于是开始认识到，运用先进的科学技术应当以科学知识和原理为前提。而要掌握科学技术，就要办好教育。"科教兴国"，这就是格致书院"爱国"传统的源头。

格致教育，从创办之日起就突出一个使命："全在于启发新知，使人更能认识西方进步情况。"书院从阅览室提供的书籍，展览馆展出的西方机器、仪器，讲座介绍或讨论的科技知识，到开设的课程和考试，都以科学技术教育为核心。格致书院的主要创办人徐寿、傅兰雅、华蘅芳等本身都是很有建树的科学家、教育家，他们为中国近代科学的启蒙做了大量的工作，也开创了格致的"科学"传统。

以今天的眼光审视当时的"爱国"和"科学"，的确存在着时代局限性，徐寿等学者作为自然科学家，当时还未能掌握系统的社会科学理论，存在着片面性，他们往往习惯于从自然科学的角度去寻找解决问题的途径，但实际上解决国家和社会的问题仅以此为视角是不够的。

### （三）格致文化的重塑

长期以来，我校追求“爱国”和“科学”的价值目标，并以此来整合学校的管理文化、教师文化、环境文化。2006 年起，我们开始了学校文化创造力的追索。我们认为，有创造力的学校文化既不拘泥于传统，也不落俗套，而是在保持自己文化根脉的同时，根据社会生活的发展不断丰富学校文化的内涵。“格物致知”是学校的文化之根，也是学校办学理念的集中体现。学校要继承“格物致知”精神以及“爱国”和“科学”的传统，并不断丰富其内涵，从深厚的学校文化中汲取一百多年来始终推动学校和社会发展的精粹作为原动力，进一步彰显办学特色，铸造优质教育品牌，把时代需要的科学知识、文理素养、创新精神、实践能力融成一炉，求真务实，培养有格致特色的优秀人才。对于“格物致知”的理解要从“物理格致”提升到“理义格致”，也就是不仅仅强调“理科见长”的办学特色，而是更注重培养人才“理性”的思维品质和科学的生活态度，不断提升人才质量。

#### 1. 管理文化

树立正确的育人观，对每个学生的全面和谐发展负责，在德育领先的基础上，注重发现学生的智能优势，开发学生的多元潜能，为每个学生的个性化成长创设良好条件。

树立学校的“大课程观”，把学校有目的、有计划地为学生提供的一切活动和环境都纳入学校课程范畴，围绕学生发展需要，建设学校课程。树立“以学为本”的教学观，强调在教学全过程中注重培养学生的学习能力和学习品德，在师生互动中充分发挥学生的学习积极性，促进学生学习方式的优化。树立学生多元发展、重在能力的评价观，着眼于学生的未来发展，扬长发展，全面发展，人人成才。树立基于信息时代、知识经济时代的技术观，在教育过程中充分运用现代教育技术，促进技术与教育的融合，借助技术提高教育水平。

通过工会、教工团支部等组织开展职工读书活动和其他健康有益的文娱体育活动；进一步办好“格致教育论坛”、“格致中青年教师学术沙龙”，办好我校教工摄影摄像协会，使之成为我校文化的特色品牌。

### 2. 教师文化

建设学校的教师文化，以学校发展的“共同愿景”凝聚教师队伍，既鼓励教职工遵循学校的共同价值基础和规范化管理，又非常尊重教职工的个性化选择和创造性表现，不断完善学校的组织和管理。

优化学校的“人际文化环境”，尊重人的生存价值，关心人的发展现状，通过丰富多彩的学校活动，形成相互理解、相互尊重、诚信宽容、愉悦务实的人际关系，提供积极合作、公平竞争的条件。

营造学校的“学术探究环境”，倡导以“学习—探究—变革—发展”为特征的学术氛围，并为教师提供学术展示平台，开展学术交流，活跃学术空气，开辟学术通道，促进个性化学术探究的发展。

构建“优势发展”的“评价文化”，在教师评价中以教师自我反思、自我评价为核心，辅以教师间、学生、家长、社区等客观他评，并通过切合实际的“扬长性”专业指导，帮助教师客观地认识自我、评价自我、发展自我、实现自我。

### 3. 环境文化

我校的环境建设注重凸显学校特色，提升校园人文景观质量，打造“精优”育人环境，努力将校园建成一件传承我校文化的精致“作品”，陶冶师生情操，激励奋发精神，不断追求卓越。

站在学校校门口，人们马上就能感受到历史向自己走来。一块3米高、2米宽的花岗岩石头上，镌刻着毛泽东主席亲笔题词的“格致中学”四字，两旁翠竹掩映，庄重典雅。整个校园有五栋中西合璧的建筑，让从未易址的百年老校透着传统和现代和谐融合的气息。校区按照教育功能进行了划分。“格意楼”为教学、行政区，这座大楼竣工于1995年，其颜色基调和校史馆相似，采用一种称为“哈佛红”的色彩。本着为学生服务、方便学生的理念，在底楼专辟一间“学生事务处理室”，学生在学校遇到的问题都可以在这里得到解决，极大地方便了学生。“物趣楼”为科学实验区，这是一栋现代化的实验大楼，里面有先进的仪器设备，能满足师生在学习中的需求。正是在这一间间的实验室里，涌现出了理工科行业中的优秀人才。“致远楼”为学术交流区，这是学校新建的两层学术交流室，师生们经常在这里聆听讲座，游走思想，大胆想象。“知行楼”为艺术、体育区，这栋楼一共五层，设有健身房、球类馆、游泳池等。这四栋楼分别被命名为“格意楼”、“物趣楼”、“致远楼”、“知行楼”，将各个楼名的首字连读即是格致的校训：“格物致知”，居中一字连读则是“意趣远行”。“格物致知，意趣远行”寓意隽永，耐人寻味。

今日的格致校园精致、雅致、别致

我校的文化不是仅由这几栋主教学楼就能完全体现的，还有许多体现“精、别、雅”特质的文化载体：富有创意的千年草坪，枝干遒劲的古木、盆景，格致书院创始人徐寿、傅兰雅的青铜塑像，气宇轩昂的毛泽东主席的题字，引人注目的上海博物馆馆长陈燮君的题字，古朴凝重的校史陈列室，意义深远的院士廊，畅想宇宙的天象厅，体现“同一个世界，同一个梦想”的鸟巢馆，知行楼空中花园等。尤其是校史陈列馆，这是全校年代最悠久的一栋建筑，走进该馆，来者将感受到我校百余年的风云历史以及历代格致人的追求与精神，一段段生动鲜活的学校发展史将跃然入目，深刻入心。

格致校史馆一瞥

在我校，处处可以见到精致、别致、雅致的设计与布局，这些物质文化的载体已经将学校的精髓融入进去，在本来没有生命力的建筑、环境中，充满了富有灵气和感染力的精神。我校的“精致”，体现在它的简洁、大方、实用上；我校的“别致”，体现在它的独一无二，无与伦比上；我校的“雅致”，体现在它历史的厚重、古远上。

### （四）文化立校与学术兴校

著名教育家蔡元培先生在谈到名校时说过，他心中的名校应该像当时最好的柏林大学那样，首先是研究“高深学问”的一流学府。清华大学前校长梅贻琦先生也直言：“所谓大学者，非谓有大楼之谓也，有大师之谓也。”也就是说，要建立一所真正的“名校”，首先要将“名”定位在教师身上，要以教师卓越的学术表现来成就学校之“名”。我校正是将办学的重心定位于了解教师的学术功底与兴趣，然后努力为教师的专业发展创造条件，使教师能够通过学术水平的提高不断改进课堂与教学，培育全面发展的优秀毕业生。

1. 学术之本：教师专业发展

上海市第二期课程改革突出德育，加强爱国主义、集体主义、社会主义教育，弘扬民族精神；培养学生的国际视野和宽广胸襟；重视科学精神和人文精神的培养；强调“创新精神”和“实践能力”，坚持全体学生的全面发展，坚持学生个性的健康发展，坚持学生的可持续发展；强调知识与技能，过程与方法，情感、态度与价值观的有机结合；以基础型课程、拓展型课程、研究型课程的设置，满足不同学生和不同学校的发展需要；注重现代信息技术与课程的整合。这对我校学科教学的自主性、开放性、创造性提出了新的挑战，对教师的专业发展提出了更高、更全面的要求，因为作为课程实施主体的教师决定着改革的成败。我校努力建设一支适应上海市第二期课程改革要求的专业化教师队伍，进而使学校获得经久不衰、富于创新的持续的发展力。

随着上海市重点中学初、高中的脱钩，我校高中扩大了招生规模，对优质高中教师的需求进一步增强，我校部分初中教师无法胜任高中教学，且一大批“文革”前大学毕业的资深教师大规模退休，我校出现了优质教师紧缺的问题。虽然招聘了很多外校和外省市的资深教师，但是面临短期内外校教师无法适应格致中学教育教学工作、外省市教师无法适应上海教育教学情况等问题。

基于上述问题，我校在教师专业发展上的目标是：全面提高师资素质，建设一支人员精干、结构优化、素质优良的高水平教师队伍，培养一批个性鲜明、教学特长显著的名师，促进学校持续、跨越发展。工作重点是以学校颁布的《格致中学教师专业发展纲要》为指导，加强师德建设与教师教育自培基地的建设，学校继续以“建设学习型学校，培养研究型教师”为口号，搭建平台鼓励教师多上公开课，采取“走出去，请进来”等方法加强教研组、备课组建设，充分利用我校以教研组为基本办公单位的传统优势，强化学校教研气氛，逐步形成我校教师专业发展的校本模式。

（1）进一步优化教师队伍的年龄结构、职称结构和学历结构，组织各年龄、职级教师根据学校“十一五”规划纲要制订个人专业发展计划，充分审视个性特点，从教育、教学、科研等方面制订适合个人专业发展的目标。学校加强督促检查，并建立专项考核制度，对教师个人专业发展计划实施考核，根据成绩予以相应的表彰奖励。

（2）不断推进师德建设工作，提倡“学高为师，身正为范”，努力提升全员教书育人的思想和业务水平，人人以主人翁精神开展文明班组的创建，参与上海市精神文明单位的建设。学校建立了教师的激励评价制度，如一年一度的学校“伯乐奖”、“百花奖”、“十佳师德奖”、师德表彰大会等。

（3）继续实施学校“名师工程”。以学科建设为平台，培育中青年骨干教师，积极起用中青年骨干教师担任年级组、教研组或学校中层领导等职务，在工作实践中锻炼、培养才干，使他们真正走上专业发展的快车道。力争校级名师、区级学科带头人、学校特级教师人数都有增加，与学校发展保持同步提升的水平。成立“格致中学学术委员会”，全面引领学校的学术建设，承担学校课程建设、教学展示、中青年教师培养、学习评价指导等工作。“格致中学学术委员会”成员两年评选一次。完善学校已有的资深教师与青年教师的拜师结对带教制度。配合市教育局办好以我校特级教师命名的“名师工作室”，积极输送我校青年教师参加名师工作室的学习活动。同时，积极创造条件聘请校外各类学科的名师、专家与本校青年骨干教师结对，并签订带教协议，学校给予适当的经费支持。

（4）加强日常听课、评课，把教学研究渗透到学科教学中。每学期组织专题教学展示活动，积极动员各年龄层次和职级的教师参加展示。总结学校长期坚持以教研组为基本办公单位的管理经验，发挥教研组、备课组作为学校教师自培基地的作用，通过加强教研组、备课组建设进一步强化学校教研气氛，形成有我校特色的教研文化。

（5）根据学以致用的原则，加强校本培训，在培训方法上寻求新的突破，强调学习内容的实用性、学习方法的灵活性和学习者的自觉性。充分发挥我校名师以及市、区学科带头人的引领作用。加强与华东师范大学教育学院及区教师进修学院等单位的合作，开设一批受本校教师欢迎的校本培训课程，或邀请学科专家、杰出校友等来校开设讲座，传达改革最新信息，拓展教师视野，为教师思想和业务的提高创造条件。五年内，使校本培训学分占各职级教师应得学分的比重逐步升至三分之一或以上。支持教师参加各种类型的教育进修活动，为教师境外进修、参观、学习创造条件。奖励积极参加业余学习，取得优异成果的教师。

（6）学校放低校本科研的重心，以“提高教师科研水平”为目标来开展学校科研工作。通过课题招标、项目下派或鼓励教师自主申报市、区课题等方式，做到教师人人有课题，促进教师通过科研这一专业发展的必由之路提高素质。每年编辑出版一本教师科研成果集。

**2. 学术之旅：国际教育合作与交流**

加强对外交流与合作，着力打造“国际教育合作与交流中心”这一格致教育的新品牌，加大学校国际教育合作与交流的力度。

国际教育合作与交流工作的重点是使我校的办学思想与国际教育融通，积极学习全球先进的教育理念，大力改革课程，体现国际教育发展的需求，使教育技术达到发达国家水平。

（1）继续拓展学校国际交流合作的空间，加大交流力度，合作项目要有实质性的突破。做好教师交流工作，有计划地组织教师到国外进修、访问，五年内比例逐步达到教师总数的 80% 以上；深入做好学生交流工作，有目的地组织学生到国外参加冬令营、夏令营等活动，使更多的学生获得到境外交流、学习的经验。

（2）完善对外接待工作，积极主动地开拓渠道，邀请国外学校管理层、教师和学生到我校交流访问。五年内主办（或联办）1—2 次以研讨国际高中数学教学等为主题的大型国际教育学术研讨会。

（3）加强与澳大利亚 PLC 中学等原结对姊妹学校的联系，争取未来五年在全球各大洲都有一所（或以上）建立交流合作关系的外国学校，做到双方签有正式协议，并开展实质性合作交流。

（4）努力实现课程多样化和国际化，继续引进适合我国教育改革发展并符合学校办学特色的国外课程及原版教材，开好法语、德语、日语等第二、第三外语课程供学生选修。

（5）我校作为上海市双语教学实验学校，要加大双语教学研究的力度，培养一支能适应新时期双语教学的教师队伍，近三年内组织 1—2 次大型双语教学研讨会。

（6）采取多种措施培养或引进能够胜任国际教育的教师，外聘外籍教师，逐步把我校国际教育合作与交流培育成一个品牌。

### 3. 学术之源：校本教研

教科研文化的创建是学校发展的生命线。现代学校的发展是以深层次的实践研究为基础的，教科研是不断提高我校办学质量的必由之路，要进一步完善机制，确保教科研工作的开展。学校教科研的核心是用科学研究的方法来探索办学及教育教学的基本规律，解决学校在育人过程中出现的问题，从而提高办学质量，促进学校、教师、学生的共同发展。一所现代化学校必须具有研发的功能，每一个组室、每一位教师都要有研究的意识和能力；教研组长、任课教师、班主任都要认识和体会科研的内在价值，真正具有研究的需要与动力。学校将进一步统一教师对教科研工作的认识，促使教师树立正确的科研价值观，积极发挥教科研的潜在作用。为使我校成为国际一流高中，每位教师都应投入科研，而教师的研究课题都应来自课堂、来自学生。只有建立在实践基础上的科研，才能真正解决实际问题，才能真正使科研具有现实意义。

为此，我校进一步强化教研组的功能，拆分原来由几个小学科合并而成的教研组，每个学科都成立教研组（共计 13 个），并在各教研组以年级为单位下设备课组，通过校本教研提升教师教育教学水平。学校加大教学工作管理力度，加强常规检查，如教研组、备课组工作计划的落实，检查教案、作业、听课笔记，发现问题及时解决。教导处定期召开学科教师座谈会、学生座谈会征求意见，并通过听课、检查资料

（“班级学风评分表”、“各科作业量检查记录表”）、教师及学生意见反馈等形式，做好教学工作的分析、调控，改进管理，提高实效。

我校每学期都要举行为期一周的教学展示活动，每次教学展示周都有研修主题（详见第五章“格致教学”），各教研组围绕研修主题开设研究课，总结教学得失。另外，我校每学期都举办至少两期“格致论坛”，每次论坛都围绕一个主题进行，由几位教师主讲，全体教师参与互动。到目前为止，我校已举办了 42 期“格致论坛”。如 2009 学年第 42 期二学期我校举办了“论教研特色　谋学科发展”（所有教研组长都作了主题发言）、“谈成长经历　论专业发展”等共三次“格致论坛”。

课题研究是我校校本研修的又一重要抓手，近年来我校要求每个教研组要有集体的课题研究项目，每位教师在学校的每轮规划实施期间要有校级课题。另外，我校还积极鼓励教师申报区级及以上级别的课题，并鼓励教师积极参与学校的重大课题。近年来我校申报并获得立项的区级及以上课题有 43 项，其中“百年名校的持续发展研究”立项为 2009 年度全国教育科学规划课题，“科学发展观背景下的‘格致教育’研究”立项为 2008 年度上海市教育科学研究项目，“研究型教研组的建设研究”立项为 2009 年度黄浦区攻关课题。

### （五）文化立校与管理强校

改革与创新学校管理制度，是全面实施教育改革的关键。在新的形势下，我们按照现代学校制度建设的要求加强改革力度，实现管理理念与管理制度的创新，特别是在“现代学校与社会的关系”方面加强探索，确立改革项目，继续开创制度化、科学化、人本化有机统一的新管理局面，建立和健全现代学校法人治理结构，完善学校内部制度和文化环境，从管理机制上保证学校持续发展。

#### 1. 管理：形成领导合力

进一步健全以校长负责制为核心的决策科学、权责统一、分工合理、执行顺畅、监督有力的学校领导体制，发挥党总支政治核心作用和监督保证作用，始终把学校的精神文明建设摆在第一位，教育、团结广大教职工和学生，以德治校，依法办校。

以社会主义民主政治建设的高度，推进学校的民主管理，完善学校校务公开制度，落实校务公开的各项措施和要求，让教职工充分享有知情权、参与权和监督权；发挥民主党派、工会、教代会的参政议政作用和工会维护教职工权益的作用。每学期至少召开一次教代会，学校重大的改革措施必须经过教代会严格审议后方能出台。

加强对工会、退管会、校友联谊会、教工团支部、学校团委、学生会等组织的指导与支持，充分发挥这些组织在推进学校现代化进程中的作用。

### 2. 意识：服务以人为本

强化“管理即服务”的意识，继续实行以“扁平化”为特征的管理改革。校级领导（落实到人）直接分管或联系教研组、年级组。中层管理机构切实增强服务职能，为教育、教学、科研、培训、教务、设备等提供全方位的综合服务。我校积极提倡淡化和消解管理中的行政意识，而代之以服务意识，建立规范高效的管理机制，强调管理的“规范化、人本化、信息化”特征，以规范化保证服务的标准化，以人本化促进服务的优质化，以信息化促进服务的现代化，全面提高管理效益。学校把管理改革的核心定为“服务”，在增强“服务”功能上下工夫。

学校根据发展的需要成立物业管理中心、学生宿舍服务中心、体育活动中心、餐饮管理中心、国际教育交流中心和学生事务服务中心等部门，通过扁平化的专业管理为师生提供更为及时和便捷的服务。如我校设立的学生事务服务中心，由专人负责处理涉及学生学习、生活的各种事务，最大限度地满足学生合理需求，化解学生与学校、教师、同伴、家长或社区之间的矛盾和各种可能发生的心理危机。这个中心还专设学生志愿者岗位，利用校园资源培养学生的公众意识、服务精神和实践能力，也为一些贫困学生提供勤工俭学的机会。再如学校进一步发挥教研组、年级组、备课组在学科建设和队伍建设等方面的作用，下放部分评价和分配的管理权限，进一步扩大各教研组、年级组在日常教育教学、科研、师资培训等工作中的管理职能。学校抓住二期改扩建工程竣工的契机，提出“新校舍、新管理、新规划、新发展、新面貌”的行动口号，制订《格致中学教师教书育人基本守则》，很好地体现了学校内部教育教学管理制度的不断创新，学校管理不断趋向“民主、规范、高效”的现代管理模式。

学校还积极建立与社会的联系，引入“服务”意识和“公众监督”，进一步认识学校的服务对象和服务职能。办好市民学校，办好学校校园网“阳光通道”（我校家长学校沟通平台）栏目。健全家长委员会制度，建立家长、社区与学校互动的机制，在社会与市场中发现需求，谋求社会对教育的支持，整合资源，主动发展。

### 3. 基础：着眼教师发展

完善“评聘分开，以岗定酬，绩效挂钩，优劳优酬”的奖惩机制，优化全员结构工资制度，使责、权、利统一，付出与获得相称，调动教职工积极性，增强责任心，激活创造力。我校教职工的年收入要略高于同类学校的平均水平。

制订《格致中学教师教书育人基本守则》，加强师德教育，严格常规管理，提倡“学高为师、身正为范”，充分发挥教师教书育人的榜样作用。完善和深化年级组负责制，建立有效的竞争机制。

提高学校数字化、信息化管理水平，办好校园网，不断提升“格致校园信息管理系统”的功能。争取学校的档案管理水平再上台阶，通过信息化推动学校现代化建设，充分利用信息化技术推动教师教学观念和习惯的转变，使网络教学从查询资料、提供教学软件和展示的层面提升到构筑基于网络的新的学习途径和方法。积极加强软硬件建设，引进“平板计算机”，开通学校新的光缆，建设交互学习专用教室和“教师未来空间室”，并与华东师范大学“教师未来空间站”实现实时链接。加强现代教育技术的运用研究，尤其是远程教育研究，使学校的信息化水平在全区乃至全市保持领先。依托地理组的市级课题，研究、建设属于我校知识产权的“网上组卷、考试系统”，并在应用中逐步完善，为学校的“未来课堂”教学提供科学的“自我测评系统”和“课堂测评系统”，进而提高教学效益。

**4. 方向：着力课程创新**

规范教学管理，加强制度创新，建立和完善一套完整的与新课程相适应的教学管理制度，包括课程开发和课程评价制度（包括基础型、拓展型、研究型课程的管理和评价制度），教师教学管理和教师教学绩效考核制度，校本教研和教师继续教育制度，课程资源开发和共享制度等。编写一本有关新课程背景下我校教学管理的专著，为高中课程改革背景下的现代学校教学管理提供经验。

各教研组根据学科特点和发展基础，确定发展规划或实验项目。以规划核心课题的研究为载体，组织教研组、备课组加强校本教研，逐步形成教研组、备课组活动的特色。学校创造条件支持学科建设，学科不分大小，都应努力加强教研组自身建设，争取成为学校的“品牌学科”，继而成为在市、区有一定影响的“强势学科”。五年内，力争大部分学科取得教研组师资水平、教学水平、学术水平比较突出，学生学业优秀的领先地位。

提升现有校本教材质量，建成以“格致课艺”命名的学校课程新体系，着重开发校本德育课程，开发增强学生动手、实践能力方面的课程，逐步增加拓展型课程在学校课程中的比例，凸显我校课程学习领域广、注重实践动手能力、科技类学科强势的特色。

认真执行新一轮国家课程改革方案，全面提高基础型课程的教学水平和教学质量，深入开展“未来课堂”教学模式的研究与推广，形成“问题驱动、教师行动、学生主动、师生互动”的课堂教学气氛。强化教研组、备课组的研讨功能，加强学科基础研究，不断总结经验，反思问题，巩固成果。每年确定一门学科，以教研组为主组织或参加全国重点高中课堂教学研讨交流活动。

重视并研究学生个性形成与发展的规律，在课程改革与课堂教学实践中关注学生多元智能发展，使每一个学生都能获得成功的体验。努力完善学校资优生培养制度，培养学生的创新精神和实践能力，进一步凸显我校科技教育特色和学科教育优势，保持我校学科竞赛获奖人数和级别在全市同类学校中领先的地位。积极研究高考改革，及时调整毕业班教学策略，保持高考成绩在市、区名列前茅的优势。

加强学校课程发展的研究，根据教育发展形势和学校实际不断调整、拓展课程内容，研究课程实施的有效策略，形成一支有一定学术水平的学校课程建设骨干队伍。

合理运用现代信息技术，进一步开展交互学习、评价测试的研究，开展信息技术与学科教学整合的研究，建立和完善各教研组学科教学信息技术的应用体系，切实提高多媒体教学效益。逐步开设网上课程，拓展我校优质教育资源的社会共享途径。加强与市内、国内名校的交流及合作，特别是在教育资源共享、优势互补和教科研成果的推广上要有实质性的突破，广泛吸收各地、各校先进的办学经验，促进学校教育教学水平的提高。

整合学校现有的艺体类课程，加强学校学生艺术团建设，整合声乐、器乐、舞蹈、书画、茶艺、戏剧、动漫、时装设计与表演等特色项目，开展丰富多彩的学生艺术活动，丰富校园文化生活。制订学校体育特色发展计划，进一步办好“祝家铭—格致排球俱乐部”，利用一流场馆，开设学生喜爱的击剑、攀岩、射击等拓展型课程，实现学生人人学会游泳的目标，优化群众体育锻炼，提升我校女排、棋类传统项目水平。加强体育课内外的运动安全教育和防护，逐步实现学生体育安全教育课程化。让更多艺术、体育特长生脱颖而出。

## 三、学校规划的发展与引领

### （一）第一轮五年发展规划（1994—1999）

1994 年召开的全国教育工作会议提出，教育必须从应试教育转到素质教育的轨道上来。鉴于当时因市政动迁人口导出使得学校生源质量下降，且学校应试教育痕迹较为明显的状况，根据全国教育工作会议的精神，我校制订并实施了五年发展规划（1994—1999），提出了“基础厚、素质优、能力强、有特长”的学生培养目标。注重“三风”建设，即“尊师守纪、勤奋学习、艰苦朴素”的传统校风，“勤奋踏实、进取创新”的优良学风，“热爱学生、教学严谨、勇于探索、言传身教”的严谨教风。完善了六大德育系列模块，即以爱国主义教育为主线的思想教育系列模块，以道德修养为主要内容的中华传统美德教育系列模块，以“仪式活动”和“常规节日纪念活动”为主要形式的责任教育系列模块，以“三校”为主阵地的青年马列主义者培养教育系列模块，以“三学”和“公益服务”为主要途径的社会实践教育系列模块，以行为规范训练为主要手段的养成教育系列模块。强化了六种德育工作规范，同时形成了爱国主义教育系列、邓小平理论进课堂、与金陵街道各居委会共建爱心学校、建立大别山社会实践基地等德育特色。在师资培训方面，实施“十能”① 师资培训计划，提高教师专业素养；实施“四心”② 师德锤炼计划，提升教师师德修养。第一轮五年发展规划，在青年教师培养模式、学生分层教育、选修课活动系列、学生社团发展系列、现代教育技术应用等方面都取得了新的发展。

### （二）第二轮发展规划：科学素质教育的实践与思考（1999—2002）

1999 年全国新一轮基础教育课程改革启动，其主要目标是建立一

① “十能”包括：能胜任初、高中大循环教学工作；能胜任各年级班主任工作；能开设一两门高质量的选修课和课外活动；能运用教育心理学原则做好育人工作；能熟练地运用与本学科教学有关的、包括电教设备在内的现代化的教学设备；能掌握电脑的基本操作与应用教学软件进行相关的计算机辅助教学；能独立承担科研课题，完成科研任务；能形成自己的教学风格和特色；能胜任“资优生”、“特长生”的个别辅导工作；能应用外语从事业务工作。

② “四心”包括：爱心（对学生有爱心，对格致有爱心，对祖国有爱心），责任心（对教育工作有责任心），事业心（对教育有比较高的进取心），专心（对教师工作全身心投入）。

个适应 21 世纪需求、充分体现基础教育性质和促进每个学生全面发展、让学生真正成为学习的主人的基础教育课程新体系。新一轮基础教育课程改革涉及课程改革总体规划、课程目标、课程标准、课程结构、教材编写与管理、课程实施、课程评价以及课程管理政策等各个方面。同年颁布的《上海市教育委员会关于进一步推进本市实验性示范性高中建设的若干意见》，对上海市实验性示范性高中建设提出了七项基本要求：学校依法形成自主发展的机制，学校依法办学具有示范性，学校积极推进教育改革实验，学校能带动和支持办学困难学校的发展，学校办学有较高的社会声誉，学校办学具有国际视野，学校在硬件建设方面应对学校教育改革与发展起到保障和促进作用。

根据全国新一轮基础教育课程改革精神和《上海市教育委员会关于进一步推进本市实验性示范性高中建设的若干意见》，我校提出建设“上海市实验性示范性高级中学”的目标。学校编制并实施了《上海市格致中学建设实验性示范性高级中学办学规划》，该规划的龙头课题是“格致中学科学素质教育的思考与实践”，它统领着德育改革、课程改革、课堂教学革新、信息科技教育、教育科研振兴和教师自培基地六项改革工程，在提升办学理念、营造学术文化、完善课程体系、健全组织管理、提高教师素质、培养优秀学生、加强教育实验和优化教育设施等方面作出了一系列新的设计和实践探索。规划实施三年，学校发展成果明显，经过专家组的评审，2002 年我校被评为上海市首批实验性示范性高中。

### （三）第三轮发展规划：科学素质与人文素养相整合的实践研究（2003—2005）

学校被评为上海市实验性示范性高中之后，我们并没有满足，又开始了新一轮发展规划的制订。在总结一些国内外历史名校办学经验的基础上，我校立足于光大民族优秀文化、吸收现代先进文化，进一步形成和发展现代化的、个性化的育人特色。从学生的培养模式来看，特别是优秀学生的培养模式尚需进一步优化；从顶尖人才的培养方面来看，虽然我校的毕业生中涌现出了一些中国一流的科学家和工程师，但是，我校优秀学生的培养视界应当进一步拓宽，培养目标定位应当进一步提升，培养过程应当进一步优化；从学校科研角度来看，我校的教育科研已经有了良好基础，但以世界的眼光看，尚未形成有国际意义的、体现非西方发展中国家教育现代化的、有独特个性的教育改革经验和模式；从国际视角来看，在中国改革开放的背景下，我校已发展了一定范围和一定层次的教育国际交流，但是还没有真正进入国际视野和世界名校的交往平台，我校唯有推进教育改革，深化教育实验，向世界推荐有中国特色的经验和模式，才能成为真正意义上的世界名校。

我校新一轮教育实验的基本定位如下几方面。

（1）从学生完美人格培育的整体上，把握科学教育的人文意义和社会价值。

（2）对人类（特别是东西方）人文思想和科学文化的发展有一个合乎历史与逻辑的理解，形成正确的历史观。

（3）从人文的角度审视和理解中学科学教育的现状与问题，确立科学教育改革的指导思想和目标定位。

（4）为科学教育的改革奠定广泛的人文教育基础，包括道德、艺术、文学、历史、哲学、人文地理等，为人文教育的改革确立现代的先进理念。

（5）不仅把科学视作与人类文化相通相融的一个部分，也把科学视作具有内部结构和层次的文化体系。

其具体目标主要包括：基本实现学校传统与时代精神的融合，广大教职工广泛认同办学理念的内在含义和创建世界名校的共同愿景，增强学校的文化竞争力；以新的科学观、科学素养观和科学教育观，设计、组织和实施理科教育实验，在理科教育改革的理论和实践上取得突破；初步实现社会转型期学校德育的现代转型，在改革开放背景下探索构建新型学校德育，在某些方面取得突破；学校的课程意识和课程能力提高到一个崭新的水平，理科课程的品牌建设一马当先，多元品牌的培育和开发基础宽厚；为建设高效能课堂教学奠定新的文化理念和先行观念，并据以构建新的课堂操作方法体系，鼓励探索具有学科特点的“多元未来课堂”；成立“格致教育研究中心”，建立以教师专业为基础的专业研究体系，鼓励教师开展基于专业实践的研究活动；确立与国际接轨、有中国特色的教师专业观，构建以教师为主体的员工自培体系，教师整体素质和人力资源建设跃上一个新的台阶；教育信息化在基础设施建设、促进信息技术与课程内容的整合、优化师生教学方式上取得新的突破性进展；从学校形态布局和功能开发的整体上，针对新增的 6 亩学校土地完成建筑方案的设计和建设，体现我校的文化特征。

### （四）第四轮发展规划：科学发展观背景下“格致教育”的研究和发展（2006—2010）

通过三轮发展规划的实施，我校深厚的学校文化、鲜明的育人目标、严谨的学术管理、优秀的教师团队、多元的课程组织、过硬的教育质量进一步得到了社会广泛的认可，社会美誉度不断提高。2005 年 9 月，我校的二期改扩建工程竣工。以此为标志，我校进入了又一个新的发展时期。

学校制订了新一轮的五年发展规划，鲜明地提出核心任务是建设“现代格致”。“现代格致”涵盖了当今学校的特征与发展方向，它区别于“传统格致”、“近代格致”，不仅传承格致优良的办学传统，而且不断赋予其时代新内涵，在建设现代学校、实现教育现代化方面不断探索和创新。新一轮的发展将聚焦于格致品牌的最大化和最优化，形成一种方法与内容“科学”、过程与评价“民主”的教育格局，而完成这一核心任务的重点在于提高学校文化的创造力。

我校的新一轮发展规划可以概括表述为“1 个总体发展目标，8 大改革领域，70 条实施要求，4 项保障措施”。“1874”正好与我校的前身格致书院的创建年份相符，故简称为“1874”规划纲要。

新的发展规划提出，我校坚持以邓小平同志关于教育要“面向现代化，面向世界，面向未来”的思想为指导，坚持“格物致知、求真务实；学生本体、创新超越”的办学理念，坚持“厚德、博雅、明理、懿行”的育人目标，坚持“文化立校、学术兴校、管理强校”的办学策略，坚持以学术型为标志的教师专业发展目标，实现内涵发展、特色发展和持续发展，把学校建设成一所文化底蕴深厚、现代化特征鲜明的实验性、示范性高中。

新规划一如既往地光大“爱国”和“科学”的优良传统，发展“和谐、崇理”的办学特色，提升“德高、艺精”的团队素质，构建“校本、多元”的课程组织，创设“典雅、包容”的学校文化，营造“个性、和谐”的成长平台，实施“人本、智能”的管理范式，探索“民族、融合”的国际教育。

新规划把我校特色人才的培养目标定位于“厚德、博雅、明理、懿行”，它继承了《礼记·大学》中“八目”的思想，既体现出对我校传统文化的继承，又蕴涵着时代对未来人才的要求。“厚德、博雅”，蕴涵着我校学子应具有高尚的道德修养，视野开阔，知识厚实，文理兼通，兴趣广泛，情趣高雅；“明理、懿行”，蕴涵着我校学子能够深明事理，思想深刻，求真务实，处世和谐，并善于践行，勇于创新，具有很强的实践能力和创新精神。

为落实新规划的总体发展目标和人才培养目标，学校以上海市教育科学研究课题“科学发展观背景下‘格致教育’的研究和发展”为核心课题，统领学校新一轮的改革发展。我校的前身——“格致书院”，大力弘扬“格物致知”的学术思想，努力实践中国进步知识分子穷究事理，获求真知，从而修齐治平、兼济天下的宏大抱负。格致书院无论是在办学模式方面，还是在教学内容、教学方法方面均以先进的西学为本，在大加引进的同时有所创造，有所发明，开创了中国近代教育之先河。一个多世纪以来，“格致”继承、发展前辈开创的优良传统，探索科教兴国的道路，逐步形成了具有一定影响力的教育品牌——“格致教育”。

“格致教育”的关键词是“格物致知”，重点研究科学发展观背景下的“格致教育”，目的是进一步认识这种教育所蕴涵的民族文化精粹，更好地总结、传承、发扬“格致教育”的经验和特色，通过对

“格物致知”的一些原命题进行体现时代特征的持续研究，给传统的“格致教育”注入新鲜内涵，更好地把先进办学理念落实到当今教育教学实践中，指导我校的发展。

课题从理论与实践两大方面全面梳理“格致教育”，系统回顾、研究、解读“格致教育”的形成、内涵与发展，重点对科学发展观背景下“格致教育”的特征、愿景、走向进行描述和科学论证，并根据全面实施素质教育的要求和本市教育改革与发展的特点，深入研究当前教育所面临的突出问题、根本问题，探索“格致教育”的实施途径，形成一部以“格物致知”学术思想为核心，基于现代教育学理论的基础教育范式的研究著作。同时，通过课题研究提高本校教师的理论素养和研究能力，提高专业化程度，增强我校作为示范校在上海市普教系统教育科研中的影响力，为建设有传统特色和海派风格的教育科研体系作出贡献。

“格物致知”作为一种古老的学术思想，凝聚着先哲千百年的智慧，博大精深。它伴随着我们民族的发展，已经走过了两千多年的历程，是一笔宝贵的中华文化遗产。以格致书院为代表的近代新式教育改革了中国旧教育体制，为社会培育了一个新的知识群体，有着划时代的意义和深远的社会影响。我国改革开放以来，国际先进教育思想不断引入，推动了我国教育现代化的进程，但是，我们更要认真学习、继承我国教育的优良传统。这就包括研究、创新“格致教育”，走出一条有民族特色的教育发展道路，做大做强自己的教育品牌。

在科学发展观背景下研究“格致教育”，第一，要对“格物致知”作认知理论的创新，要进一步探究“格物致知”的哲学内涵，从时代所需的认知方式和实践价值等方面予以发展性的诠释。第二，要研究当代教育如何传承“格物致知”的理念，切实有效地把这一传统的但却充满活力的学术思想贯彻到现代教育中去，使民族传统文化在现代教育中得到继承与发扬。

课题研究有鲜明的继承性，要回顾、分析格致教育的发展，但不是研究“格致教育史”，关键是要摆正理论与实践的关系，通过研究找到

"格致教育"在现代教育中应有的地位，让这一民族传统教育思想和模式在当代教育中发扬光大，发挥其不可替代的精神和物质力量。

实施这一规划，除了课题研究，还要重点探索"未来课堂"、"分层德育"和"阶进式教学"三项教改策略。在具体实施层面上，学校细化出70条具体要求，其中管理改革是关键，德育改革是核心，课程改革是重点，教师专业发展是抓手，而每一领域的改革既有对上一轮规划的承继，又设定了本轮规划的发展突破点。

# 第三章 格致课程

课程，是学校文化的核心载体，也是实现学生发展的重要途径。从某种意义上说，没有课程，也就无所谓学校。对于我校这样一所有着深厚积淀的百年名校来说，课程的开发更是有着十分重要的意义。如何通过课程理念彰显学校的文化品位，形成学校的办学特色，如何通过课程实践促进学生个性化、多元化的发展，以及如何通过课程创新促进教师的专业发展，这是我校在课程开发中不断探寻和求索的目标。

## 一、“格致课艺”的精髓

作为我校前身的格致书院，其创办是在国家图强谋变的历史背景下对实用思想的尝试。这一特点突出体现在它的课程设置上。格致书院的课程设置从理念到实施，都突破了中国传统教育的樊篱：尊重学生的课程选择，重视科技教育，强调学以致用。这些先进的课程理念的实施，使历经一个多世纪之久的传统格致课程成为近代以来中国新型学校的样板。

重视科技教育的格致书院是中国最早建造化学实验室的学校之一

### （一）格致书院的课程理念：尊重学生的自由选择

课程是学校实现教育目标的基本手段和途径。今天，当我们衡量一所学校的办学水平时，首先会考察其课程，而其中重要的一条就是它所提供的课程能不能满足学生自主学习的需要，是否能够让学生自由选择。回顾格致书院的办学历史，可以毫不夸张地说，格致书院早在一个多世纪以前就已经开始了这方面的实践，并且还积累了一定的经验。

1894年，作为格致书院首任董事会秘书的傅兰雅为书院编制了西学讲授计划——《格致书院会讲西学章程》，充分体现出格致书院自建立之初就形成了这种尊重学生自由选择的课程理念。该章程将西学矿务、电务、测绘、工程、汽机、制造六个专业，令学者“任取某学，逐次讲习”。每个专业还分“全课”与“专课”两种。其中，矿务学全课课程17门，电务学全课课程17门，测绘学全课课程10门；矿务学专课课程按开煤、开金类矿、矿务机器三个专业设置，电务学专课课程按电气机器、电业两个专业设置，工程学专课课程按开铁路工程与造桥工程两个专业设置。至于汽机、制造专业的课程也另有安排。《格致书院会讲西学章程》还规定，除了以上六学，“此外欲另习它学者，亦可商订求考”。书院大力拓展学生的学习领域，为学生的自主发展创造了全新的条件。

为了方便学生选择课程，格致书院的考试也采用了一系列新的方式方法。学生不但有选择学哪些课程的自由，而且还有选择什么时候学这些课程、什么时候参加考试的自由。书院规定“每月一次，于礼拜六晚为考试之期，凡学者科如期到院面试，果觉纯属，则给课凭”，“凡习熟一学全课，或一门专业，考试中式，则发给本院课凭”。用现在的话来讲，就是格致书院的考试形式采用了学分制。学生自主选择课程的制度一旦推出，相应的最合适的考试方式就是学分制。学完一门，考核一门；一门合格，发给一门结业证书。这既激励了学生的学习积极性，又便于学校的学籍管理。格致书院的课程制度给我们以启示：实施课程选择，最好以学分制作为配套。因为学分制的实施，创造了学生课程选择的良好条件。格致书院的课程制度的经验，至今仍值得我们借鉴。

### （二）格致书院的课程原则：经世致用的实学教育

格致书院的创办本身就是在国家图强谋变的历史背景下对实用思想

的尝试，这点着重体现在它的课程设置上。格致书院的课程设置，破除了局限于中国传统人文学科领域的樊篱，以西方格致之学为主体，兼及经济、政治、时务、文化教育等经世之学。

格致书院创办于清同治十三年（1874 年），是近代中国率先专门研习和传播西方自然科学（时称“格致学”）、培养科技人才的新型学堂之一，也是李鸿章着眼于人才开发，在上海配套江南制造局（1867 年创办）、江南翻译局（1868 年创设）的战略布局。格致书院初创时的中流砥柱徐寿、华蘅芳、傅兰雅、伟烈亚力、徐建寅等，也都兼为江南制造局和江南翻译局的核心人物，他们各领学科风骚，精通机械研制，传世科技译著。如此触类旁通、多元建树的精英汇聚，奠定了“格致教育”的实学根脉。

1885 年王韬接任格致书院山长之后，与时俱进，“改变书院原先单纯学习自然科学知识和关门面授的做法”，用“考课”做指挥棒：“书院既以格致名，则所命之题自当课以西学为主，而旁及时事洋务”，“一切专求乎实用”，并具体界定“有益于日用行常者，皆谓之实学”。而且，王韬自己并不命题，他只是根据现实需要设计一条“务归实用”的原则，而后邀请足以影响舆论的主政大吏和具有时代眼光的有识之士参与这项工作。依照王韬“务期有益于时，有用于世，为国家预储人才，以备将来驱策”的命题原则，《格致书院课艺》所录的 86 道考题中，时务类占 49%，科学类占 27%，经济类占 15%。如“中国创设海军议”、“中国近日讲求富强之术，当以何者为先”、“水旱灾荒平时如何预备，临事如何补救论”、“中国仿行西法，纺纱织布，应如何筹办，以俾国家商民均沾利益论”等试题，其内容着眼于国计民生，具有明显的务实导向，体现了格致书院强调“经世致用”的传统。无论是在八股取士、科举一统的封建王朝，还是移至今日，加强海防建设，探索经济发展模式，建立灾害预警机制，调整国际贸易顺逆差，兼顾国家企业个人三方利益……这些问题都是全社会反复热议的焦点话题。

通过对《格致书院课艺》的分析，可以看出格致书院重视多元知识的交叉、关注社会问题解决的课程特色。虽然格致中学从初创起就坚持“科教兴国”的办学理念，在一个多世纪的办学历程中形成了“爱国”、“科学”的优良传统和“理科见长”的特色，但是，今天我们继承“格致”特色，绝不能狭隘地将其理解为只重视科学教育。格致先驱们把人才的科技素质放在重要位置，是当时国情的需要，这种科技人才最注重经世致用和解决社会问题，而“富国强民”才是办学的最终目标。因此可以说，格致的实学教育从一开始就是以学以致用、关注国计民生、解决社会问题为目的的，具有深刻的人文情怀，而这种精神在今天的格致教育中也得到了更好的发扬。

### （三）格致书院的课程特色：中国近代科学教育的先驱

格致书院作为一个新型的教育机构，它的兴办体现了中国封建教育的没落和新式科学教育的兴起。当时，清政府中的有识之士强烈意识到培养“有益于时、有用于世”的人才的迫切性，认识到落后的封建教育制度必然被以科学技术为主的“实学”、“实用教育”所取代。可以说，格致书院引领了中国近代科技与教育的发展方向。

从格致书院的办学实践看，格致书院“所达成的显著成就与具体影响有三项……其一是发行《格致汇编》；其二是西方科技教育课程之实施；其三是举行考课，启发近代之新思潮。此三事对于当时知识思想具有深远的影响”。

《格致汇编》是我国最早公开发行的一份科普杂志，由格致书院编印，内容十分广泛，凡西方科学知识、技艺无所不包，自 1876 年至 1892 年陆续出版了 60 期，对于近代西方科学技术在中国的传播起到了重要的推动作用，得到了社会各界，尤其是知识分子的普遍支持与欢迎。

格致书院的课程完全不同于当时的其他学堂，在创建之初就建成了以西学为主，旁及时事洋务的新型课程体系，书院采用新式教学方法，向学员传授西方科技知识。除英语外，课程“可分为六学：一、矿物，二、电务，三、测绘，四、工程，五、汽机，六、制造”。每一学实际相当于一科，各有广泛内容与详细科目。教育内容由传统的伦理政治教育转变为科学技术教育，这是近代中国社会的重大变革之一，意义十分深远。

格致书院的考课，从名称上看沿袭了传统书院的旧例，但内容却是全新的。王韬担任山长后，采用傅兰雅的建议，开创学生学习西学新知的考课。格致书院的考课实施情况后来由王韬编成《格致书院课艺》，这套书荟萃格致书院师生的思想精华，是格致书院奉献给社会的又一瑰宝。王尔敏先生称道："就新思潮之启发而言，清晰可估，在当时产生启发之功甚大。"戊戌变法时，《格致书院课艺》被作为宣传新知识、新思想的读物多次广为刊行。

格致书院被称为近代科学教育的先驱，还因为它开拓了中国学术发展的新道路。19 世纪晚期，中国传统的学术由于大量吸收了西学的科学技术因素而发生了质的变化，在吸收西学的过程中，中国传统学术的观点、方法也随着时代的变化而变化，而格致书院的办学思想和实践就突出体现或引领了这一变化。在格致书院中，人们感受到了一种新的学术思想开始形成并逐步发展。从这一角度讲，格致书院亦开拓了中国近代学术发展的道路。

## 二、格致课程的重构

我校作为一所历史名校，一百三十多年来形成了"爱国"与"科学"的优秀传统，在我校漫长的办学历程中，始终保持着教育的高质量，一个重要的原因就是它总是主动站在教育发展潮流的前列，坚持在继承传统的基础上创新发展。20 世纪 90 年代以来，学校加大课程改革的力度，开发了一大批有本校特色的选修课、活动课。进入 21 世纪，学校把研究性学习的理念融入必修课，并构建了学校新的课程系列。

### （一）新时期高中课程的反思

#### 1. 高中课程发展的背景和契机

高中教育在我国整个教育体系中有着特殊的作用和意义。它担负着向高等学校输送精英人才的使命，但同时又执行着人才的筛选功能。由于我国长期以来已有的高等教育资源无法满足民众对于接受高等教育的需求，造成了千军万马挤独木桥的现象。高中教育的人才筛选功能也在应试教育的背景下逐渐异化，甚至成为阻碍学生个性化发展的屏障。进入高中阶段后，学生在学习基础、兴趣爱好、职业倾向和发展潜力等方面的差异越来越明显，不同个体将不可避免地朝不同的方向发展。然而，传统的高中课程使所有的学生学习全部课程，并且按同样的要求学习，以此来保证每个学生有基本同一的知识与技能基础。这种表面上的全面发展，实际上造成了学生的同一化发展，大多数学生“在大千世界中找不到自己应有的位置”。

正是基于对我国传统高中教育弊端的反思，从20世纪90年代起，教育理论界和实践工作者提出了改革传统教育中的弊端，促进学生素质发展的教育导向。这也给我校的教育实践带来了巨大的冲击。作为“理科见长”的学校，我校为国家培养了大量理科人才，然而，有些学生虽然在理科方面具有超常规的发展，却在其他方面相对欠缺。社会上有人把我校培养出来的学生称为“理科疯子”。而学生的这种单方面发展，也必然会使其未来的发展受到限制。因此，走出学生单方面发展的误区，促进学生科学素质与人文素养的和谐发展，成为我校一个重要的教育目标。

2003年，上海市实施新一轮会考制度改革，明确市重点中学可以不参加全市的统一会考，经申请批准后可以自行命题组织本校各学科的结业考试，市重点中学自行组织的结业考试成绩可以替代会考成绩。这一政策在一定程度上使市重点中学学生从繁重的会考负担中解脱出来，有了更多的自主活动和发展的时间与空间。我校抓住契机，以学生发展为本，进行了较为深入的学校课程体系改革，力图通过搭建科学与人文协调统整的课程体系来丰富、拓展学校的课程内容，改变高中教育的同式化倾向，为学生搭建更加广阔的发展平台，促进学生的个性化发展。

### 2. 人才培养需要多样化、选择性的课程结构

20世纪中叶以来，世界发生了急剧的变化，从封闭走向开放，从传

统的农业社会、工业社会走向知识经济社会，新思维、新理念、新职业不断涌现。社会的转型与变革，使得对人才的素质要求越来越强调多元化与个性化。学校课程要应对这种社会挑战，一个重要的途径就是以多样化、选择性的课程结构来适应日益增加的需求和迅速变革的世界，满足人才多样化（受教育者成长的规格、层次和职业取向多元化）的需要。

学校教育承担着人才培养的职能。就社会而言，既需要优秀的科学家，更需要优秀的工业和农业劳动者。就学生而言，成为科学家还是普通劳动者往往与他们的潜质、需要、兴趣以及职业倾向相联系。因此，学校的课程不是要把所有的学生引向同一个方向，培养成同一类型的专业人才，而是应该为学生创设平台，让每一个学生可以充分发挥自己的能力，找到成长的最佳课程模式。只有这种多样化、选择性的课程结构，才能真正体现以学生为本的教育追求，也才能使我们的学生更好地适应社会的发展。

如果说格致书院的课程是对当时社会知识体系的一种补充，那么，今天我校的课程则体现了新时代背景下对高中教育课程的反思。正是在对当今中学教育缺憾的弥补中，我校课程实现了自身的完善和发展。学校的课程建设在立足于格致文化的课程理念和课程定位的指导下，在强化基础课程的基础上，以拓展型课程和研究型课程为突破口，加强实践探索。多年的实践探索证明：一个具有时代特征、学科前沿特色和适应学生个性发展及特长形成的格致课程框架已经初步形成。

## （二）格致课程的理念与定位

### 1. 格致课程的理念

**——“尊重学生愿望，适应学生需求，立足科学素养和人文素养的和谐整合，促进学生人本、多元发展”**

格致书院重视科技教育、尊重学生自主发展的课程特色，为今天我校课程开发积淀了深厚的文化根基和文化传统。历史的脚步跨越了一个多世纪之后，新的时代背景为学校发展带来了新的契机，同时也使学校发展面临着新的挑战。作为学校育人系统核心要素的课程，如何应对社会变革对于学生发展的要求？又如何传承和创新格致课程文化？学校正是在对这一系列问题的思考中确立了立足格致文化的当代课程理念。

学校的育人观和学生观会直接决定学校课程的理念与定位。那么，我校又是如何定位课程理念和学生发展的呢？对此，张志敏校长有其独到的见解。他认为，高中教育作为“后基础教育”，既要反映国家意志，又要体现学校文化和学生的发展需求。在这一基本认识下，学校要正确认识和处理学生“同质发展”与“同式发展”的关系。所谓同质发展，是指教育要实现学生“成人成材”根本素养的共生性发展：通过国家规定的基础型课程的实施和积极正向的价值引导，使每一个学生都获得德、智、体、美、劳全面发展，形成忠于祖国、服务国家的基本价值观。但同质发展不等于学生的同式（同一性）发展，因此学校教育要营造宽松的氛围，为学生的发展搭建平台，鼓励学生在各自的舞台上获得个性化的发展。

正是基于对当前时代背景下高中教育育人目标的把握和反思，我校立足于学校文化，确立了新的时代背景下学校的课程理念：**“尊重学生愿望，适应学生需求，立足科学素养和人文素养的和谐整合，促进学生人本、多元发展。”**

所谓“人本”发展，体现了我校课程“以学生发展为本”的根本理念。这是对学生的尊重，也是学校课程建设人文化的价值追求。学校的课程设置和校本课程的开发，都应充分尊重学生的主体需要。通过问卷调查、学生建议等方式，确立学生感兴趣和需要的课程，这是学校课程开发的首要依据。

所谓“多元”发展，是对学生发展的一种个性化追求。这种个性化的追求在学校“基、拓、研三型”课程中以不同的方式体现。在基础型课程的实施中，学校主张使国家课程符合学生的需求和特点，并通过校本课程对其加以补充。拓展型课程充分体现学校文化特色和学生发展需求，强调丰富、多元、高选择性。研究型课程则尊重学生的研究意愿，通过学生自主选择课题展开研究，培养学生研究问题、解决问题的能力，学校则通过加强评价与管理为学生的发展创设平台。构建特色课程，培养个性人才，是学校课程开发的根本目标。学生的多元发展，就是指在注重发展学生共性的同时，更关注学生的个性差异，力求使每个学生的主体性、创造性得到培养与开发，力求使每个受教育者在全面发展的同时，个性优势得到展示与发挥，从而适应不断变化的未来社会的需求。

科学与人文的整合，既是格致文化的历史传承，也是现代社会对人才素养的要求。格致书院从创办之日起就以研习和传播西方自然科学知识、培养科技人才为目的，但格致书院的这种实学特色不仅仅是对自然科学知识的强调，其中还蕴涵着深层次的人文诉求。从“格物”到“格理”、从“经世致用”到“精业报国”，格致文化始终追求一种理性精神与人文素养的统整，使学生获得人文和科学素养的和谐发展。今天我校不仅传承了这种文化传统，更在新的时代背景下赋予这种人才培养标准更广阔的内涵和实现方式。科学素养与人文素养的和谐发展成为我校重要和基础的育人标准，是“完整的人”的基本特征，是学生个性化发展的前提和条件。

总之，学校课程以促进人的发展为本，使学生具有深厚的人文底蕴和扎实的科学基础，促进学生个性、多元的发展。这一课程理念表明了人文、科学在我校课程中的地位与作用，这两种素养的和谐整合将保障我校人才培养规格的全面性、稳定性和可持续发展性。

### 2. 格致课程的定位

**——“源于学生，高于学生，合作创生；呼应时代，关注前沿，接轨国际”**

在“尊重学生愿望，适应学生需求，立足科学素养和人文素养的和谐整合，促进学生人本、多元发展”的课程理念的引导下，学校进一步确立了课程开发和建设的定位，提出“源于学生，高于学生，合作创生；呼应时代，关注前沿，接轨国际”的课程编制思路。

“源于学生，高于学生，合作创生”概括了学校课程编制的人本特征。“源于学生，高于学生”是指学校课程的设置以及校本课程的开发，既要充分尊重学生的主体需要和生活体验，又要在此基础上有所提升。学校课程要发挥对学生发展的引领作用，促进学生在最近发展区内获得最大潜力的发展。“合作创生”体现了学校校本课程开发的动态生成理念，它有两层含义。一是指教师和学生在课程开发中的合作创生。课程的开发要充分发挥教师和学生的积极主动性，满足教师和学生的发展需要，实现教师和学生的合作创生。二是指不同学科之间的合作创生。课程开发要着眼于学生的科学精神和人文素养的和谐发展，要实现学生作为完整的人的发展。因此，课程编制要充分体现不同学科之间的合作创生，通过跨学科合作的课程编制和实施，促进学生综合素质的发展。

“呼应时代，关注前沿，接轨国际”体现了学校课程开发的时代特征。立足于我校的学校文化，课程编制既要传承学校文化的精神，又要关注时代前沿，将最新的教育理念和社会动态通过特色的校本课程传达给学生，培养学生的时代感、创新意识和国际视野。

长期以来，课程的价值取向在理论上存在着三种对立的观点：一是知识本位的价值取向，主张“必须根据知识本身的状况与逻辑”来组织课程。二是社会本位的价值取向，主张以满足社会（主要是国家、民族和社区发展）的需要作为课程价值的基本取向，并据此厘定教育目标和组织学校教育课程。三是学生本位的价值取向，认为学校课程的价值在于为每个学习者提供真正有助于其个性解放和成长的经验，重视人的存在，强调内在的学习动机基础，学习者不再被当成为适应外在需要而被动接受训练的对象，而是在学校和教师的帮助下，在一定阶段上自我实现的人。三种课程价值取向形成了三种不同的课程决策，并由此形成了三种基本的课程设计思路，即知识中心型课程设计、社会中心型课程设计、学生中心型课程设计。知识中心型课程设计，充分体现人类在漫长发展进程中所积累的学问、知识、技艺等系统知识。社会中心型课程设计，着眼于使学习者掌握社会生活和发展所必需的知识、技术、技能。学生中心型课程设计，则强调将学生的兴趣、需要、能力作为课程设计的核心，使课程适应学习者。

事实上，三种价值取向的分歧恰恰提出了课程编制中三个重要的课程决定要素，即由教师代言的学科知识、社会的需要、学生的需要和兴趣。而我校“源于学生，高于学生，合作创生；呼应时代，关注前沿，接轨国际”的课程定位，正是建立在对课程编制的三大决定要素统整协调的基础上。学校在课程开发过程中，充分考虑到学生的需要、教师的能力以及社会和学校的课程资源。首先通过调查问卷等形式了解学生的兴趣需要，教师将学生对于科目和内容的需求进行分类整理，然后考虑教师的能力、学校的资源等要素进行统筹安排，在此基础上完成校本课程的开发。

## （三）格致课程的结构

历史不能割断，学校的优良传统是实施课程改革宝贵的无形资源。格致书院传承下来的“格物致知”、“科学”、“爱国”的格致文化，形成了我校深厚悠久的文化积淀。因此，规划学校课程建设的时候，学校首先考虑的就是要进一步发扬我校校本课程的特色。

### 1. 立体化的格致课程结构

我校的课程建设在近二十年的发展中，经历了“双轨同步”、“三大板块”与“基、拓、研三型”课程三个发展阶段，形成了基础型、拓展型、研究型的三型课程结构。在此基础上，学校对现有的国家课程、地方课程和学校课程进行校本整体设计，使基础型、拓展型和研究型三种课程互为一体，完成了由四大类（公民人格类、文化科学类、身心意志类、创意技艺类）、八小类（民族历史和文化、科学知识和技能、人与自然和社会、艺术审美和体验、心智体能和意志、社会实践和社团、学科竞赛和实践、世界文化和交流）、一百二十多门课程组成的“格致课程群”（详见表 1）。

**表1　格致课程群**

| 课程群名称 | 培养目标 | 课程类型和科目 | | |
|---|---|---|---|---|
| | | 基础型课程 | 拓展型课程 | 研究型课程 |
| 公民人格类 | 政治素养<br>道德修养<br>民族精神<br>公民意识<br>全球意识<br>领导能力 | 语文<br>政治<br>历史<br>地理<br>艺术 | 邓小平理论导读、邓小平理论导读与社会热点研究、党课学习、经典哲学、时政风云与模拟联合国、国际人道法、大国崛起导读、当代中国外交<br><br>中华经典文化讲堂、中西文化比较、文学与哲学、口语交际能力、中国传统文化漫谈、影视文学欣赏<br><br>格致学、中国传统节日和民俗文化、中国的民族英雄、中国民间艺术、生活中的历史<br><br>中国的世界遗产、乡土地理、城市生态探奇<br><br>“领袖”才能和领导力，女性形象与礼仪<br><br>学生社团：邓小平理论读书会、模拟联合国社团（模联社）、天文协会、惜源联盟、绿缘社、“根与芽”社、学生电视台、学生网站（阳光通道）、茶艺社、音乐剧社、动漫社、新叶社、书画社、心理社<br><br>格致社团节、班级社区服务队 | 课题研究指导：<br>选题指导、开题报告撰写、结题报告撰写、研究方法指导<br><br>主要研究方向：<br>马列主义理论与中国社会实际结合个案研究、毛泽东与格致的渊源、邓小平理论与实践的个案研究、我身边的哲学个案调查、中共党史个案研究、中国革命成功因素研究、中国的人民代表大会制度研究、中国的民主党派问题研究、中西文化比较研究、我对和谐世界的认识、中外学生素质差异研究、中外学校教育差异研究、少数民族问题研究、社团与个性特长培养 、成功社团的要素研究、中华经典文化对我的影响、格致文化研究、格致学子的人格品质研究（包括共性与个性）、社区活动的创意策划、班级活动的创意策划、生日派对的创意策划、班歌创作、班徽设计、校服的创意设计、小型艺术展的策划与实施 |

续表

<table>
<tr><th rowspan="2">课程群名称</th><th rowspan="2">培养目标</th><th colspan="3">课程类型和科目</th></tr>
<tr><th>基础型课程</th><th>拓展型课程</th><th>研究型课程</th></tr>
<tr><td>文化科学类</td><td>科学精神<br>人文素养<br>科学态度<br>科学方法<br>探究能力<br>共生意识</td><td>语文<br>数学<br>外语<br>物理<br>化学<br>生物<br>政治<br>历史<br>地理<br>信息技术</td><td>自然学科先导：数学先导、物理先导、化学先导、生物先导、信息科技先导、天文先导<br>用图形计算器学数学、高中数学学法指导、中美高中生数学学习比较、微积分初步、数学解题欣赏、数学思想方法<br>物理思维新视野、力星空——与物理大师一起做实验、物理学习中的哲学思考、物理学习中的创新思维方法、从经典物理实验看思维过程<br>化学思维能力培养、化学实验基础、化学前沿掠影<br>生命科学前沿导读、生命科学实验与探究、生命的奥秘<br>天文学基础、数字地球<br>人文学科先导：学生作文大赛辅导、古诗文赏析、海文杯英语竞赛辅导、科技英语、地球小博士、“壳牌美境”环保方案设计、“气候酷派绿色校园行动”方案设计<br>经典文学作品导读</td><td>课题研究指导：<br>选题指导、开题报告撰写、结题报告撰写、研究方法指导<br>主要研究方向：<br>我的个性化学习方法、格致学子应具有的科学精神（科学态度等）、我的（某项）科学实验研究、科学与生活、某某学科（或竞赛）对我的影响、格致学子应具有哪些基本的科学素养（或科学方法、研究技能等）、我为自己设计的理想与人生之路、交流合作在科学发展中的地位、科学技术与武器装备发展、科学与社会发展、天文观测中的科学知识（或技术、技巧）、3S 技术的拓展性应用、电脑应用技巧、电子游戏与创新思维、科学史（某段）探研、文学流派研究、作家风格研究、快餐文化与经典作品、网络文化与网络道德、中外文化差异与语言、民族语言和民族风情、外语学习规律研究、区域性环境监测与对策研究、环保意识的行为体现</td></tr>
</table>

续表

<table>
<tr><th rowspan="2">课程群名称</th><th rowspan="2">培养目标</th><th colspan="3">课程类型和科目</th></tr>
<tr><th>基础型课程</th><th>拓展型课程</th><th>研究型课程</th></tr>
<tr><td>文化科学类</td><td>科学精神<br>人文素养<br>科学态度<br>科学方法<br>探究能力<br>共生意识</td><td>语文<br>数学<br>外语<br>物理<br>化学<br>生物<br>政治<br>历史<br>地理<br>信息技术</td><td>双语、空中英语、基础法语、基础德语、基础日语、雅思预备课程、美国AP课程、SAT课程、英语听力训练、英语主题作文指导、高中新世纪英语阅读与听力、对外汉语<br>生活中的地理、环境教育、环境保护与监测、气象观测<br>生活中的历史<br>计算机实用技巧<br>AP课程：化学基础、生物学基础、物理基础、English Drama Hobby Group、英语文学和写作</td><td></td></tr>
<tr><td>身心意志类</td><td>意志品质<br>健康心理<br>关爱生命<br>合作竞争<br>运动技能<br>健身习惯</td><td>体育<br>心理健康<br>生命科学</td><td>了解和实践的运动项目：围棋、国际象棋、中国象棋、桥牌；排球、乒乓球、篮球、桌球、羽毛球；击剑、射击；跆拳道、瑜伽、踢踏舞、魔杖、街舞、健身操；现代奥林匹克运动、体育竞技规则；运动损伤的预防和处理、运动心理导读；格致体育节、各单项比赛<br>生活中的心理学、生命的灵动、生命的理性、心理危机疏解、中医针灸推拿<br>旅游休闲</td><td>课题研究指导：<br>选题指导、开题报告撰写、结题报告撰写、研究方法指导<br>主要研究方向：<br>奥林匹克运动发展史研究、体育竞技项目研究、棋类与智力发展、高科技与体育、运动与健康、药物与健康、运动伤害的避免与应急处理、关爱生命的内涵与行为、舞蹈与健身、高中学生常见心理问题及自我解决方法、学习心理研究、社区人际关系调查研究、独生子女的自我心理研究</td></tr>
</table>

续表

<table>
<tr><th rowspan="2">课程群名称</th><th rowspan="2">培养目标</th><th colspan="3">课程类型和科目</th></tr>
<tr><th>基础型课程</th><th>拓展型课程</th><th>研究型课程</th></tr>
<tr><td>创意技艺类</td><td>创新意识<br>创意谋略<br>创作才能<br>创造技能<br>表演才艺<br>审美情趣</td><td>艺术<br>劳动技术<br>信息技术<br>政治<br>化学<br>生物<br>地理</td><td>创新学、自然科学建模(数学、物理、化学、生物、地理)、头脑奥林匹克、机器人 ABC、电子技术、智能机器人、灯具创意设计、英特尔创新大赛、发明创造与专利申请<br><br>Flash 动画创意制作、photoshop 图像艺术处理、电脑程序设计、动漫制作<br><br>综合才艺拓展、文学创作、话剧欣赏与表演、音乐剧创作与表演、舞美设计、英语课本剧表演、作曲入门、中国茶艺、创意服装设计入门、版画入门、篆刻艺术、创意剪纸、经典名画欣赏、中国古代文物鉴赏、经典名曲欣赏、艺术欣赏礼仪<br><br>弦乐演奏、民乐演奏、爵士乐队、青春的旋律、新年音乐会、格致文化艺术节<br><br>环保方案设计、环境小硕士(YMP)课程、飞鸟地带<br><br>理财与金融常识、企业经营实战模拟、模拟联合国</td><td>课题研究指导:<br>选题指导、开题报告撰写、结题报告撰写、研究方法指导<br><br>主要研究方向:<br>各类创意设计、模拟联合国竞赛方案设计、英特尔大赛创意设计、智能机器人、环保小产品设计与制作、电子科技、创造发明与专利申报、成功企业家个案研究、商业投资方案设计、模拟企业、商业营销与信誉、家庭理财研究、服装设计、自编流行舞蹈、自编民族舞蹈、文学作品创作、经典艺术作品评析、综合才艺展示、作曲、创作与表演、动漫设计与表演、传统民族工艺设计与制作、中外茶艺差异研究、中国茶文化研究与体验、“壳牌美境”环保方案设计及实施、“气候酷派绿色校园行动”方案设计及实施、环境小硕士(YMP)环保类课题研究、天文观测中的创新实践、生命科学探究</td></tr>
</table>

我校的四大类课程互相联系、互相补充，形成了既注重个性特长，又注重和谐发展的课程体系（详见图1）。

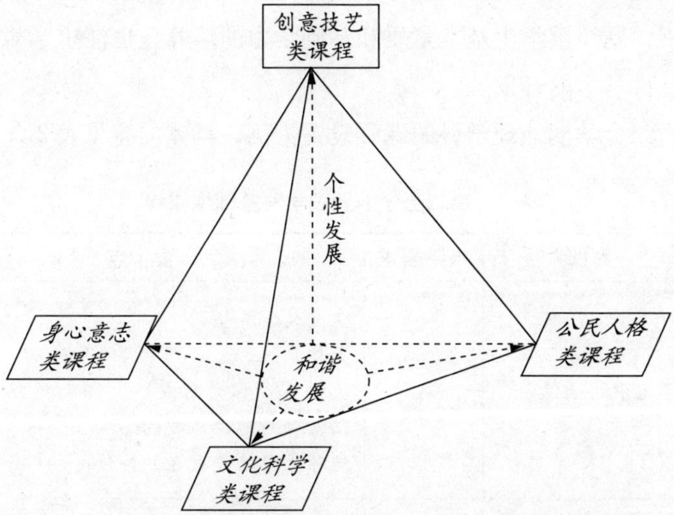


图1　四大类课程构建学生成长的“金字塔”

我校课程建设的方略是“基础型课程校本化、拓展型课程多元化、研究型课程自主化”。鉴于我校学生的水平高于全市平均水平，我校认为：基础型课程校本化，目的是为学生提供高于平均学业水平、少于平均学习时间的基础型课程，夯实学生的学习基础，从而为学生提供更多的个性学习时间；拓展型课程多元化，目的是为学生个性发展提供丰富多彩的、可供学生在学校指导下根据个性特长和发展潜质自由选择的课程；研究型课程自主化，目的是提倡学术自由，让学生展开自由翱翔的科学之翼，真正走上自主发展的创新之路。

### 2. 基础型课程

所谓基础型课程，是由各学习领域体现共同基础要求的学科课程组成，是全体学生必修的课程。基础型课程强调促进学生基本素质的形成和发展，体现国家对公民素质的最基本要求。

我校的基础学科教育保持并发扬基础教学高质量的传统，“文理并重”，夯实基础，重点在结构性学科基础知识和基本原理的学习与掌握上，培养学生基本的学科知识结构和学科思维能力，以及在此基础上的综合运用能力。我校的基础型课程设置既面向全体学生，也体现学生的差异发展，既注重学生基本素质和基础学力的培养，也注重学生多元智能和创造性学力的开发。

以高二上学期地理学科的课程设置为例，具体内容见表2。

**表2　高二上学期地理学科基础型课程**

| 主　题 | 水平要求 | 要　点 |
|---|---|---|
| 地球在宇宙中的地位 | A | 主要天体类型<br>天体系统<br>太阳系：八大行星、太阳大气结构、太阳活动对地理环境的影响<br>地球生命物质存在的条件 |
| 月球对地球的地理意义 | B | 月球概况<br>月相<br>月相与潮汐<br>日食与月食发生的条件 |
| 地球运动的地理意义 | C | 地球自转与公转的周期、方向、速度<br>地方时和区时<br>地转偏向力<br>正午太阳高度和昼夜长短变化<br>四季及其成因 |
| 板块构造与地震、火山 | A | 板块构造学说<br>地震和火山的分布 |
| 地貌与经济建设 | B | 三类岩石<br>等高线地形图<br>主要地貌类型：河流地貌、黄土地貌、喀斯特地貌 |

续表

| 主　题 | 水平要求 | 要　点 |
| --- | --- | --- |
| 大气运动与天气、气候 | C | 大气的垂直分层<br>行星风系<br>季风<br>主要气候类型的特点及成因<br>温室效应<br>城市热岛<br>酸雨<br>臭氧层空洞 |
| 水循环与水资源 | B | 水循环的环节、类型及地理意义<br>水资源的时空分布<br>河水的补给<br>水资源问题的成因、对策 |
| 海洋环境与海洋资源 | B | 洋流的形成、分布规律及其对环境的影响<br>厄尔尼诺现象 |

**注：**A 级是较低层次，要求知晓主要地理事实和基本地理概念。C 级是较高层次，要求熟悉主要地理事实，领会地理概念、地理原理和地理过程，能够分析和解决地理问题。B 级的要求介于 A 级与 C 级之间。

通过以上地理课程的内容可以看出，虽然是国家法定的基础课程，但学校仍然在课程编制中考虑学生的差异性需求，从较低层次的基础知识学习到较高层次的能力获得，对课程设定了不同标准。通过这种具体化的区分，使学生更好地掌握基础型课程的学习内容，为学生个性化的发展奠定扎实的基础。

### 3. 拓展型课程

拓展型课程是为满足学生个性发展需要和社会对多样化人才的需求，按照国家规定每个学生必须修习并由学生自主选择的课程。拓展型课程以培育学生的主体意识、完善学生的认知结构、提高学生自我规划和自主选择的能力为宗旨，着眼于培养、激发和发展学生的兴趣爱好，开发学生的潜能，促进学生个性的发展和学校办学特色的形成，是一种体现不同基础要求、具有一定开放性的课程。学生通过拓展型课程的学习，可以拓展和加深对自然、社会、自我的认识与体验；拓展基本知识，提高基本技能，形成选择学习、自我规划和自主学习的能力，收集、处理和运用信息的能力，运用知识解决实际问题的能力，表达、交流和合作的能力；发展兴趣爱好，逐步形成良好的个性心理品质和健全的人格，具有公民意识、社会责任感和创新精神，以适应时代的变化，为终身可持续发展奠定个性化的基础。

拓展型课程是我校课程开发的重点。我校的拓展型课程以“拓宽知识，培养兴趣，主动发展”为宗旨，致力于学生的“实践体验，潜能开发，特长发展”。在四大类拓展型课程的基础上，学校加强跨学科的专题性新课程开发和建设，充分体现学校课程对学生发展的服务功能，最大限度地满足学生选择学习、主动学习的需要。这里还是以地理学科的拓展型课程为例，分析学校是如何通过拓展型课程实现学生的个性化发展的。

地理学科以选修课为突破口，借助信息技术拓展地理学科教学：以“天文基础”、“天文实践”这两门作为学校传统项目的选修课为主打品牌，借助天象厅和数字化地理专用教室的硬软件设备，拓展地理学科教学的空间，培养学生的科学精神和研究、实践能力；与华东师范大学地理系合作，率先在中学开设“数字地球”选修课，把“3S”这一地理学科的新成果引入中学，充分利用校外资源和数字化地理专用教室的硬件优势，指导学生利用 GIS 进行小课题研究。

地理学科拓展型课程设置如下。

天文知识普及课（高一年级限定性选修课）

根据我校的天文特色，可将高一年级天文选修课的部分内容列为所有高一学生必学的校本课程，内容如下。

1. 第一课时，在天象厅观看天象节目《美丽星空》。

2. 第二课时，天文科学发展史及其对社会发展的影响。

3. 第三课时，春季星空、夏季星空。

4. 第四课时，秋季星空、冬季星空。

5. 第五课时，时间的由来和计量。

6. 第六课时，历法的种类及概况。

7. 第七课时，人类对宇宙的探索。

天文学基础（高一年级拓展型课程）

第一讲　绪言

第二讲　美丽星空（一）

第三讲　美丽星空（二）

第四讲　星座与活动星图使用

第五讲　天文学概述

第六讲　天文坐标

第七讲　太阳系、太阳

第八讲　地球

第九讲　月球

第十讲　日食和月食

第十一讲　彗星

第十二讲　流星和陨星

第十三讲　天体周日视运动和太阳周年视运动

第十四讲　时间与历法

第十五讲　岁差与章动

天文实践（高二年级拓展型课程）

第一讲　绪言

第二讲　分组定研究课题（一）

第三讲　分组定研究课题（二）

第四讲　课题计划

第五讲 资料收集（一）

第六讲 资料收集（二）

第七讲 资料收集（三）

第八讲 资料收集（四）

第九讲 研究成果初稿

第十讲 编写成果相关软件（一）

第十一讲 编写成果相关软件（二）

第十二讲 节目脚本设计（一）

第十三讲 节目脚本设计（二）

第十四讲 成果综合集成（一）

第十五讲 成果综合集成（二）

第十六讲 成果交流

环境与生活——互动式环境教育实践（绿色学校创建课程）

模块 1 实践活动——荒岛拍卖

模块 2 实践活动——学校一周用水及排水状况调查

模块 3 方案设计——校园雨水收集系统

模块 4 实践活动——令人感动的燕子

模块 5 创意设计——校园生态绿化

模块 6 实践活动——绿色校园规划

模块 7 实践活动——模拟国际贸易

模块 8 角色扮演——诺亚方舟计划

模块 9 被忽略的家园——换个角度看看我们的星球

模块 10 知识竞赛——环境与生活

模块 11 你可以顺手做到的 20 件环保小事

模块 12 模拟活动——合作方块

模块 13 模拟活动——毛线的思考

模块 14 地球的遗书——珍惜地球

通过以上地理拓展型课程的设置可以看出，学校拓展型课程的设置体现了一定的层次性，既有科普性质的“天文知识普及课”，又有专业学术理论性质的“天文学基础”，学生可以根据自己的兴趣和能力自由选择。同时，地理拓展型课程兼顾学生的知识学习和实践动手能力培养，注重地理探究能力的发展。在实践活动方面，所选主题贴近学生生活实际，使学生能够真正学以致用，解决社会及生活中的实际问题，并在问题解决中培养社会责任感和环保意识。

**4. 研究型课程**

研究型课程是学生运用研究性学习方式，发现和提出问题、探究和解决问题，培养自主与创新精神、研究与实践能力、合作与发展意识的课程，是全体学生限定选择修习的课程。我校的研究型课程主要有两种类型：一类是专门设立的研究型课程；另一类是置于基础型课程和拓展型课程之中的研究型课程。

专门设立的研究型课程由学校统一排入课表，每星期 2 节。高一年级完成研究型课程的学习基础即“学习包”的教学。这一类课程从学生的兴趣与经验出发，由师生共同开发并实施，主要以学生自选课题研究的形式开展。学生在高中阶段必须至少参加一个自选课题的研究，课题可以独立研究，也可以小组研究，小组人员以 3—5 名学生为宜。课题必须正式申报，经年级组、教导处批准立项；研究周期不能少于 3 个月；课题要有中期成果及结题报告。课题研究完成并通过验收后，课题组成员每人可获 3 个或以上的学分。

置于基础型课程和拓展型课程之中的研究型课程，强调结合学科内容进行研究性学习方式的渗透。鉴于研究性学习的理念必须渗透到基础型课程和拓展型课程中的教改思想，学校规定高中阶段语文、数学、外语、物理、化学、政治、历史、地理、生物、劳技、信息、艺术等每门学科都必须完成一份长作业（所谓长作业，是指个人独立完成的小型课题研究报告或论文等书面成果），每学科 1 个学分。高一年级完成语文、外语、政治、历史、信息、艺术学科长作业（上学期完成语文、政治、信息学科长作业，下学期完成外语、历史、艺术学科长作业）；高二年级完成数学、物理、化学、地理、生物、劳技学科长作业（上学期完成数学、化学、生物学科长作业，下学期完成物理、地理、劳技学科长作业）。

学校提出“把研究性学习落实到必修课”的理念，坚持在地理、历史、生物等学科每学期腾出3—4周的时间，用于专门开展与学科相关的课题研究。学校把学生的研究性学习成果作为硬指标纳入学期总评，占必修课成绩的30%。这样一种研究型课程的创新性实践，其目的在于将探究的理念和方法渗透于学科的学习中，并内化为学生的思维方法和研究能力。在研究型课程内容的安排上，学校在不同年级有不同侧重：高一侧重于人文科学，并完成研究性学习的方法指导；高二侧重于自然科学；高三注重综合、运用和提高。

从20世纪90年代末开始，我校地理组的教师们就大胆进行研究性学习的探索。他们以天文专题为基础，率先尝试组织整个高二年级学生利用四周时间进行天文研究性学习，这种以基础型课程内容为基础，全年级范围人人合作参与（4人一组自愿组合），传统手段与信息技术辅助手段相结合，占用基础型课程课时的研究性学习是一项全新的创举。此外，以苏州河综合整治为专题的为期4周的研究性学习，开创了以地理学科为主，整合化学、生物等多学科相关知识的研究性学习模式，把理论、实践、实验相结合，使学生体验了研究的整个过程，也符合目前中学学科综合的趋势。在组织研究性学习时，教师们制订了明确的教学目标、可行而科学的组织形式、学生经过努力能完成的学习任务。他们不仅重视对学习结果的评价，也重视对研究过程的评价，使学生在跨学科的研究性学习中将所学的知识应用于实际问题的解决中，并提高了学生研究问题和解决问题的能力。

### 5. 三类课程促进学生全面发展

基础型、拓展型和研究型三类课程的立体化架构，形成了立足学生发展、体现格致文化的学校课程体系。基础型课程、限定性拓展型课程和自主性拓展型课程分别立足于学生不同层次的发展，实现学生全面发展与价值观的同质性生成、科学素养与人文素养的和谐发展、个性化发展。研究型课程渗透于基础型课程和拓展型课程之中，使学生在探究性的学习中提高研究问题和解决问题的能力。这三类课程的具体关系如图2所示。

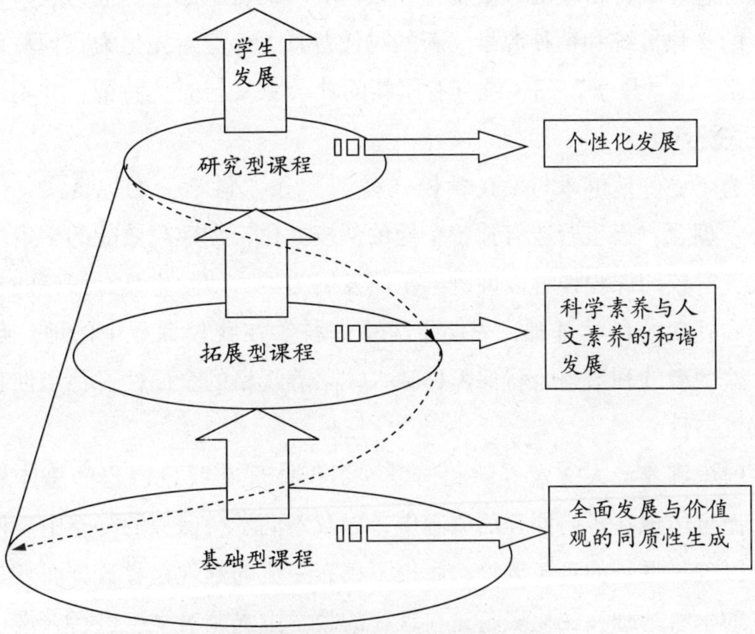


图2　格致中学立体课程结构示意图

### （四）格致课程的特色

以“格致课程新编”命名的学校课程新体系，开发增强学生动手、实践能力的课程，逐步增加拓展型课程在学校课程中的比例，凸显格致课程学习领域广、注重实践动手能力、科技类学科强势的特色。

1. 文理和谐发展，彰显格致文化

我校的前身是由我国近代科学和教育的先驱——徐寿先生创办的中国第一批培养科技人才的新型学堂。徐寿先生爱祖国、爱科学，毕生致力于探索我国近代实业振兴、科学救国和教育发展之路，他为国为民的爱国思想、艰苦奋斗的务实精神、崇尚真理的科学态度，成为我校百年发展的文化传统和精神源泉。新的时代背景下，徐寿先生为我校奠定的“爱国”和“科学”的传统具有了新的社会意义与时代特征，并不断得到发扬光大。

为了更好地继承与发扬学校“爱国”和“科学”的优良文化传统及办学理念，逐步营造有独特个性的学校文化，创建高效能的学生培养模式，学校的课程设置以促进学生的发展为本，使学生具有深厚的人文底蕴和扎实的科学基础，表明了人文、科学在我校课程中的地位与作用，这两者的和谐整合将保障格致人才培养规格的全面性、稳定性和可持续发展性。

科学素养与人文素养的和谐发展不仅体现在我校课程的总体思路上，而且体现在各门课程的编制中，以及不同学科课程的统整中。作为一所以理科见长的百年老校，我校不仅有一流的数理化教育，而且具备良好的学科基础和文化底蕴，在理科的教学中强调对学生进行人文、艺术和社会科学诸方面的基础教育。1954 届校友杨福家院士每年以“科学”和“爱国”为主题的讲座是我校的一项传统项目。杨福家院士作为新中国培养的一代科学家，他的讲座更多地侧重于与学生共同探讨，作为科学家，最重要的是如何将其毕生所学报效祖国。他最不能忘记的是在格致中学的三年学习生活所培养的人文基础和科学态度。今天，在学校的理科课程实施中，仍然洋溢着浓浓的人文关怀。在物理课程的实施中，教师从物理发展史着手，组织学生阅读相关材料，并介绍一些科学家获得成果的经历和过程，帮助学生全面了解科学家的人生历程，体会其中的人文精神。

此外，科学素养与人文素养的和谐发展还体现在不同课程之间的和谐统整上。学校通过设置不同类型的课程，使学生能够得到不同学科文化的熏陶，实现人文素养和科学素养的和谐发展。历史学科的科技史研究课题就是学校历史教育、科技教育与研究性学习相结合的一大创新举措。劳动技术课则增加了科技含量，增加普及头脑奥林匹克（简称OM）活动和机器人制作的基础知识与基本技能。还有“绿色学校”的环境教育，是地理、生物、化学、历史等多门学科的跨学科整合，学生在研究性学习的探索中解决环境问题，实现了科学素养与人文素养的和谐发展。

**2. 重视科技教育，培养科学素养**

科技教育是我校的传统特色，学校始终非常重视科技教育的实施。为了培养学生的科学素质，学校虽然仅有32754平方米建筑面积，仍拨出20余个专用教室进行科技教育。每年用于科技教育的经费支出（不包括学科竞赛、活动场地的修建和设备的购置）均超过8万元。

我校的科技教育特色主要是天文、头脑奥林匹克和机器人，学生的参与率超过95%。学校充分发挥学生的主体作用，目前已建立的科技类社团组织与兴趣小组达25个，占全校社团与兴趣小组总数的比例已超过50%。活动有组长与指导教师，有计划与内容，定时间、定地点地进行活动。由于成绩突出，许多社团已名声在外，学校则多次荣获上海市青少年创造发明设计竞赛优秀组织奖。

我校的天文爱好者协会，是美国“太平洋天文协会”（一个国际性的学术团体）和我国香港“观天会”的团体会员。近年来，天文小组组团赴我国漠河、泰国、德国去观看日全食和日环食，在观测中，学生运用了许多创新的方法，拍摄了许多有价值的照片，对此不少报刊都有成果报道。地理学科的研究性学习与必修课相结合，起步早又有特色，在上海市颇有影响。学校新建设的数字化地理教室是上海市最先进的地理教室，已向全市和全国许多学校开放。“清华同方”《信息技术与课程整合多媒体电子期刊中学版地理》中既介绍了学校的数字化地理教室，又介绍了学校的地理与物理、生物等学科的整合研究课，起到了很大的辐射效应。

我校的OM活动自1993年起逐渐发展，多次获得上海市冠军，1996年代表我国赴美国参加高中组总决赛，获第六名。我校学生的发明创造曾获得四项市级以上金奖及国家专利。2001年8月，我校代表队参加中央电视台举办的全国OM擂台赛获《因果关系》赛题冠军。我校OM活动的特点是参加人数多，普及面广，活动终年不断，获得市OM协会的赞许，经常接待国内外来访者，也起到了较大的辐射效应。现行的上海市二期课改OM新教材，我校承担了较多的编写任务。

学校坚持科技教育要普及与提高相结合的方针，要求“普及”到每一个学生，“提高”每一个学生社团。从学科竞赛到研究型课题，再到网络、环保、国防教育等，无不硕果累累。如2008年夏季毕业的高三学生中，获市级以上理科学科竞赛奖的达142人次，其中数学、物理、化学、生物各有一名学生进入全国决赛，有一人进入国家集训队，另还有7人获理、化、生市级竞赛一等奖。有8名学生分别免试直升清华大学（3人）、复旦大学（4人）、华东师范大学（1人）。学校有一支由院士、专家、校友讲师团和本校教师组成的高水平科技教师队伍，他们不定期地向学生开设科技知识讲座，和学生一起开展科普活动。

我校的科技教研组开展机器人制作活动较早，普及面广，成绩斐然，近三年有九次获全市冠军，并获国际高中组总决赛第三名。2001年上海市科技节的两项机器人大赛，我校代表队均获得冠军。我校自行设计的“简易多用途曲轴连杆传动机器人”及“光电感应小车”已由上海市科技教育中心作为科技竞赛项目向全市中小学生推广。

在特色项目的带领下，各种各样的群众性科技活动也蓬勃发展，如各类创新大赛、科学知识竞赛、金钥匙比赛、超级变变变比赛、国防知识竞赛等，参与率达100%，对提高学生的科学素质起到了极大的促进作用。

# 长盛不衰的格致中学天文科技特色

## ——格致中学天文科技特色教育精品项目介绍

向学禹老师坚持开展天文、气象活动二十多年，引导学生于1985年自发成立了格致天文爱好者协会，制订了章程，选出了理事，前后共有会员800余人，目前在校生百余人。二十多年来在向老师等的带领下，会员曾远征美国、泰国、德国以及我国海南、云南、黑龙江等地，成功观测过日全食、日环食、月全食、月掩金星、太阳黑子、彗木相撞、水星凌日、金星凌日、火星大冲、行星运动、星团星云、6颗彗星、流星雨等罕见天象。在全国和市级天文竞赛、小论文评比中，获奖80多次。有关文章、报道、照片见诸20余家报刊，协会接受过从中央到地方多家电视台的专访，并制作成专题节目播出。格致天文爱好者协会和学校多次被评为“市天文活动优秀集体”与“天文特色学校”，协会与上海天文学会结成了“百会百校”对子，2001年被评为十佳“上海市中学生明星社团”。格致天文爱好者协会还是美国“太平洋天文学会”和我国香港“观天会”的团体会员。

自1995年学校的天象厅建成以来，不但在校学生能观看不同节目，而且始终坚持在节假日对外开放，10余年来共接待国内外参观考察的青少年累计达2.5万余人次，外省市的教育代表团几百批次，还接待过来自10多个国家的各类团体的几十次来访。上海市党政领导也曾前来视察，对协会会员的表现和操作都给予了一致好评。协会还在“市民学校”里开设天文科普班，制作天文展板在校内外巡回展出；每届科技节都积极参与，每逢重大天象来临都能通过学生电视台及时宣传讲解，在破除迷信、抵制邪教的活动中更是大显身手。协会会员先后在报刊上发表科普文章20多篇，引起社会广泛关注；学生报道协会活动和成果的文章则更多。中央电视台、上海电视台、东方电视台都主动上门进行跟踪采访，摄制了天文爱好者协会的专题节目，有的在全国播出，有的在上海地区播出，还有的专门向世界华人社区转播……在2003年年底的全国科普工作会议上受到表彰的106个“全国科普工作先进集体”中，格致中学是上海市受表彰的5个之一。

### 3. 注重实践能力，强调经世致用

格致书院从创建之日起就形成了重视实学的历史传统。但对于实学的强调并不局限于科技知识的掌握，更重要的是强调人才培养的“经世致用”，要将所学的科技知识变成学生的科技能力、分析和解决社会问题的能力，以此来报效祖国，实现实业兴国。因此，今天我校的教育对于实学文化传统的传承，就不仅仅体现为对科技教育的重视，还表现为对培养学生动手操作能力、实践创新能力的关注。

“创新学”是由学校劳技教师开发的，具有鲜明格致特色的一门科技教育课程。教学中很多环节是通过师生互动、学生动手实验等活动，激发学生的创新思维和创作欲望，寻找解决问题的途径和方法，体验发现、发明和取得成功的快乐的过程。学校还专门设立了“创意工作坊”，鼓励学生通过动手操作将自己的设想付诸实践，以此培养学生的动手实践能力。再如，在具体的学科课程中，重视运用所学知识解决具体问题。如在“注重经济效益”的教学中，教师组织学生调查了浦东孙桥高科技农业园区和通用汽车公司，通过教师的适当引导，学生对充满挑战与竞争的社会有了更深的了解，从中真正体验到“科技是第一生产力”、“科技和管理是我国经济建设现代化必不可少的两个轮子”。同时，学生通过考察大别山、参加社区服务等一系列社会实践活动，接触、了解了社会，并用自己所学的人文知识为社会服务、为公众服务，从而体验到人文素质的重要性。

学校通过为学生创设动手实践的平台，促进了学生实践能力和创造能力的发展。高二女生邓蓓佳设计了一种用太阳能电池点亮发光二极管的指路牌，让行人在夜间也能对路牌上的字一目了然。邓蓓佳将这项节能发明专利无偿转让给了上海世博会，受到世博局肯定。世博局表示将积极推进该发明在世博会的应用。

## 格致中学学生向世博会无偿转让专利

### 让太阳能指路牌夜间“发光”

上海市格致中学高二女生邓蓓佳日前将一项发明专利无偿转让给上海世博会，受到世博局肯定。该发明创新点在于设计了一种用太阳能电池点亮发光二极管的指路牌，让行人在夜间也能对路牌上的字一目了然。世博局表示将积极推进该发明在世博会的应用。

邓蓓佳考察了本市大小道路的指路牌后发现，到了傍晚，行人大都看不清指路牌，特别是道路照明光线较暗的地方，凑上前去也未必辨认得出。小邓想到用发光二极管和目前的指路牌“合二为一”，将几十根二极管嵌于字内，并在路牌顶部安装一个太阳能电池，白天用于蓄电，夜晚可发电，节约能源。查阅资料后，小邓发现目前国内尚无将二极管和太阳能结合起来的指路牌。

考虑到电子设备不能被雨水淋湿，小邓还设计了防水结构：指路牌做成矩形的铁框架，最上面采用不锈钢顶盖，底部设置一块五毫米厚的绝缘板，以便放置降压变压器等。如何给指路牌装上“定时开关”，小邓想到将其电源引自道路照明灯电源，因为后者电源都已设置“自动开启”装置，所以指路牌二极管也能随路灯的关闭而关闭。她还提出，现在的指路牌东南西北方向是用英文字母标示，一些老人并不了解，也应配中文。

小邓向世博局写了一封推荐信，“希望我的发明能为游客及外国友人的寻路提供方便”。不久前，她收到世博局来信：“你无偿转让专利，大家非常感动，世博会也需要你们中学生的参与。”世博局负责人表示，邓蓓佳的发明受到了国家半导体照明工程上海产业基地等专家肯定，认为其设计很有创意。

目前，世博局正在研究采纳其建议，在世博园区运用此指路牌，国家半导体照明工程上海产业基地、上海半导体照明工程技术研究中心也邀请小邓加盟“专利池”。

［《解放日报》，2008－04－01（6）］

#### 4. 格致特色课程举要

(1)“生命教育”课程：彰显“生命”本色，体现“生命”关怀

学校教育要直面人的生命。我们所面对的是正在成长中的生命个体，使他们的体魄和灵魂都能够健康地发展，以期将来能实现生命的价值、发挥生命的潜能，这才是教育的真正目的。基于对学生生命价值的关怀和生命潜能的发掘，我校开发了生命教育课程模块。以生命教育为主导，多渠道、多方位地落实生命教育理念，构建全方位、全覆盖的生命教育实施框架，做到课内外相结合，校内外相结合，理论教育与实践体验相结合，有意识的引导与无形的影响相结合，全面铺展与重点强化相结合等，以此作为学校开展生命教育的原则。

为了使生命教育能在学校中有效实施，学校一方面充分利用既有的教育资源，将生命教育的理念渗透于各门学科中，另一方面，学校生物、心理、地理等教研组还编写了《生命的理性》、《生命的灵动》、《互动式环境教育》等生命教育的校本教材，开设了专门的生命教育课程。“生命教育”校本课程模块在内容选择上舍弃了那些学科性强、难度大，对学生的发展没有太多实用价值的知识，精选了普通公民所必须具备的知识，将传统的基础知识及其现代拓展和现代生物学知识有机组合，并将科学、技术、社会紧密联系起来，凸显人文性，重视知识的应用、与生活的紧密联系、与社会的相关性，使课程充满了21世纪的时代气息。贴近学生生活的生物世界，充满了生活的气息，调动了学生的学习主动性，激发了学生将知识运用于实践的欲望。在“生命教育”课程模块的实施中，形成了三大特色。

**——彰显“生命”本色，体现“生命”关怀**

“生命教育”课程模块的内容设计应超越“科学世界”，关注生活世界，关怀学生的现实生命。杜威指出：“学校必须呈现现在的生活——即对于儿童来说是真实而生气勃勃的生活。像他在家庭里，在邻里间，在运动场上所经历的生活那样。”所以，课程内容应遵循学生生活的逻辑，以学生的现实生活为源泉和基础，以学生生活的时间、空间为线索，选

取学生需要的、感兴趣的以及有发展意义的内容来设计主题。当然，虽说内容设计应关注学生生活，但并不是要把学生的生活世界作为内容设计的唯一追求，而将科学世界弃之不顾。如何从“生命教育”课程模块的内容上重建学生的生活，处理好科学世界与生活世界的关系，重新审视学生的生命，是“生命教育”课程模块内容设计的重点。

据此，“生命教育”选取了“生命的诞生”、“穿着黑袍的死神”、“战痘的青春”、“青春期的困惑”、“青少年与酒精”、“人与动物——关注”、“人畜共患疾病”等贴近学生的专题，在教材中也适当结合了一些尖端的科学知识，比如生命的诞生、自然生殖、较为先进的 ART 技术（辅助生殖技术，包括人工授精、体外受精、胚胎移植等）。当然，在开拓学生视野的同时也注重引发学生对由此带来的家庭和社会伦理问题进行思考，从而让学生对生命有更深刻、更完整的认识和思考。

学校的生命教育课程突破了狭隘的科学世界的框束，将科学世界和学生的生活世界有机地融合在一起，使生命教育真正具有了生命的活力和生命的意义。

**——加强科学精神和人文精神的渗透与融合**

生命是生物性和精神性的统一，既需要作科学的研究，也需要作人文的解读。科学理性和人文关怀是人类精神的两个方面。生命科学教育倡导有科学精神的人文理想，赋予科学实践以人文关怀。所有与生命有关的科学内容，都应该有利于提高学生对生命意义的认识，避免作纯理性知识的传授。所有与生命有关的人文内容，都应有科学和理性依据，不能作伪科学的传播。这样既能培养学生的科学理性，又能使学生的人性境界得以提升。

在“生命教育”课程模块的教材设计上，注重科学性与人文性的统一，每个专题都融入了体现人文精神的栏目：“欣赏”、“感言”。比如“生命的诞生”专题，以冰心的一段散文引入，结束时又以一段“感言”告终。又如“脱不掉的红舞鞋”专题（探讨酒精对生物体的影响），以安徒生的著名童话《红鞋》为引子，导入新课。

同时，“生命教育”课程模块在创编过程中，还将生命学科和人文学科（心理）有机整合，把科学精神与人文精神融入校本教材中，引导学生在认知的过程中去感悟、体验其中的深刻内涵。外在于人的知识，只有通过感悟内化为人的知识，才具有真正的价值。只有通过体验，才有可能达到心灵的震撼和情感的共鸣，也只有通过体验，才能实现相互的理解和心灵的交流。①

**——注重科学探究**

“生命科学不仅是众多事实和理论，也是一个不断探究的过程。”生命科学教育正是要使学生认识、经历科学的研究过程，学习科学家发现科学知识的科学过程，使学生慢慢建立起科研意识，潜移默化地影响学生的思维和判断。

探究是一种多侧面、多形式的活动，无论何种形式，关键是要体现科学探究的思想和基本特征。“生命教育”课程模块设计了多种形式的探究活动，包括实验型探究、讨论型探究、调查型探究等。例如在“脱不掉的红舞鞋”专题中设计了“探究不同浓度酒精对水蚤的影响”探究性实验，突出学生的主体作用。在实验过程中教师不仅要关注实验结论，更要关注学生参与实验探究的积极性和独立思考，引导学生将实验观察与理性思维紧密结合，促进学生科学探究能力的发展。实验采用小组合作的组织形式，以激励每一个学生大胆地行动、思考和表达自己的观点，并对实验的进展和结果负责，从而提高全体学生的参与程度，使学生在合作中学会与人共处，促进其情感、态度与价值观的发展。再如在“穿着黑袍的死神”专题中设计了一个案例分析——“特丽·夏沃一案掀起美国‘生死’之争”，并针对案件焦点展开了辩论赛（讨论型探究）——“安乐死是否应该合法化”，通过辩论锻炼学生组织、分析、表达、交流、竞争和合作等能力，同时对生与死有了深刻的领悟。“生命教育”课程模块还设计了若干学生调查课题，如在“‘SARS’风暴”专题中请学生以“餐桌上的野生动物”为题写一份调查报告等。

① 刘志军. 生命的律动：生命教育实践探索［M］. 北京：中国社会科学出版社，2004：66.

除了深入实践外，还鼓励学生通过媒体、互联网和实地考察等多种途径收集信息，并要求学生利用图、表、文字的形式来整理和分析所收集的数据，用图画、短文、海报、网页、论文、方案设置等形式来呈现调查研究的过程和结果，与他人进行交流。

通过“生命教育”的模块式学习，学生们更好地认识了自己、认识了生命，懂得了要珍惜生命的价值，促进生命的健康成长，从而为学生实现生命价值、发挥生命潜能创造了条件。

(2)“环境教育”课程：了解自然，保护环境

“环境教育”课程是以地理学科为主渠道，将地理、生物、化学等多学科整合，以了解自然、保护环境为目的的课程模块。人与自然的和谐共生是人类的追求，也是人类可持续发展的重要基础。因此，学校整合课程资源，发挥地理学科的学科优势，以创建“绿色学校”为契机，开发了“环境教育”课程，以培养学生认识自然和保护自然的能力。

地理学科是我校的传统特色学科。从新中国成立后我校的首任校长、我国著名地理基础教育专家、第一届“中国地理科学成就奖”获得者陈尔寿先生，到现在全国著名地理特级教师向学禹老师，都为我校地理学科的长盛不衰作出了不懈努力和巨大贡献。在他们的共同努力下，我校地理学科在上海市处于领先地位，在全国也有一定的知名度。借助这样良好的资源平台，格致中学的“环境教育”课程贯穿于基础型、拓展型和研究型课程中。

**——渗透基础型课程，凸显重点组室**

学校要求各学科（尤其是地理、生物、化学、政治等学科）都能渗透环境教育，各学科也都想方设法把各科教材与环境科学知识及相关的思想道德伦理有机地联系起来，使之构成一个比较完整的环境科学基础知识体系，并纳入各相关必修课程的教学计划，成为各学科必不可少的教学内容。例如：在化学课中结合酸碱盐的性质和工业制法以及石油、煤、有机物等，讲明大气污染与水污染的原理、危害和防护；在地理课中进行土地、水、森林资源保护教育，结合人口、资源、能源、土地、粮食等，讲明人类与自然、环境与社会的关系；在生物教学中加强

生物多样性、生态系统、人口与环境教育；在政治课中注重环保法律法规教育，提高学生保护环境的意识和主人翁的责任感。根据这一思路，学校组织各相关学科协同编写各学科、各年级教材，各章节有关环境科学知识的纲目，形成一个比较完整的序列，明确教学的目的和要求，并将其纳入各学科的教学计划。

**——拓展型课程跟上，体现多彩多姿**

学校努力建设环境教育校本课程，在拓展型课程中提升环境教育的质量。

2004 年学校决定，在限定性选修课双语课程中应有四分之一的内容为环境教育。2005 年开始，在高二年级开设拓展型课程“环境教育”，每两周 1 课时，这样就达到了使每一个学生都能受到较多的环境教育的目的。

而今，地理教研组以学校“建设绿色学校”课程为契机，在原环保类选修课的基础上编写数本环境教育类校本教材，基于“以人为本”的办学理念和培养“全面兼具特长人才”的育人目标，构建具有开放性、多样性、和谐性特点的格致特色环境教育校本课程体系。2006 年 1 月，地理组编写的《互动式环境教育 · 活动设计》获上海市首届中小学环境教育教材、课例评选“一等奖”。

**——活化研究型课程，展现主体意识**

学校积极开展研究性学习活动，在研究型课程中实现环境教育创新。

学校地理、生物、化学三学科联合，每年在高二年级组织开展人人参与的环保类研究性学习。学校还努力加强“学习包”（研究型课程）教学活动中的环境教育，并在其他年级全面推行环保类小课题研究，努力使所有学生都能在研究性学习活动中提升环保探究素养。

就学科而言，地理学科有“水资源”、“环境污染及其治理”、“人口问题”、“自然灾害”等内容，生物学科有“生态球”、“生物监测水污染”、“Water for Life”等内容，政治学科有“假奶粉事件的启示”、“为人类寻找新的生存环境”、“中国水资源匮乏”等内容，语文学科有

“绿色文明诗歌竞赛”等内容。

学校高一年级的研究型课程由学生自主选择研究课题，在教师指导下小组合作或个人独立完成课题研究，三年来共申报、完成课题近1000个，其中涉及环保的课题占22%左右。

以“绿色学校”为主题的环境教育课程模块的实施，使学生可以更好地了解和认识自然，与此同时，在探究实践中也培养了学生解决问题、保护自然的能力，促进了学生科学素养与人文素养的和谐发展。

（3）“历史文化”课程：以历史文化的积淀培养学生的人文素养

**——“格致学”：以“格致学”为切入口，弘扬“科学”和“爱国”的传统**

格致文化是学校特有的课程资源，为此，历史教研组在学校支持下开设了校史课程“格致学”，通过课程传承格致文化——“爱国”和“科学”的精神。课程主要涉及以下几方面内容：①格致书院创立的过程，包括创立的背景、校名的由来、主要创始人、宗旨、意义及创立时的功能定位等，重点强调中西合办、注重科学启蒙等特色；②学校的变迁，包括我校历史上几次校名变更的背景、原因、影响及学校功能的变化，学校校舍的改建、扩建等，突出学校藏书楼兴办的意义；③学校的教学，包括学校的课程设置、教学特点等，如最早进行实验教学、举办开放式讲座、有重大社会影响的格致课艺、使用英文原版教材等；④学校师生，介绍我校著名的校长、教师以及培养出来的重要名人；⑤学校的爱国传统，主要介绍格致学生的革命活动。“格致学”课程的学习，可以帮助学生了解学校的过去，理解“格致”的深刻内涵，从而增进对学校的热爱和自豪的情感，继承格致“爱国”和“科学”的传统，激励学生以老校友为榜样，刻苦学习，报效国家。

为了有效实施“格致学”课程，历史组教师积极探索和努力完善“格致学”的教与学，创新课程实施方式。具体包括以下几点。

第一，组织学生参观校史楼、院士廊。与其他课程有大量鲜活的照片可供投影、大量场景可供现场临摹相比，“格致学”的图片凤毛麟角，而校史楼、院士廊的落成恰好弥补了这方面的不足。学校在开学初的两周内组织学生参观，学生为自己能在这样一所历史悠久、人才辈出的学校读书而感到自豪。

第二，让学生阅读《格致书院课艺》部分篇章。为让我校学生能与百年前的格致学子进行跨越时间的零距离交流，思古人之所思，忧古人之所忧，从古人的智慧与精神中汲取力量，教师印发了《格致书院课艺》中紧扣时代主题的优秀文章给学生阅读，并进行阅读指导，帮助他们克服阅读障碍（因是文言文）。读完之后，学生感触颇多，有的为文章严密的逻辑性折服，有的被作者的救国之情打动，有的对作者在国家积贫积弱背景下提出的兴邦之策的局限性表示无奈与理解。

第三，师生合作上课，提高学生兴趣。格致书院是中国近代以来最早传授自然科学的新型学堂，校史中有很多关于物理、化学的知识，很多现象、术语历史老师不太懂。如上海历史上第一次电学讲座的材料（原文是文言文），又如一百多年前栾学谦老师为学生做的有关氢气、氧气等气体性质的实验的做法。因此，教师有时会请物理、化学等课代表为同学们讲解。格致书院是近代史上中西合办的第一所学校，现存的很多史料原稿都是英文，教师上课时也会请学生进行翻译，并给予适当提示。这样，校史课上也可以体现综合课的色彩。

第四，指导学生撰写有关校史的研究性学习报告。“格致学”的教材在编写时主要以学校发展为主线，对有关人物的生平介绍较为简单。为了弥补这一不足，同时也为了给学生树立更多学习的楷模，课程要求学生另外查找资料，撰写有关人物的研究性学习报告。为避免重复，也可写有关格致的其他报告。

“格致学”开设近半个学期后，教师对学生进行问卷调查，主要是询问学生“格致学”开设的必要性以及学习后有什么收获。绝大部分学生都认为有必要开设这门课，收获则各种各样，主要是被书院创建者们的公益心和百折不挠的精神所震撼，对格致中学“爱国”和“科学”的传统有了更深层的领悟。

**——“经典哲学”**

高中生该不该强化哲学的学习？高中生能不能掌握聪明的哲学？

我校将校本课程“经典哲学”作为学生的“必修课”，学校自编的校本教材《经典哲学》强调了在生活中学哲学，用哲学思想认识事物的基调。通过两年的课程学习，不仅激发了学生学习哲学的欲望，而且培养了学生科学的思维方法。

高中生处于人生观、价值观形成的特殊时期。这一年龄阶段，一些学生看问题片面，认识偏颇，使教师觉得现在的学生很难教育。面对这一问题，张志敏校长提出，要让学生多学哲学。他认为，高中生的思想和思维方式，对其今后的人生道路起着重要的影响，学哲学也是建立正确的世界观、人生观和价值观的基础。学校经过认真研究，决定在高一、高二开设“经典哲学”，既为高三政治课教学内容中的马克思主义哲学进行衔接，又为深化学生思辨能力作必要的铺垫。教材分两册：中国版介绍孔子、孟子、老子、庄子、朱熹、王阳明、孙中山、毛泽东等10位中国哲学家，外国版介绍柏拉图、亚里士多德、贝克莱、培根、伏尔泰、黑格尔、费尔巴哈、尼采、萨特等10位外国哲学家，从历史的脉络上“夯实基础”，使学生对哲学有所了解、发生兴趣。

课堂实施中，教师主要采用案例教学法、讨论法、辩论法、小品表演等手段，充分调动学生的积极性，使学生在活动中学会用正确的思维方法认识事物。比如教师在“由‘四假象说’想起的……”一课中，把培根的“四假象说”介绍给学生，使学生了解培根对人类错误观念产生的若干原因的探索，同时也让学生思考自己有没有类似的情况。当时，课堂气氛十分活跃，学生在亲身体验中领悟培根的“四假象说”，明确主观性、片面性的危害。通过讨论，学生认识了培根的“种族假象”，即人类作为一个种族，会以自身为尺度，不按自然的本来面目去认识事物，把客观事物拟人化，歪曲事物的真相，导致错误的结果，这就是人的主观性产生的原因。这样的教学方法，使学生既学到了哲学观点，又看到了自己身上存在的主观性、片面性问题。

哲学学习打开了学生的思路。在讨论柏拉图用麦穗喻意爱情选择的哲学命题时，一名女生说：选麦穗，其实不仅是选爱情，也说明我们人生道路上有各种各样的选择，每一次选择，都是对我们的考验。只要符合自己的实际情况就是最好的；找工作也是如此，只要符合自己的实际，又符合国家需要、社会需要，就是最好的；爱情也是如此，只要符合自己的，两相情愿，就是最好的，不能见异思迁。讨论让学生不仅明确了如何对待爱情，也明确了自己的社会、家庭责任，更明白了生活中的哲理，即从实际出发，实事求是。

**——“中国传统民俗节日”**

2004年5月，韩国的端午申遗事件曾引起我国文化部和媒体的高度重视。众所周知，有着悠久历史的端午节是中国的传统节日，尽管韩国申请的“端午节”在时间、空间上与我国的有不同之处，但无论是一个节日还是一个节日的庆典，全世界只有一个端午节的品牌，韩国率先使用了，一旦申报成功，对中国来说就是一个不小的打击和重大的损失。

现在许多年轻人热衷于过洋节日，而中国自己一些具有丰富文化内涵的传统节日却受到冷落。其实，不光是传统节日，整个中华民族民间文化的生存环境都面临着经济全球化和现代化的挑战。一些发达国家凭借强大的综合国力、先进的科技手段和发达的文化传播手段，积极传播西方的价值观念和生活方式，对发展中国家的民族文化生态造成严重冲击，很多民族文化的特色正在逐渐消失，文化的多样性和丰富性也受到严重威胁。

面对这样的时代背景，历史组的教师开设了“中国传统民俗节日”课程，希望通过该课程的开设可以引发学生思考：在经济全球化和现代化的挑战下，我们的传统节日，或者说整个中华民族民间文化的生存环境都面临着重大考验，面对一些发达国家凭借强大的综合国力、先进的科技手段和发达的文化传播手段，积极传播西方的价值观念和生活方式，我们该如何保护和发展自己的传统节日，如何在传统节日中注入现代元素，从而不断满足人们日益增长的文化需要，使传统节日在未来社会中找到应有的位置，让传统节日的前景和我们民族文化的前景一样走向繁荣与多元。

在课程的安排上，教师将讲座和学生的研究性学习相结合，既利用现代网络信息技术进行教学，也让学生走出课堂，深入社会，进行实践调查，获得感性认识。课程安排15课时，具体介绍春节、元宵节、清明、端午、七夕、中秋、重阳、腊八等中国传统节日。在此基础上，学生再展开研究性学习。学生确立自己的研究课题，并开展研究；在教师的指导下，整理、删选资料，完成结题报告；最后将研究成果进行展示与交流。

通过学习和研究，学生了解了我国一些重大传统民俗节日的历史渊源、发展轨迹以及所产生的社会影响，并由此了解了与此有关的历史学、民俗学、社会学等方面的知识。学习和研究的过程让学生体会到我国传统节日的丰富文化内涵和无穷魅力，并引导学生密切关注现实生活和历史传统之间的联系。同时在学习的过程中，学生寻找和选择自己有兴趣的课题进行深入研究，逐渐养成了善于发现问题、探究问题和解决问题的能力。

(4)“综合才艺拓展”课程：人文素养的陶冶和艺术才能的绽放

《格致中学创建实验性示范性高级中学第四轮发展规划（2006—2010)》把格致特色人才的培养目标定位于“厚德、博雅、明理、懿行”，主要是指：学生应具有高尚的道德修养，视野开阔，知识厚实，文理兼通，兴趣广泛，情趣高雅；能够深明事理，思想深刻，求真务实，处世和谐，并善于践行，勇于创新，具有较强的实践能力和创新精神。艺术教育对于以上培养目标的达成，具有相当重要的作用。

发展规划明确提出“整合学校现有的艺术类课程，加强学生艺术团建设，整合声乐、器乐、舞蹈、书画、茶艺、戏剧、动漫、时装设计与表演等特色项目，开展丰富多彩的学生艺术活动。在大面积提高学生艺术水平的基础上，争取有更多的艺术特长生脱颖而出”，从而确定了学校艺术教育的目标、课程及专项活动内容的实施。

艺术教育是学校素质教育不可或缺的重要组成部分。艺术教育有利于开发学生的右脑，促进学生形象思维和创新思维的发展，促进学生全面和谐地成长，是其他教育所不能替代的。艺术教育的重头戏在于科学地设置艺术教育必修课程及拓展型课程。

我校高一和高二年级分别开设“音乐赏析”、“美术赏析”、“才艺综合素养”三门必修课，均为每周一课时。由艺术教研组自行开发的具有格致特色的艺术教育课程则有“高中音乐欣赏”、“服装设计”、“美美中国茶”、“数码摄影”、“影视评论”等，并均已编写了校本教材。

艺术教育选修课是拓展型课程的重要组成部分。每学期，学校都开设弦乐、民乐、素描、国画、书法、水彩、合唱、摄影、话剧小品、茶艺、学生电视台节目制作等选修和活动课程。2004 年我校新开设了学生爵士乐活动课，在重点中学里尚属首创。2006 年我校又开设了踢踏舞和街舞这两门深受学生喜爱的舞蹈课。之后又增设了音乐剧舞台表演和音乐剧舞美设计选修课。

目前我校的学生艺术社团有弦乐队、民乐队、合唱队、爵士乐队、舞蹈队、文学社、书画社、音乐剧社以及校电视一台和电视二台等。我校每年举办艺术节活动，从内容到形式都由学生自己策划，整个艺术节期间的所有演出、展示，也都由学生自己组织。学生全员参与，乐于表现，艺术节已成为全校学生的盛大节日。

团委、学生会还定期举办社团节，最出彩的节目便是那些艺术社团的展示，尤其是音乐剧社团的演出。对此，《当代学生》杂志曾作过专题报道：“精心创作的剧本，轻盈浪漫的舞台呈现——很难相信，这是一个来自中学的社团为同学与老师带来的喜悦——音乐剧《快乐王子》！可我校的师生们已经不再惊讶：此前，他们已经看过了学校的首台音乐剧《我心飞翔——I believe I can fly!》。在社团百花齐放的今天，音乐剧社仍然是独特的。服装、道具的制作，歌词、剧本的创作，声乐、表演的训练……这么多的‘子目录’，真叫人为这个社团的分工协作捏把汗。可是，我校的音乐剧社用两台成功的演出证明了自己。用他们自己的话来说，他们要带着梦想跨越彩虹。”

上海市教委艺教处领导梁建明老师观看了音乐剧《我心飞翔——I believe I can fly!》的演出，给予了高度评价。他说：“演出非常非常成功。老师和同学共演共唱，起到了很好的指导作用。你们交了一份很好的答卷——课外实践活动的答卷。这不仅仅是一台演出，而是做了一项很好的同学合作的文化事业，你们的能力得到了升华……”音乐剧社的成员也纷纷发表感言。高一（6）班张智逸同学说道：“以音悦人，以乐聚人，以剧释人。”高一（7）班王冠石同学说道：“音乐剧社是一个展示自我的舞台，给我们实现理想的机会。”

学校茶艺社屡次在市、区各项茶艺比赛中获奖，在 2009 年 10 月举办的黄浦区中学生社团文化节中，茶艺社精彩的表演让沈祖炜副区长、教育局王伟鸣局长、团区委余海虹书记赞不绝口，并亲口品尝了学生泡的功夫茶。

每到辞旧迎新之际，学校还举办新年音乐会，这已成为我校校园里一道亮丽的风景。在 2005 年的新年音乐会上，张志敏校长宣布成立我校学生爱乐乐团。2006 年学校弦乐队成立十周年，学校隆重举办庆典音乐会，通过精彩的演出汇报了弦乐队的成果。每年一次的英语节活动也安排了广受学生欢迎的英语歌曲比赛和英语小品、英语话剧表演。学校政教处每学期都组织学生观摩文艺演出和观看优秀影片，参与率达 100%。从 2006 年开始，学校充分利用现有的教学条件，在中午举行小型音乐会，让更多的学生得到展示才华的机会。

教职工也积极参与以上艺术活动，教师的表演总能博得阵阵喝彩，如在学生艺术节闭幕式上，由 60 位学生和 30 位教师一起表演的服装秀，成为整台节目中的一个亮点，将全场的艺术氛围推向了高潮。师生同台，其乐融融。

学校在环境布置方面也特别注重创设艺术氛围，在教学楼第三、第五、第七、第九层的大厅里放置了钢琴，这既是一种文化构成，又为师生提供了课余自娱自乐的良好条件。不少教学班里都悬挂着学生们的书画作品。这一切都给格致校园增添了浓郁的艺术气息。

## 三、格致课程的实施

### （一）搭建课程创生平台

随着校本课程的实施，教师的课程意识和课程决策权力日益增强，其角色也开始发生积极的变化。教师不仅是课程的实施者，而且成为课程的研究者、设计者和评价者，教师也因此成为学校课程变革的主体，在课程发展中将发挥更大的作用。美国学者辛德将教师的课程实施归纳为三种取向：忠实取向、调适取向和创生取向。而课程实施的发展趋势必然是由传统的忠实取向转为更加体现教师的个性、主体性和创造性的创生取向。因此，强调教师课程创生，既是课程开发和实施的要求，也是教师专业发展的需求。

我校在开发校本课程过程中重视教师的发展，尊重教师的开发精神和创新能力。学校生物校本课程的开发正是立足于生物教研组每一位教师的专长，让其真正成为校本课程开发的主体，在校本课程的开发建设过程中彰显自己独特的个性。同时，教师在课程的开发与研制中与学生共同学习、共同成长，共同搭建起相互沟通与对话的桥梁，以成就学生个性发展、教师专业成长及学校特色形成的新局面，这正是校本课程开发的价值所在。

此外，我校还为参与课程开发和建设的教师创造条件，举办了一系列活动，如聘请华东师范大学、上海市教育科学研究院的专家组成顾问团，召开专题研讨会，举办“格致教育论坛”和以“导学艺术的探索”为主题的教学展示周等，帮助教师们提高对课程改革的认识，调动他们参与课程开发的积极性。目前，申报拓展型课程开发的教师已有 69 人次。一大批名称新颖、内容前卫的校本课程教材正在编写中。

课程的建设与开发，带给教师新的教学观念、材料和策略的挑战；思考、应对这些新事物的过程，促进了教师专业上的进步。通过参与课程编制、改编和评价，教师提高了对自己和教育的理解，丰富了学科知识，并能够超越课堂的局限去思考问题。此外，教师参与课程发展，增进了教师对学校课程乃至整个学校的归属感，提高了教师的士气、工作满足感、成就感和责任感，使教师对教学工作有更多的投入。

### （二）适应学生发展需求

立足于学生的需求，作为我校课程开发的总体追求，渗透于各门学科的课程开发之中。例如，生物学科的校本课程开发，在确定具体的课程目标之前教师首先思考的是：“这一特殊的学生群体究竟需要哪种课程？他们在未来会有怎样的社会角色和发展方向？”为此，生物教研组教师设计了一份问卷，对学生进行需求评估，通过调查，初步了解了学生的需求情况。调查围绕学生对生物学课程学习的兴趣，对校本课程的认可程度，对生物校本课程的教学方式及开发形式的看法等展开。调查对象是我校高一年级 12 个班级共计 467 名学生，结果统计如下。

**问题 1. 请问你是否认为选修校本课程加重了你的学业负担？**

| | 是，负担很重 | 还可以 | 没什么负担 |
|---|---|---|---|
| 百分比（%） | 20.3 | 52.9 | 26.8 |

图 3　学生是否认为选修校本课程加重了自己的学业负担

可以看出一半以上的学生认为负担不是很重，甚至还有四分之一的学生觉得没有什么负担。

**问题 2. 你对生物学科是否感兴趣？**

| | 非常感兴趣 | 一般 | 不感兴趣 |
|---|---|---|---|
| 百分比（%） | 34.3 | 52.9 | 12.6 |

图 4　学生对生物学科是否感兴趣

仅有12.6%的学生对生物学科毫无兴趣，而非常感兴趣的占了34.3%。

**问题3. 你对人类基因工程、细胞工程、SARS等生命科学前沿及热点专题知道多少？**

| | 非常了解 | 了解一些 | 不了解 |
|---|---|---|---|
| 百分比（%） | 7.5 | 70.9 | 21.4 |

图5　学生对生命科学前沿及热点专题的了解

对于人类基因工程、细胞工程、SARS等生命科学前沿及热点专题的相关知识，70.9%的学生略知一二，21.4%的学生并不了解。

**问题4. 若让你选择，你想了解以下哪方面的专题？（可多选）**

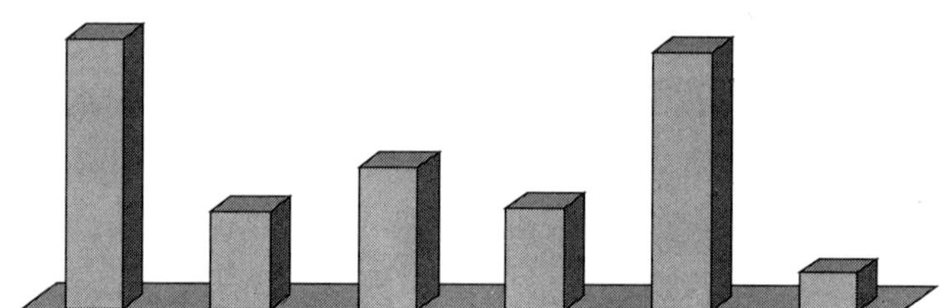

| | 生物工程 | 绿色革命（现代农业） | 艾滋病 | 人畜共患疾病 | 血型与迷信 | 其他 |
|---|---|---|---|---|---|---|
| 百分比（%） | 53.7 | 19.7 | 28.5 | 20.6 | 51.4 | 7.9 |

图6　学生想了解的生命科学专题

对于自己感兴趣的专题，绝大多数学生都不约而同地选择了生命科学的前沿——“生物工程”及较贴近生活的“血型与迷信”，然后依次为“艾滋病”及“人畜共患疾病”，而对于“绿色革命（现代农业）”方面的内容，大多数学生不感兴趣。

**问题 5. 请问你希望开设哪一类生物校本课程？（可多选）**

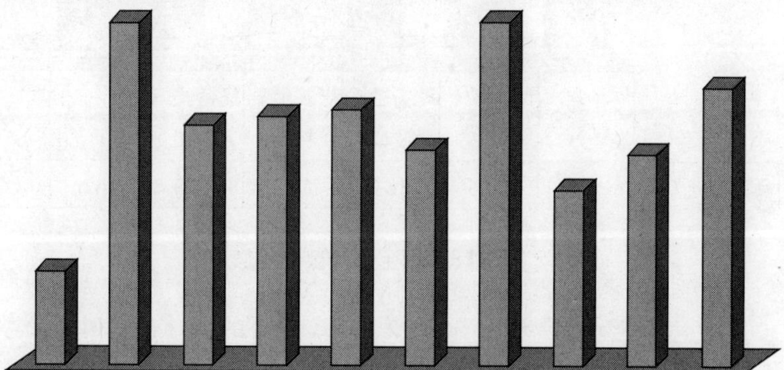

| | 竞赛辅导 | 生命科学前沿 | 生物组织培养 | 实用类课程(如插花) | 营养与健康 | 保健医学 | 生物小实验 | 人与环境 | 无土栽培植物 | 其他 |
|---|---|---|---|---|---|---|---|---|---|---|
| 百分比（%） | 13.7 | 49.3 | 34.7 | 35.8 | 36.8 | 30.8 | 49.3 | 25.3 | 30.4 | 40.3 |

图7 学生希望开设的生物校本课程

“生命科学前沿”、“生物小实验”受到了学生们的推崇，接下来是“营养与健康”、实用类课程（如插花)、“生物组织培养”、“保健医学”、“无土栽培植物”、“人与环境”，另有 13.7% 的学生希望开设竞赛辅导。同时，40.3% 的学生还纷纷献计献策，在“其他”中填写了“减肥与健康”、“生物英语”、“解剖学”、“动物饲养”、“医学类”、“生化边缘学科”等。不难看出，学生们都希望开设一些与生活密切相关、能够学以致用的课程，也有学生希望选修的校本课程能为将来的专业作好铺垫。

**问题6. 请说出你为何选择该类课程？（可多选）**

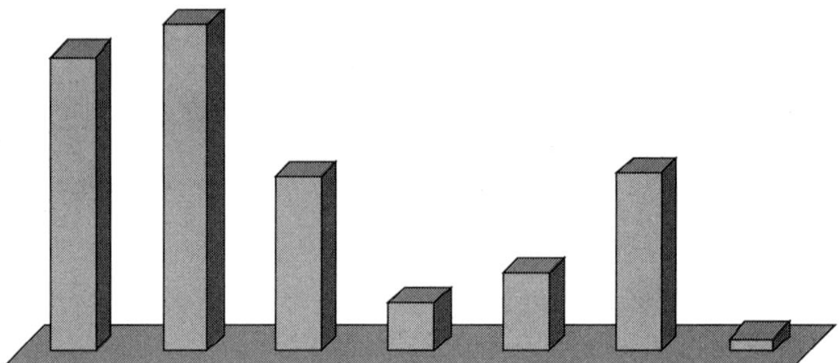

| | 开拓视野 | 兴趣驱使 | 提高动手能力 | 能获奖，得到保送 | 提高生物成绩 | 凑学分 | 其他 |
|---|---|---|---|---|---|---|---|
| 百分比(%) | 61 | 67.5 | 36.2 | 10.1 | 16.3 | 36.6 | 3 |

图8　学生选择课程的原因

67.5%的学生以兴趣作为自己选课的首要准则，61%的学生是为了开阔视野，36.2%的学生是出于提高动手能力的考虑，也有少部分学生是因为能获奖或提高成绩（另有约1/3的学生将“凑学分”列为原因之一）。

**问题7. 你希望教师以何种方式进行校本课程的教学？（可多选）**

| | 讲座 | 讲授与动手实验相结合 | 活动课 | 校内学习与校外参观 | 建议 |
|---|---|---|---|---|---|
| 百分比(%) | 15.2 | 59.3 | 57.4 | 56.3 | 1.5 |

图9　学生希望教师采用的校本课程教学方式

学生较为认可“讲授与动手实验相结合”、“活动课”、“校内学习与校外参观”的方式，不大欣赏较为枯燥的“讲座”形式。

**问题8. 若是将与生物学科密切相关的其他学科的知识整合到一门校本课程中，并由几位教师共同参与校本教学过程，你认为该种形式：**

| | 很可取，应推广 | 一般 | 不好 |
|---|---|---|---|
| ■百分比（%） | 58.2 | 33.8 | 7.7 |

图10　学生对“将与物学科密切相关的其他学科的知识整合到一门校本课程中，并由几位教师共同参与校本教学过程”的形式的看法

“将与生物学科密切相关的其他学科的知识整合到一门校本课程中，并由几位教师共同参与校本教学过程”的校本形式得到了大部分学生的认同，认为很可取，应推广，仅有7.7%的学生认为不好。

**问题9. 你觉得在教师开发校本教材的过程中，学生有必要参与吗?**

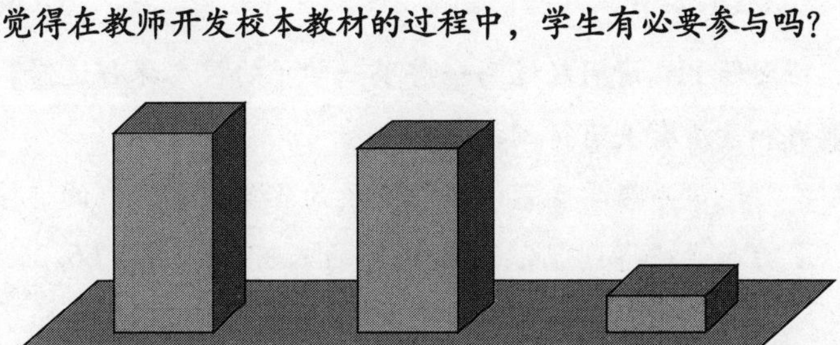

| | 很有必要 | 一般 | 无必要 |
|---|---|---|---|
| ■百分比（%） | 47.5 | 43.3 | 9 |

图11　学生是否认为学生有必要参与教师开发校本教材的过程

从图 11 可以看出，我校学生的主观能动性较强，大部分学生希望能参与校本课程的决策与开发，仅有 9% 的学生觉得没有必要。

**问题 10. 你的父母是否从事与生物有关的工作?**

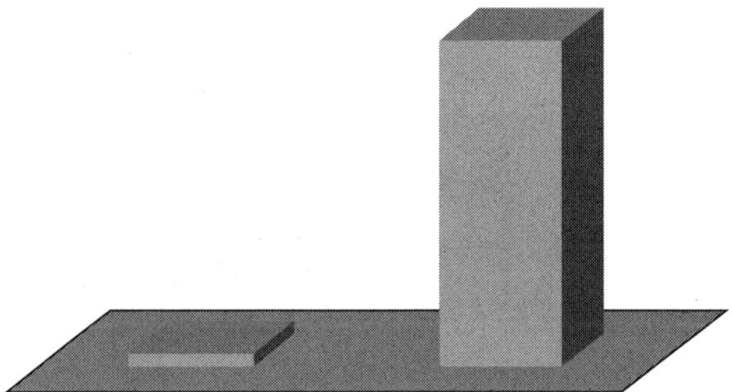

| | 是 | 否 |
|---|---|---|
| 百分比（%） | 3.6 | 96.4 |

图 12　学生的父母是否从事与生物有关的工作

**若选择“是”的话，请问他们是否愿意参与我们校本课程的决策和开发?**

该年级有 3. 6% 的学生的家长从事与生物相关的工作，其中有 70. 6% 的学生表示家长愿意参与生物校本课程的开发。

**问题 11. 请问经过高一整整一学年的校本课程选修，你认为个人的能力和素质有没有得到提高?**

该年级学生通过高一阶段的各类校本课程的选修，认为个人能力和素质得到了很明显提高的只有 18. 6%，66. 2% 的学生认为一般，15% 的学生认为没有什么提高。从中不难看出，我校还应加大对校本课程的开发与实施。我们不仅要考虑学生的课程需求，还要在校本课程实施中采用学生喜欢的教学方式，注重对他们各方面素质、能力的提高。

| | 很明显提高 | 一般 | 没什么提高 |
| --- | --- | --- | --- |
| 百分比（%） | 18.6 | 66.2 | 15 |

图 13 学生是否认为个人的能力和素质得到了提高

**问题 12. 最后，你对我们生物校本课程开发还有什么更好的建议和意见?**

学生都非常支持生物校本课程的开发，认为这一举措很好，应多开展。并提议：“在高一年级多开展”（这可能与高二、高三面临的升学压力有关）；“希望成立学生小组参与校本课程开发讨论”；“希望校本课程的内容与日常生活相贴近，能学以致用，对将来有帮助”；“希望校本教学中多实践，多动手，注重培养创新能力”。

有的学生希望在校本课程中不要有太多强化记忆的内容，这可能与国家课程中侧重于落实知识点、强化记忆应试有关。

有个别学生提出，希望与高考相结合。从中不难看出高考这根指挥棒对学生潜移默化的影响。

基于上述调查统计与分析，生物教研组形成了对校本课程开发的几点认识。

（1）学生大多认可校本课程，认为不会对自己带来过多的压力和负担，且大部分学生愿意加入到校本课程的决策与开发过程中，而多数从事生物相关职业的学生家长也愿意支持生物校本课程的开发并给予帮助。这些客观条件为教师开发生物校本课程增强了信心。同时，调查结果显示学生团队意识很强，很愿意和他人合作且乐于参与课堂讨论，这有利于教师实施校本课程。

（2）对于生物学科而言，有极少部分的学生毫无兴趣，有一半的学生兴趣一般，这主要是由于现行生物课程虽在一定程度上反映了社会进步和科技发展，但内容偏多、偏难，与学生生活经验脱节的问题依然比较严重。并且在现行的生物课堂教学中，学生缺乏主动参与的机会，作业主要以练习、记忆或背诵为主。这些可能是造成学生对生物学科兴趣不大的主要原因。绝大多数学生希望学校多开设一些生物校本课程，学生普遍喜欢亲身实践、讨论交流、实验探究等教学方式。针对这种情况我们更应从实际出发，结合学生的兴趣、需要、特长、经验等，努力构建多元化的生物校本课程体系，既要满足少部分学生对生物高一层次的学习需求，又要面向全体学生。在教学手段上采用学生认可的方式，从而进一步激发他们对生物学科的学习热情，推进生物学科的发展。

（3）整合型生物校本课程的形式得到学生们的认同，因此我们有必要更多地尝试进行该种类型的校本课程开发。

通过调查分析，教师们了解了学生在生物学科学习中的兴趣、需要及问题，可以及时调整已有的课程内容，并进一步确立新的课程开发方向和重点。在这种师生协商合作中，我们实现了学校校本课程的创生以及学生、教师和学校的发展。

以上只是以生物学科作为个案的一个分析。事实上，在我校的课程开发中，各门学科都自觉地将学生的需求作为课程开发的首要依据，植根于“学生人本、多元发展”的学校课程理念，着眼于学生优势智能的发现与发展，立足于为学生提供更多的可选择课程和主动学习平台，促进学生在厚实基础之上的能力、身心、个性、特长的多元发展。

### （三）注重多元过程评价

校本课程开发需要学校建立自己的评价体系和评价制度，以确保校本课程开发的健康顺利运行。我校对校本课程的评价采用多元评价方式，强调评价的过程性与发展性。多元评价是指评价主体和评价内容的多元。评价主体有教师、学生、学校和家长。评价内容主要包括对学生学业发展的评价、对教师课程开发的评价以及对课程本身的评价三个方面。

### 1. 对学生学业发展的评价

课程开发最终指向学生的发展。因此，对课程的评价首先关注的是学生通过课程学习获得了怎样的发展。我校对于学生学业发展的评价始终坚持“多元、过程和分层”的原则，将评价作为促进学生发展的重要途径。

（1）实施多元评价，用宽广的视角启示学生

在“以评价促学生发展”的理念下，我校进行了学生学业评价的探索和创新。学校提出：以找学生优点为评价的出发点；以激励和表扬为评价的主要方式；以学生个体为主要评价参照标准；正确评价学生的失败；扩大评价范围；在多向评价流程中以学生为主体。

实践证明，改变传统的单一评价，改用多元的评价内容和多元的评价主体，能多方位激活学生热情，促使其全面发展。

（2）实施过程评价，用发展的视角激励学生

简单的甄别式评价之所以不受学生欢迎，是因为它既折射了僵硬的师生关系，又不符合事物发展的客观规律。为此，学校提出过程评价的评价理念和方式。这样一种评价理念和方式，带给学校两个突出的成效：一是对某个项目的评价既重结果更重过程，强调“过程”中更细腻的收获与体验。二是着眼于学生成长的轨迹，强调动态发展的趋势“过程”。如地理组教师经过多次协商探讨，设计开发了“中学地理智能测试评价系统”。该系统是以网络为载体，以数据库技术为核心的地理智能测试评价系统，包括自我测评系统和课堂测评系统。其中，自我测评系统供学生在课余时间进行自我测评之用，可以帮助学生及时了解自己对知识的掌握情况，便于学生的自我学习及自我改进和提高。课堂测评系统是取代原有的纸笔测试，在课堂上运用电脑网络进行测试，除主观题外，对所有的客观题均可以即时统计结果，包括正确率、平均

分、标准分、标准差等，从而大大减轻了教师用于阅卷及试卷分析的工作量，提高了测试为教学服务的效率，是对原有测试方式的尝试性变革。就目前来看，我校地理组开发的“中学地理智能测试评价系统”在全国基础教育地理学科中处于领先地位。

（3）实施分层评价，用科学的视角关爱学生

基于学生的个体差异，尊重学生的不同需要，教师通过分层评价全面了解学生学习的情况，帮助学生更全面地了解自己知识上的“优”与“缺”，帮助学生形成科学的学习方法、积极的学习态度，从而找到自我、树立信心。分层评价也能帮助教师根据学生的学习状况不断调整教学策略，让学生从“要我学”到“我要学”。分层评价的重点应放在激发学生学习热情，鼓励学生探究，及时发现不足，从而使学生全面提高学习成绩上。

（4）实施绩效评价，用科学的指标突出学生的个性

我校对学生的评价遵循“绩效优先、个性多元”的原则，采用发展性、过程性、甄别性评价相结合的方法，构建符合创新人才成长的评价指标体系（见表3），对学生进行全方位评价。

**表3　格致中学创新人才培养评价指标体系**

| 评价内容 | 评价指标 | 指标描述 | 分值 |
|---|---|---|---|
| 人文素养（26分） | 理想抱负 | 爱国主义、理想信念、国际胸怀、民族精神 | 2 |
| | 道德品质 | 遵纪守法、正直诚信、关爱生命、保护环境 | 10 |
| | 文科成绩 | 政治、语文、外语、历史、地理等学科成绩 | 10 |
| | 人际关系 | 团结友爱、诚恳待人、集思广益、团队意识 | 2 |
| | 审美情趣 | 阅读提高、艺术修养、审美能力、气质提升 | 2 |
| 科学素质（26分） | 科学态度 | 刻苦努力、乐于探究、寻求真理、求实求是 | 4 |
| | 科学思维 | 思维的逻辑性、广阔性、深刻性、批判性 | 6 |
| | 理科成绩 | 数学、物理、化学、生物、信息科技等学科成绩 | 10 |
| | 科学方法 | 学习反思、借鉴提升、学习技巧、方法应用 | 4 |
| | 协作能力 | 团队精神、合作意识、组织能力、协作研究 | 2 |

续表

| 评价内容 | 评价指标 | 指标描述 | 分值 |
| --- | --- | --- | --- |
| 社会贡献（16分） | 社会责任 | 孝敬父母、帮助弱小、奉献社会、保护环境 | 4 |
| | 管理才能 | 领导才能、协调能力、处事能力、管理效率 | 2 |
| | 实践能力 | 知识运用、科学实验、动手操作、社会实践 | 4 |
| | 大众服务 | 积极参与校内外的各种志愿服务活动 | 3 |
| | 社团服务 | 建设社团、参与社团、服务社团、展示社团 | 3 |
| 个性特长（16分） | 个性特征 | 求知欲望、独特个性、独立思维、超越自我 | 4 |
| | 爱好特长 | 文、理、艺、体各至少有一项爱好和特长 | 3 |
| | 竞赛成绩 | 在各种类型竞赛中的成绩 | 3 |
| | 创作成绩 | 文艺创作、才艺表演、研究性学习、创新建议 | 3 |
| | 发明创造 | 在专利申报等方面的成绩 | 3 |
| 发展潜质（16分） | 创新意识 | 创新动机、创新兴趣、创新情感、创新意志 | 4 |
| | 意志品质 | 永不言败、坚忍顽强、决策果断、自控力强 | 3 |
| | 钻研方略 | 资料分析、方案研究、反思深化、追求价值 | 3 |
| | 心理特质 | 乐观向上、好学善学、自信好胜、持之以恒 | 3 |
| | 身体特质 | 健康体魄、竞技技能、健身习惯、“全”中显“特” | 3 |
| 合计（100分） | 优秀：80—100分　良好：70—79分　合格：60—69分 | | |

### 2. 对教师的评价

通过对教师在课程实施和课程开发中的表现来对教师进行评价，其目的是促进教师的专业发展。我校的教师评价包括六个方面：课程实施计划的合理性；课程内容的科学性、时代性、层次性和适切性；对每一个学生的关注程度；实施拓展型课程的投入程度；在实施、开发和建设拓展型课程过程中其专业水平的提高程度；课程目标的达成程度。在评价方法上，采用学校评价、学生评价和教师自我评价相结合的方式。通过评价促进教师优化课程实施和课程开发，进而促进教师的专业发展。

### 3. 对课程本身的评价

如果说对教师的评价是以促进教师的专业发展为目的，那么对课程本身的评价则是以课程的改进和完善为目的。我校的课程评价主要由三部分组成：课程目标与课程准备评价、课程实施过程评价、课程实施效果评价。三部分在课程开设的前、中、后三个阶段分别实施，通过评价对课程予以全程质量管理和质量保障。除此之外，还通过综合性的课堂教学评价，对课程实施全程质量管理和监控。

（1）课程目标与课程准备评价

课程目标与课程准备评价主要包括课程目标的可行性、科学性和时代性以及教师开设课程的准备程度。此阶段的评价是为课程立项和开设服务的，主要以教师设计的课程大纲、课程计划、教学设计等为标志性信息（见表4）。

**表4　格致中学课程目标与课程准备评价表**

| 评价指标 | | 评价标准 | | | | 得分 |
|---|---|---|---|---|---|---|
| | | 4分 | 3分 | 2分 | 1分 | |
| 1 | 课程设计的先进性 | 课程目标清晰，反映社会科学技术和其他方面发展的最新成果，具有前沿性，课程注意到学科综合发展的趋势，课程对学生优势智能的发现与发展有显著的作用。 | 课程目标清晰，基本反映社会科学技术和其他方面发展的最新成果，课程注意到学科综合发展的趋势，课程对有的学生优势智能的发现与发展有一定的作用。 | 课程目标基本清晰，课程内容合理，对学生发展有一定促进作用。 | 课程目标不明确，或课程内容陈旧，或看不出对学生发展有影响。 | |

续表

| 评价指标 | | 评价标准 | | | | 得分 |
|---|---|---|---|---|---|---|
| | | 4分 | 3分 | 2分 | 1分 | |
| 2 | 课程设计的科学性 | 课程能对国家课程计划有所拓展和深化，体现我校的培养目标，符合学校整体课程计划的要求。 | 课程基本符合国家课程计划，基本体现我校的培养目标，基本符合学校整体课程计划的要求。 | 课程与国家课程计划和我校的培养目标有一定差异，与学校整体课程计划也有冲突。 | 课程与国家课程计划和我校的培养目标相互矛盾，与学校整体课程计划也有所冲突。 | |
| 3 | 课程设计的适用性 | 课程内容的选择合理清晰，呈现形式与我校学生发展水平相适应。 | 课程内容的选择基本合理清晰，呈现形式与我校学生发展水平基本相适应。 | 课程内容的选择不甚合理，呈现形式与我校学生发展水平不太适应。 | 课程内容的选择缺乏逻辑或不完整，呈现形式与我校学生发展水平严重脱节。 | |
| 4 | 教师的知识准备和师资准备情况 | 教师的知识和技能水平完全胜任本课程的开设，主要依靠的校外专家已经落实。 | 教师的知识和技能水平基本胜任本课程的开设，主要依靠的校外专家基本落实。 | 本校教师的知识和技能水平还不能胜任本课程的开设，主要依靠的校外专家没有落实。 | 本校没有合适的教师担任本课程的教学，校外专家也没有落实。 | |
| 5 | 教学设计与教学组织的准备情况 | 有完整的教学设计与教学安排，有明确且成熟的学生学业成绩评价方案。 | 有教学设计与教学安排，但还不够完整；有学生学业成绩评价方案，但还不够明确、成熟。 | 对教学设计与教学安排有初步考虑，学生学业成绩评价方案正在酝酿中。 | 没有明确的教学计划与教学安排，没有形成学生成绩评价方案。 | |
| 6 | 教学设施的准备情况 | 教学设施的使用已经落实。 | 教学设施的使用基本落实。 | 教学设施的使用只有打算。 | 没有考虑有关教学设施的使用。 | |

**注：**评分可以位于两个等级之间，保留小数点后1位小数。

**评分解释：**得分达到19分及以上的通过立项，达到15—18分的可以继续修改，低于15分的直接否决。

（2）课程实施过程评价

课程实施过程评价主要包括教师的教学态度、教师的教学方法、课堂教学效果、学生对教学的反馈等，主要通过组织专家听课、对学生进行随堂问卷调查等收集信息（见表5）。

表5　格致中学课程实施过程评价表

| 评价指标 | | 评价标准 | | | | 得分 |
|---|---|---|---|---|---|---|
| | | 4分 | 3分 | 2分 | 1分 | |
| 1 | 教师的教学态度 | 教师能认真执行教学计划，能根据课堂的情况不断改变教学，能认真备课，能精心组织教学。 | 教师能认真执行教学计划，能认真备课，能保证教学计划按时完成。 | 教师基本能完成教学计划，基本能认真组织教学。 | 教师无法保证教学计划按时完成。 | |
| 2 | 教师的教学方法 | 教师能采用与课程相适应的教学方法，能运用各种教学手段提高教学效率，能充分调动学生参与教学，师生互动积极。 | 教师能采用与课程基本相适应的教学方法，能有意识地运用各种教学手段提高教学效率，基本能调动学生参与教学。 | 教师采用的教学方法对课程的针对性不强，教学手段单一，学生较少参与教学。 | 教师采用的教学方法陈旧单一，学生没有参与教学，课堂气氛沉闷。 | |
| 3 | 学生对课程的评价 | 学生对教学的满意度达85%以上。 | 学生对教学的满意度达70%以上。 | 学生对教学的满意度达60%以上。 | 学生对教学的满意度达50%以上。 | |

**注：**评分可以位于两个等级之间，保留小数点后1位小数。

**评分解释：**得分达10—12分的为“优秀”，得分达7—10分的为“良好”，得分达4—7分的为“合格”，4分以下的为“不合格”。

（3）课程实施效果评价

课程实施效果评价主要包括课程目标的达成度、学生的发展情况、学生的满意度以及其他方面对课程实施效果的评价等，主要通过进行学生、家长问卷调查以及征询专家与教学管理部门的意见等收集信息（见表6）。

**表6 格致中学课程实施效果评价表**

<table>
<tr><th colspan="2" rowspan="2">评价指标</th><th colspan="4">评价标准</th><th rowspan="2">得分</th></tr>
<tr><th>4分</th><th>3分</th><th>2分</th><th>1分</th></tr>
<tr><td>1</td><td>课程目标的达成度</td><td>完全达到或超过了课程标准所制订的教学目标。</td><td>基本达到课程标准所制定的教学目标。</td><td>多数达到课程标准所制定的教学目标，但教学目标的达成质量不高。</td><td>勉强完成计划的教学任务，但实施效果与计划目标差异较大。</td><td></td></tr>
<tr><td>2</td><td>学生的满意度</td><td>90%以上的学生认为课程对他们的发展有帮助。</td><td>70%的学生认为课程对他们的发展有帮助。</td><td>50%的学生认为课程对他们的发展有帮助。</td><td>50%以下的学生认为课程对他们的发展有帮助。</td><td></td></tr>
<tr><td>3</td><td>家长的满意度</td><td>90%以上的学生家长认为课程对孩子的发展有帮助。</td><td>70%的学生家长认为课程对孩子的发展有帮助。</td><td>50%的学生家长认为课程对孩子的发展有帮助。</td><td>50%以下的学生家长认为课程对孩子的发展有帮助。</td><td></td></tr>
</table>

**注：**评分可以位于两个等级之间，保留小数点后1位小数。

**评分解释：**得分达10—12分的为“优秀”，得分达7—10分的为“良好”，得分达4—7分的为“合格”，4分以下的为“不合格”。

（4）课堂教学评价

课堂教学评价主要包括对教学目标、教学过程、教学策略、教学效果、教师素养的评价（见表7）。

**表7 格致中学的课堂教学评价表**

<table>
<tr><th>项 目</th><th>参照标准</th><th>权重（%）</th><th>得 分</th></tr>
<tr><td>教学目标</td><td>明确、适切</td><td>20</td><td></td></tr>
<tr><td rowspan="3">教学过程</td><td>设计科学合理</td><td rowspan="3">20</td><td rowspan="3"></td></tr>
<tr><td>学生参与教学活动</td></tr>
<tr><td>师生、生生互动</td></tr>
<tr><td rowspan="3">教学策略</td><td>讲解指导学习</td><td rowspan="3">20</td><td rowspan="3"></td></tr>
<tr><td>激发学生兴趣和思考</td></tr>
<tr><td>媒体使用恰当、有效</td></tr>
</table>

续表

| 项　目 | 参照标准 | 权重（%） | 得　分 |
|---|---|---|---|
| 教学效果 | 教学目标的达成度 | 20 | |
| | 反馈的即时效应 | | |
| 教师素养 | 专业基础扎实 | 20 | |
| | 灵活应变能力 | | |
| 整体评价 | | 100 | |

课程评价是课程开发的重要组成部分，是实现课程目标的关键环节。它是在系统调查与描述的基础上，对学校课程满足社会与个体需要的程度作出判断的活动，是对学校课程现实的或潜在的价值作出判断，以期不断完善课程，实现教育价值增值的过程。通过多年的改革和探索，我校的课程评价实现了对课程实施过程的教育导向和质量监控的作用。同时，通过评价及时地指导和帮助师生改进教与学的活动，促进了教育教学质量的不断提高。

### （四）整合共享课程资源

在校本课程的开发中，课程资源发挥着重要的作用。课程资源的丰富性和适切性，直接决定着课程目标的实现范围和实现水平。我校在校本课程的开发中，依托课程资源来体现课程特色，促进了课程的深入和有效实施。

我校在课程实施中强调三类课程资源的开发与整合，即以学校文化为特色的文化资源的开发、以社区机构和社会活动为主要途径的社会资源的开发、以校友和教师为代表的人力资源的开发。

#### 1. 挖掘以格致文化为特色的课程资源

我校具有深厚的文化积淀和历史根基，一百多年的学校历史传承了“爱国”和“科学”的优良传统，更将“格物致知”的精神植根于每一位格致人的心中。学校校本课程的开发抓住了这一重要的课程资源。例如“格致学”这一学校特色课程，在课程实施过程中，教师充分挖掘学校课程资源，组织学生参观校史楼、院士廊，通过这些活动，学生增加了对学校的热爱和对格致文化的体认。教师还让学生阅读《格致书院课艺》部分篇章，使学生能与百年前的格致学子进行跨越时空的交流，从古人的智慧与精神中汲取力量。

### 2. 充分利用社会资源实现课程整合

传统的学习环境通常只包括教科书、教师、课堂，而建构主义者认为教学的场所应从课堂走向校园，从校园再至社区，由社区直至整个社会。我校的课程开发充分发挥了社会资源的重要价值。如历史学科立足于社区和社会，注重挖掘丰富的课程资源。这些资源包括文字资料、影视资料、历史文物、历史遗址遗迹等，可通过文化机构、传播媒体、社区、网络等多种渠道获得。

因为学校地处市中心，与上海博物馆毗邻，学校就充分利用其丰富资源，让历史学习更贴近学生生活、贴近社会，也使博物馆能日益成为学生的良师益友。具体做法是：首先，教师利用业余时间参加上海博物馆教育部举办的“文博教师研习活动”，了解文博知识，提升相关素养。其次，邀请上海博物馆的专家为高一学生开设有关博物馆的专题讲座，使学生了解博物馆的宗旨、功能与分类，了解上海博物馆十个分馆的馆藏以及如何有效利用和参观博物馆等问题。学生听后反应很好，受益匪浅。此外，还与上海博物馆合作，邀请其专家为学生开设有关古钱币的讲座，并在专家的指导下完成了钱币展，使学生对我国古代钱币的发展演变有了较为感性的认识。再次，带领学生参观上海博物馆的各项展览，比如晋唐宋元书画国宝展、周秦汉唐文明展等，并让学生积极参加相关征文，比如“2003·我看博物馆”、“我看博物馆——无形遗产与文化传承”、“我看周秦汉唐文明展”等。学生王寒涵的《中国画——不应只留在记忆中》、金佳瑜的《美，简单却隽永》、唐婉清的《鼎心》、白家范的《搜寻历史的足迹》等获得优秀奖，蔡祺的《我看博物馆——原始彩陶之美》获得一等奖。而我校也多次获得优秀组织奖。一些学生的才华在这些活动中得以充分体现，使教师对他们有了新的认识，也增添了对学生的评价途径。

3. **重视以格致校友为特色的人力资源**

学校校友亦是学校重要的文化资源。我校在一百多年的办学历程中培养了大批精英人才，为祖国建设和社会发展作出了重要贡献。在校本课程开发中，学校充分发挥校友资源的优势，邀请他们来校作报告，如邀请陈尔寿、杨福家、邹世昌等老校友和院士校友回母校开设“与大师对话”系列讲座；邀请知识产权方面的专家给学生讲授知识产权知识；邀请校友郭宇航律师来校，结合社会热点问题宣传保护知识产权的意义等。我校校友、中国科协副主席、复旦大学原校长、英国诺丁汉大学首位华人校长杨福家院士秉承学校“爱国”传统，在我校设立了“爱国”奖学金，以此鼓励品学兼优的学生。学校每年都邀请杨福家院士到学校，给学生作以科技普及和敬业爱国为主题的学术报告，拓宽学生的眼界和视野。

在整合课程资源的同时，我校还充分发挥学校的资源辐射作用，与兄弟院校实现课程资源的共享。学校举办了“格致杯”机器人比赛与上海市茶艺交流展示；与外省市兄弟学校交流，学校教师多次被邀请赴外省市讲学。我校还注重向兄弟学校和街道居民普及科普知识。学校的天象厅是上海中学中的第一家，已免费向全市中小学生预约开放了6年；学校成立了“市民学校”，为街道市民开设了计算机、天文等各类科技知识学习班；作为科普实验基地和国内外来宾的定点参观单位，几年来，学校已接待来访者万余人次。每年暑期学校师生赴大别山区开展社会实践活动，都要向大别山乡亲开设科普讲座、举行天文观察等活动，宣传科普知识，获得了很高的评价。学校与格致初级中学、上海市曹光彪小学结成“格致链”，与两所学校共享学校资源。通过这样一种方式，充分发挥了我校的资源辐射作用，实现了学校的共同发展。

# 第四章 格致德育

作为一所已走过一百多年历史的老校，我们凝神回望，不难发现：从建校伊始，格致便高举着“爱国”和“科学”两面鲜明的旗帜，在不同的历史时期引领着一代又一代的格致人成为时代的栋梁、民族的精英。用今天的眼光审视格致“格物致知”、“求实求是”的思想，可以说它自始至终左右着格致的育人理念。

# 一、格致德育的传承

## （一）传统格致的道德追求

19 世纪在中国历史上是一个十分特殊的时期，中华民族的发展处于亘古未有的大变局中，格致书院作为近代一个新型的教育机构应运而生，它荟萃了一批晚清知识分子精英，培育了一个新式知识群体。这个群体引领了时代潮流，其思想和道德追求不仅在当时，而且至今还对我们的德育工作产生着深刻影响。

### 1. 传统格致道德追求的源头

传统格致的道德追求首先来自“格物致知”的思想。“格物致知”一词出自《礼记·大学》，在中国传统儒家文化中属于道德政治范畴。但到了格致书院创立的年代，格致先驱们对它有了全新的认识。

书院以“格致”命名，含义隽永。格物致知，经世治国，体现了中国进步知识分子穷究事理，获求真知，从而修齐治平、兼济天下的宏大抱负。虽然带有时代的局限性，但不可否认，它本身就是一种爱国精神，饱含的是中国进步知识分子对国家和民族的责任感与使命感。在格致书院创办的时代，徐寿等一批进步知识分子竭尽自己所能，致力于国家的自强和求富。他们迫切要求借助西方科学技术发展本国军工生产，从而拥有自己的坚船利炮，以此抵御外来侵略，保卫国土，改变落后挨打的局面。他们认识到运用先进科学技术当以掌握科学原理为前提，而要掌握科学原理就要办好教育。科教兴国，这是格致书院先驱的理想和道德追求，也是格致“爱国”传统的源头。

格致的另一传统就是崇尚“科学”，这是格致书院从创办之日起就着力突出的使命——“全在于启发新知，使人更能认识西方进步情况”。书院从阅览室提供的书籍，展览馆展出的西方机器、仪器，讲座介绍或讨论的科技知识，到开设的课程和考试，都以科学技术教育为核心。格致书院的主要创办人徐寿、傅兰雅、华蘅芳等本身都是很有建树的科学家、教育家，他们为中国近代科学的启蒙做了大量的工作，也开创了格致书院的“科学”传统。

这两大传统由格致先驱开创并倾注全力加以实践，如徐寿、华蘅芳等不愿为官，不图厚禄，致力于书院事业，潜心科学研究，非但不领报酬，还节衣缩食尽献私人财产资助办学。徐寿积劳成疾，病逝于格致书院。王韬受聘为山长，课士评文，极心尽力，虽然多病体衰，但 12 年如一日始终其事，直至去世。西人董事傅兰雅也是如此，格致书院的筹建、运营，他始终从事其间，被研究者誉为“致力最勤，用心最专，贡献最大”。在他们身上体现出的理想精神和道德追求，值得我们继承和发扬。

### 2. 传统格致道德追求的内涵

传统格致道德追求源于“格物致知”的思想，其内涵主要是“热爱祖国”和“崇尚科学”。但是在今天看来，格致书院的“爱国”与“科学”同样有着时代和历史的局限性。徐寿等作为自然科学家，在当时还不可能掌握系统的社会科学理论，因此视野有一定的片面性，他们往往习惯于从自然科学的角度去看待社会问题，考虑解决社会问题的办法。在他们看来，19 世纪的中国社会问题，首先要从科学技术方面去寻求解决的途径。这种思想的来源，一是传统的“经世致用”思想，二是“格物致知”的观念。他们认为解决社会和政治问题也要靠格致之学，“格而求其理”，但是，解决国家与社会的种种问题单凭自然科学知识是不够的。

即使有着上述局限性，格致书院的先驱们在一百三十多年前开创的两大传统，或者说是思想、道德的追求，亦堪称“世纪经典”，它作为一种有强大生命力的学校文化，不断发展与丰富，伴随着我校走到今天。

随着时代的发展，近年我校师生对“爱国”和“科学”的传统提出了与时俱进的认识与理解。

对“爱国”内涵的理解为：有远大理想，有国际胸怀，有报国之志，有强国之才。

对“科学”内涵的理解为：科学的道德与理念，科学的精神与态度，科学的思维与方法，科学的学习与实践。

### （二）现代学校的德育使命

德育使命，是指在德育工作中所承担的具有方向性和战略性的任务，是决定德育工作发展的核心指南，是国家和社会德育工作的总体要求与根本任务。21 世纪的中国教育是素质教育，而首要的是德育。学校德育面临时代和学生的挑战。学校德育工作应强化“一个意识”，树立“四个观念”，加强“两个管理”。德育工作者应担当起历史赋予的神圣使命。

我们面临一个什么样的时代？学生需要什么样的教育？这是我们首先必须思考的问题。

进入 21 世纪以来，“知识经济”、“可持续发展”、“信息社会”、“网络时代”等新名词扑面而来。由于信息技术的发展，信息的传播速度之快、范围之广令人惊叹。教师已不再是唯一的知识拥有者了，“天地君亲师”的观念在学生心目中产生了根本性的动摇。传统的教育观、教师观、学生观均面临严峻的挑战。早在 1972 年，联合国教科文组织在《学会生存》一书中就指出：在现代，教育已成为世界上最重大的事业。现代教育必须先于经济的发展，这在人类历史上还是第一次；现代教育在历史上第一次为尚未存在的社会培育新人；现代社会正在开始拒绝制度化教育所产生的成果，这在历史上也还是第一次。书中还特别强调：“要让像财富一样埋藏在每个人灵魂深处的所有的才能都能发挥出来。”

二十多年后的1998年，又一本书问世了，它就是《学习——内在的财富》。这是联合国教科文组织“国际21世纪教育委员会”的主题报告。报告提出了21世纪教育的四大支柱，即学会求知、学会做事、学会共处、学会做人，号召人们充分发挥自己的潜能，成为学习社会的主人。

两本书面世时间虽然不同，但内涵却完全一致。那就是要通过终身学习挖掘自己的潜力，成为社会的主人。

在这个广阔的时代背景下，教育改革成了世界性的潮流。美国出台了旨在普及科学的“2061计划”。日本第三次教育改革的两个基本原则是重视个性和基础。中国在批判“应试教育”倾向，探索愉快教育、成功教育、创造教育的基础上，通过二十年的教育实践，在1988年提出“素质教育”一词，素质教育成为当前中国教育领域最深刻的一次革命。通过对教育的反思和自身教育实践的思考，素质教育逐渐被广大教育工作者特别是德育工作者所认同和接受。目前，素质教育正在全国积极推进，逐步深入。

素质教育是当代中国教育领域的一次革命，它必然带来学校德育工作的深刻变革；它必然要求学校德育工作者更新观念，改进内容，突破陈规，寻找新的方法和途径，探索出21世纪学校德育工作的新路子。近二十年来，面对国际国内形势的深刻变化，我国中学生的思想道德教育面临着前所未有的更加复杂、更加严峻的挑战。20世纪80年代后，国家出台了一系列关于中小学生思想道德、行为规范的文件。2004年中共中央国务院颁布了《关于进一步加强和改进未成年人思想道德建设的若干意见》；2007年上海市教委颁布了民族精神教育和生命教育实施纲要，强调中小学生道德教育已成为教育面向现代化、面向世界、面向未来，全面提升公民素质的光荣而艰巨的历史使命；2010年上海市颁布了上海市中长期教育规划纲要，明确了立德树人是教育的根本任务，要坚持德育为先，把德育贯穿于育人的各个环节，贯穿于学校教育、家庭教育和社会教育的各个方面，增强德育的针对性、实效性和吸引力、感染力，使学生具有符合中国特色社会主义建设要求的理想信念、公民素质和健全人格。这就是当前学校德育工作的使命。

## 二、格致德育的理念

当前学校德育应强化“一个意识”，树立“四个观念”，加强“两个管理”。

强化“一个意识”，是指强化班主任队伍的角色意识。班主任首先应该是一个教育者，然后才是一个教学者。素质教育的首要问题是思想政治素质的教育，21 世纪教育四大支柱的核心是学会做人。提高学生思想道德水平，教会学生做人，应是班主任最主要的、第一位的工作。人才是由两个字组成的，一是人，二是才。先要成人，才能成才。班主任当然要培养学生成才，但首先得把学生培养成人。把学生当人看，克服重智轻德、重说教轻实践、重“管堵”轻疏导的倾向。这也是现代人本主义心理学“以人为本”主体思想的基本要求。

树立“四个观念”。一是树立素质教育以德育为首的观念。二是树立以学生发展为本的观念。德育必须面向每一个学生，使每一个学生都得到健康发展，给予他们自信，激励他们不断发展和取得成功。要充分发挥学生自我教育、自我管理、自我约束的主观能动性。三是树立德育整体性的观念。建立全员、全程、全方位的育人格局，做到既符合时代需求，又遵循学生身心发展规律。要调动课内外、班内外、校内外的力量，营造德育氛围，挖掘德育资源，形成育人合力。四是树立德育实效性的观念，克服“远、大、空”现象。尊重学生知行规律，晓之以理，动之以情，导之以行，炼之以志。特别应注意情与理的关系：情是理的手段，理是情的目的，先情后理，情理交融，情通而理达。

加强“两个管理”。一是必须加强以班主任为骨干的德育工作队伍管理，充分发挥班主任在学生德育工作中的主导作用。“德高为范”，班主任必须加强学习，苦练德育内功，首先升华自己的人格，力争成为学生的导师，成为学生的良师益友。二是必须加强以学生干部为骨干的学生管理，充分发挥学生在德育中的主体作用。班主任应充分调动学生的积极性，让学生参与德育工作，参与班级建设。

### (一)“爱国”和“科学”的新内涵

我校前辈开创了学校“爱国”和“科学”的优良传统，留给我们一大笔宝贵遗产，然而，这些毕竟都是烙上了时代印记的东西。今天，我们应该怎样认识它们，应该注入哪些时代新内涵，从而科学地继承与发扬，是摆在我们面前的一个首要问题。

先说“爱国”传统。格致书院与中国旧式学校不同，是中国近代教育史上最早专门研习“格致”之学的教育机构。其主旨是：“使中国便于考究西国格致之学、工艺之法、制造之理”，学生在书院掌握了“格致机器、象纬舆图、制造建筑、电气化学”等科学技术，便能够“有益于时、有用于世”，达到“为国家预储人才，以备将来驱策”的目的。这体现了当时对爱国人才的要求，对于当今社会和时代来说其含义似乎过于狭窄，在发扬爱国精神的同时也要有宽广的国际胸怀，要有远大的理想等，我们对“爱国”传统应该作与时俱进的诠释。

再看“科学”传统。我校的“科学”传统源于学校先驱们目睹国家贫弱，希望通过兴办教育引进西方科技以强国富民，它贯穿我校整个办学历程，应该得到继承和发扬。但是，当时所讲的“科学”，内涵主要是学习、掌握西方科技知识，用今天的目光审视，这显然有所偏颇。我们继承“科学”传统，除了“学习知识”之外，还应该培育“科学精神”，这种精神至少应该包含：①非功利的追求真理的精神；②实证原则（这是寻求真理所需要的方法）；③人类理性的原则。这才是对“科学”传统比较全面的理解。

“科学”传统体现在人才培养方面，就是我校历来重视理科教学，这也源于学校早期的办学宗旨。后来，在相当长的一段时期里，由于社会对理工科人才的偏重，我校的数理化教学特别受欢迎，学校积累了丰富的教学经验，教学成绩突出。作为办学特色，这一点今天仍然应该保持并发扬，但是，它不能成为人才片面发展的理由。所以，近年来学校反复强调在保持“理科见长”特色的同时，文理必须“和谐发展”。1999年7月，学校在制订第一轮建设示范校三年规划时突出了“科学素质教育”，到2002年7月制订第二轮规划时及时提出了“科学素养与人文素养和谐整合”，2006年起实施的新一轮规划则着重关注学生多元智能发展与个性特长的培养。

再看教学方面。我校教师历来敬业，工作认真负责，很多教师把课堂上“讲深讲透”作为教学态度和职业道德加以恪守，他们习惯于“传授”知识，然而这种教学方式对学生的主动发展产生了负面影响，也造成了课堂教学气氛的沉闷。近年来，随着教学改革的深入，这种情况有所改变，但传统习惯的影响依然没有彻底消除。

经过深入的学习与思考，我们对“爱国”和“科学”的内涵有了比较全面的认识，归纳起来，其要点如下。

继承“爱国”传统，概括地说，其内涵就是：有远大理想，有国际胸怀，有报国之志，有强国之才。也就是说，要在具有“爱国心、报国志、民族魂、强国才”的同时，具有开放胸怀、全球视野，能够尊重、理解、学习和借鉴世界上其他民族的先进文化。“爱国”作为一种民族精神，应该包括“公共精神、国际胸怀、诚信关爱、独立自信”的素质，能够面向未来对人才的要求。我们要以“代表中国先进文化的发展方向”为指针，从国际背景、教育现代化和信息化趋势，重新审视中国的道德传统和现行的学校德育，扬中西道德文化之长，兼容道德的民族性和国际性，兼容道德的传统性和现代性，促进中国道德文化和学校德育的现代化。

关于我校的“科学”传统，其具有时代性的内涵就是：科学的道德与理念，科学的精神与态度，科学的思维与方法，科学的学习与实践。简言之，就是：实事求是，诚实守信，自强自立，追求真理。我校“科学”传统的重要表现是“求实求是”。求实求是，是一种以独立、自主和理性为基础的主体精神，也是一种基于认知动机、情意取向和道德评价的行为能力与笃行品格。继承和发扬“科学”传统，表现在知识学习方面，就是要从西方人文思想的历史长河中理解西方的科技革命和科学教育，从文化发展的源头上理解东西方人文思想的历史差异，从而理解东西方科学文化的差异，扬中西人文思想之长，使人文思想与科学文化相融通、人文教育与科学教育相整合，同时，着眼于先进生产力的前进方向，结合中国国情，不断开拓创新。表现在人才培养方面，就是要致力于形成基于理性智慧的实践能力，要从人格培育的高度，致力于培养思想解放、独立自主、言行一致、好学力行的新型素质，培养创新精神和学术人格，确立终生为广大人民群众的利益无私奉献的现代精神。

### （二）培养现代公民素质

培养现代公民素质是当前世界各国现代化进程中普遍关注的话题，是公民教育的重要组成部分。所以，不少国家在面向21世纪的教育计划中都把公民教育列入重要的议事日程。我校也在积极探索开展现代公民素质教育。

公民，即具有或取得某国国籍，并根据该国宪法和法律规定享有权利和承担义务的人。这是法律意义上的公民概念。公民同时还含有政治身份的概念，即这个人是一个有权利参加国家政治生活的人。法律意义上的公民资格，当个体达到某个法定年龄时即可自动获得；而政治意义上的公民，却绝不意味着一旦达到法定年龄便能自动获得。一个真正意义上的公民还应具有社会身份和文化身份，他应当具有批评的头脑，有辨别良善的抉择能力，有接受意见的自制力，有为公众谋幸福的诚恳心，有为大众牺牲的无私精神。

素质，即人的质量，特指一个人在先天素质的基础上，经过后天修养而形成的稳定的心理特征。它与一个人的人格、精神、道德、文化、科学等得自后天的知识、经验、能力有着密切的关系，影响并决定着一个人的命运。公民素质，即具有公民身份的人所必备的心理、人格、精神、道德、文化、科学等质量。

公民素质教育的概念有广义和狭义之分。广义的公民素质教育包括人的一切教育。狭义的公民素质教育就是通过公民的权利与义务的教育，培育公民参与公共社会生活、管理社会公共事务的品德与技能。

公民素质教育是以公民实践活动为主要形式的教育活动。这一教育有三层含义。其一，它意味着21世纪中国人的文化自觉。冯友兰先生曾提出中华文明的复兴当如《诗经》所云“周虽旧邦，其命维新”。即中华民族虽历史悠久，但其使命是新的。费孝通先生提出中国人要有“文化自觉”，要深切理解当今中国历史与世界历史发展交融的趋势，因而中国的使命正如《大学》所说：“苟日新，日日新，又日新。”公民素质教育应以新的姿态，汲取古代与现代文明的精华，自我反省，自我更新。其二，它意味着融合古代与现代文明的21世纪中华新文明。自鸦片战争起，在经历了一百六十多年的文明冲突之后，我们已经可以心平气和地讨论东西方文明，进而从中汲取丰富的营养。不论是“仁、义、礼、智、信”，还是公平正义、民主法治、科学自由，都应该成为年轻一代的核心价值观念。其三，它意味着改变重说教、轻实践的状况。要把认知、情意与行为目标统一起来，将技能培养放在重要地位，通过与学生生活密切相关的实践活动，培育其参与和解决问题的品德与技能，促进其人生智慧的生成。

因此，公民素质教育即是现代国家根据一定社会、一定时代的要求和受教育者素质形成的规律与需要，通过特定的教育活动，对本国公民所进行的提高人的质量，从而更好地履行公民的权利与义务的过程。中小学公民素质教育，简而言之，就是国家依法对青少年进行素质教育，或者说是由教师代表国家，通过一定的教育活动，培养学生良好素质的过程。很明显，这种国家法定的教育不是等儿童成人之后才进行，而是从儿童进入学校起，就依法对其进行作为一个公民所必须掌握、必须具备的有关心理、人格、精神、道德、文化、科学等方面的素质教育，即公民素质教育。因此，我国的学校教育从本质上讲，是公民素质的基础教育。

我校在开展现代公民素质教育时，主要从以下六个方面入手。

一是培养主体意识。人之所以为人，就是因为他是从事着改造世界的实践活动的能动主体。民主法治国家的现代公民，需要具备独立的人格和自由的意志。每个人都应认识到自己是一个独立的、自由的、与他人地位平等的人，有自己独立的权利能力、行为责任能力和人生价值，自觉关注和实现自身全面而自由的发展，绝不依附于他人。同时要认识到自己的意志也是自由的，要做自己的主人，充分表达自己的愿望和要求，并能够自觉地以法律和道德来规范自己的行为，对自己负责，对公众负责，对社会负责。当然，公民也必然在宪法和法律范围内活动。

二是培养权利意识。权利是公民存在的方式，是独立人格和自由意志的保障，是参与社会生活，取得并维护各种权益的根据。作为公民，首先要了解自己依法享有的政治权利、民主权利、人身自由权利和社会方面的基本权利，并依法行使。其次应主动追求和正确行使自己的权利，在权利遭受侵害时能够有意识地拿起法律武器捍卫自己的权利。最后要自觉做到在行使自己的自由和权利时，不损害国家、社会、集体的利益和其他公民的自由与权利。

三是培养责任意识。与权利意识相联系，作为公民，还要时刻意识到自己“享有宪法和法律规定的权利，同时必须履行宪法和法律规定的义务”。现代社会，公民作为国家的一员，应清楚自己一切权利的实现都应该在有序、有效的状态下进行。现代法律关于“权利与义务的统一”原则，要求公民不仅要树立自己在国家和社会中不可剥夺的权利意识，而且要树立不可推卸的责任意识。

四是培养参与意识。参与意识是指公民依法通过一定的程序和方式参加政治活动，直接或间接地影响政治决策的自觉性。政治参与是政治关系中公民政治权利得以实现的重要方式，反映着公民在社会政治生活中的地位和作用。参与意识在本质上是一种民主意识。公民的民主参与以公民地位的平等为前提条件。只有在法律面前拥有平等地位的公民，才会有国家主人翁的责任感，才会积极主动地参政、议政和监督，积极地维护和改善民主制度与民主秩序。这是从法律制度规范走向现实法治秩序的重要桥梁。

五是培养守法意识。法律体现着统治阶级的意志，体现着国家对其成员在政治、经济、社会等各个领域的行为要求。一般而言，守法意识如果成为大多数社会成员的一项道德义务，就能培养和形成古人所说的“羞耻之心”，从而使人们在内心深处形成道德行为的内在动因。所以，从维护社会秩序、保障社会稳定来说，公民要具有遵纪守法光荣、违法乱纪可耻的意识，养成尊重法律、信奉法律的信仰。

六是培养道德意识。在人类社会发展史上，法律出现之前人与人之间的关系首先是靠道德来调整的。现代社会生活丰富多彩，给了每个人选择自己生活方式的自由。但是，不论怎样选择，都不能偏离做人的底线，都不能颠倒是非，以丑为美、以恶为善。在新形势下，人们应该树立一种怎样的道德规范？这就是“以热爱祖国为荣、以危害祖国为耻，以服务人民为荣、以背离人民为耻，以崇尚科学为荣、以愚昧无知为耻，以辛勤劳动为荣、以好逸恶劳为耻，以团结互助为荣、以损人利己为耻，以诚实守信为荣、以见利忘义为耻”的社会主义荣辱观。

在培养上述意识时，特别强调的是道德意识，因为以上谈到的与法律相关的各种意识其实都是社会主义新道德的重要组成部分。当通过宣传教育，各种法律意识由外在的规范变成公民自觉自愿遵守的规则时，这些法律规范对公民来说便成为一种道德规范。因此，公民教育其实是一种现代德育。

### （三）注重道德践行

在实施道德教育的过程中，我们深刻地体会到：学生在学校德育中的参与度与能动性是实现德育目标的关键。为此，学校在日常的道德教育活动中应坚持“实践第一”的观点，引导受教育者自觉地投身道德实践，把参加社区和社会实践活动与个体在日常生活中的道德践履、体验及修养结合起来，突出在道德实践中使学生获得丰富、真实、深刻的道德体验，实现在道德实践基础上的道德认知、道德情感、道德意志、道德行为的统一与协调发展。

每一个学生走上社会后不论干哪一行工作，都将在社会这个大舞台上承担一种不可或缺的角色；一旦走上社会的舞台，每一个角色都会反映出他的品质。在道德教育中，创设不同的角色，让学生进行步入社会前的模拟实践，是在中学阶段开展道德实践的一项十分重要的举措，其核心是培养学生的社会适应性，即合群性、利他性，以及社会交往能力。鉴于此，学校积极提倡学生参与学校的管理，团代会、学代会已成为学生参与学校事务的重要组织。团代会、学代会的代表都能积极履行职责，对学校的办学目标、办学方向、管理工作等进行大胆评议，并形成书面提案。学校建立了学生校长助理制度，由优秀学生干部担任校长助理，直面学校管理。学校还建立了学生自律委员会，除对全体学生的行为规范起表率、引导作用外，还对学校、年级、班级提出的有关奖惩方案及结果进行认真审议。学校还组织全体学生对教师的工作态度、工作能力、工作绩效进行评测。在学校宿舍管理、膳食评议等工作中，都有学生的身影。

除了引导学生主动参与学校管理外，学校还倡导学生自主结社，组织文学社、校电视台、学生论坛、格致论坛（突出师生对话）、音乐剧社、弦乐队、民乐队、环保类社团等学生社团并积极开展活动，尽可能地让绝大多数学生参与到各项活动中去，在浓厚的文化氛围中感受生活，认识社会，激发生命热情，提升自身修养。

高中三年，可以说是学生成为公民的预备期，从培养合格公民出发，学校积极组织以“责任与诚信”、“自尊与自信”、“感恩”、“沟通与合作”为主题的道德实践活动，积极开展合格公民系列教育与实践活动，并在高三年级以“十八岁成人宣誓仪式”作为系列活动的终结。经过多年的实践和摸索，我们发现社区服务是培养学生爱心、责任心、社会心的重要途径。学校利用社区的有利资源，和学校所在街道的居委会进行党团共建（居委会的党支部和我校的各个团支部结对），令学生受益匪浅。在高中三年中，学校分年级组织了党课学习小组，让一大批学生接受党的知识教育，坚定学生的共产主义信仰。学校还针对三个年级的不同特点，由德育处、团委、邓小平理论读书会、政治教研组组织学生进行社会调查活动，如社区挂职、走进名企、南京社会考察、大别山社会实践、模拟联合国等，让学生了解世界，展望未来，明确责任。

# 三、格致德育的实践

## （一）构建德育课程系列

学校坚持探索“分层德育”模式：高一年级以校史教育、民族精神教育和行为规范教育为主；高二年级以国情教育和生命教育为主；高三年级以理想与责任教育为主。各班根据班级实际制订德育计划，有序开展德育工作。不同年级的学生通过“学习—参与—体验—感悟”交互推进的程式，养成了良好的行为习惯，培养了“爱国荣校”的思想情感，提升了责任意识，全校德育工作的针对性和实效性得到了提高。

作为上海市生命教育的实验基地，学校积极探索以课程、课堂为主阵地推进生命教育的方法与途径。在对学生进行校史教育的过程中，学校不断优化“格致学”等课程及配套教材，坚持德育课程化、课堂化。“两纲”教育①与原来整个教育教学的观念和体系之间的关系既不是孤立的，也不是对立的，它是既有教育改革的进一步深化。基于这样的客观事实，我们形成了“两纲”教育的明确思路，即以“两纲”教育为主导，多渠道、多方位地落实“两纲”教育理念，构建全方位、全覆盖的“两纲”教育实施框架。做到课内外相结合，校内外相结合，理论教育与实践体验相结合，有意识引导与无形影响相结合，全面铺展与重点强化相结合。

### 1. 以学科为依托，构建德育课程体系

目前我校开设的德育课程（或讲座）主要有：格致学、邓小平理论导读、党课学习、经典哲学、时政风云、模拟联合国、国际人道法、当代中国外交、中华经典文化讲堂、中西文化比较、文学与哲学、口语交

---

① 《上海市学生民族精神教育指导纲要》和《上海市中小学生生命教育指导纲要》教育，简称“两纲”教育。

际能力、中国传统文化漫谈、大国崛起导读、中国传统节日和民俗文化、中国的民族英雄、中国民间艺术、中国的世界遗产、乡土地理、领导力培养（创意能力、决策能力、组织能力、协调能力、公关能力、整合资源能力）、生活中的心理学、生命的灵动、生命的理性、心理危机疏解。

各学科根据学科内容挖掘学科教育和“两纲”教育的结合点，结合课程标准、教学目标的制订和实施，制订切实可行的阶段性教学计划：教研组学年、学期工作计划要体现，备课组学年、学期工作计划要落实并作相应调整、充实和完善。

**2. 以活动为载体，拓展德育课程落实的舞台**

学生是学校教育的对象，更是校园的主人，为使学生最大限度地得到自我教育，我校致力于丰富校园生活，营造德育氛围，让学生的青春活力在校园中得到充分绽放。以学生的“四大节”为抓手，丰富校园生活，让学生主动参与营造校园文化的活动。每年的4月学生艺术节、5月学生科技节、9月学生体育节、12月学生社团节，突出了学生的主体意识，充分发挥了校团委、学生会及学生社团的自主教育优势，融爱国主义及“两纲”教育于各项活动之中。在学生中开展这些富有特色的活动，已经成为我校校园文化建设的亮丽风景线。

我校学生社团已经走过了十多年的发展历程，近年在学校党政机构的关心下，由德育处牵头成立了“格致学生社团管理中心”，以“我们的社团，我们的家，我们的文化”为口号，以“贴近学生，服务学生，关注社会，回报社会”为指导思想，以“联合、服务、协调、管理”为方针开展工作，加强学生社团的自身建设和管理，积极扩大影响，努力强化对学生的自我教育功能。目前我校学生社团已形成六大类别，即理论学习类、学术科技类、社会实践类、文娱体育类、兴趣爱好类和志愿服务类，共有社团三十多个。其中邓小平理论读书会、“根与芽”社、学生电视台、茶艺社、天文协会等社团通过多年的活动，取得了显著的成效，获得了较高的社会评价。格致学生社团管理中心每年组织评选最受欢迎的社团，在此基础上逐步形成了以校明星社团、特色社团、潜力社团为核心的三级社团体系。学校及时开辟了学生社团活动中心（场地），设立了学生社团发展基金，为实施社团“三自”，即学生自我认识、自我管理、自我教育创造了良好的条件。

邓小平理论读书会、学生党课学习小组是我校德育的特色项目，近几年来不断创新发展，理论学习采用影视教育、参观访谈、导师辅导、材料自学等方法，引导一批政治热情高涨的学生“踩准点，走好路”。近三年共有20名学生光荣入党，还培养出了联合国“爱心大使”、正泰品学特别奖获得者王梓余及上海市“金爱心”学生严晓丽等一批德育资优学生。尤其值得一提的是我校高三（1）班张驰成同学当选2008奥运火炬手，远赴海南参加了我国境内第一站奥运圣火的传递。

学校德育的课程化，对于落实“两纲”教育，提高德育的实效性，丰富学生的阅历，践行社会主义荣辱观，为学生树立正确的人生观、价值观和世界观创造了有利条件。

### （二）加强行为规范教育

我校根据时代要求和客观现状，在继承办学传统基础上，确定以培养具有公共精神、国际胸怀、诚信关爱、独立自信和科学素养的格致新人为学校德育工作的总目标。这种新人，不但在品德修养上要符合现代社会的规范，而且应该具有崇高的理想，坚定的信仰，远大的抱负以及正确的价值观、人生观、世界观。为了实现这一目标，我校坚持树立“大德育”观念，坚持理论与实践的结合，充分发挥学生的自主性、创造性，利用尽可能多的方式和渠道开展工作。在所有德育工作中，行为规范教育可谓是重中之重。

学校强调行为规范教育要“大处着眼，小处着手”，重视学生自理自律能力的培养，制订了“四项制度”和“三评三级”评比模式。“四项制度”是：班级学生轮职制度、年级学生助理制度、校级学生值周班制度、学生自律委员会制度。学生通过自主参与班级、年级以及学校的各项监督管理工作，不断地完善自身的行为。班级轮职制度的实行，实现了全员参与，真正起到了“日三省吾身”的作用。“三评三级”评比模式是：周评、月评、学期评三种评比，以及文明班级示范班、优秀班、合格班三个等级。评选工作很好地激发了学生的集体荣誉感和竞争意识，同时增强了他们的思想观念与自我管理能力，促进了其综合素质的不断提高。

此外，我校还根据不同年级的特点进行日常行为规范教育。高一年级通过军训组织学生学习《中学生守则》以及《格致中学学生常规管理录》，并且进行基本的行为规范训练；高二年级以学农为契机，在基本训练的基础上进一步加强社会公德及诚信教育；高三年级则使学生学会对自己的行为进行审视，尽早地形成适应社会的能力。我们认为：行为规范要常讲、常抓、常新。我校重视学生自理自律能力的培养，根据不同年级的特点，制订了相应的日常行为规范的重点，循序渐进地对学生进行养成教育，使学生具备良好的文明素养。

学生良好道德的形成离不开周围环境的影响，因此，我们提倡校园全员育人的理念，提倡师生言行应该相互促进。班主任是学校对学生开展行为规范教育的生力军，班主任队伍素质的高低直接影响到学校德育工作的成效。因此，我校注重选派思想素质好、业务水平高、奉献精神强、有责任感的优秀教师担任班主任。同时为班主任业务进修提供条件，让多数班主任老师有机会、有条件参加校外“充电”。另外，邀请校内外专家或资深业精的教师定期（一学期至少两次）对班主任进行心理健康培训和工作方法、艺术的指导。学校倡导班主任工作的个性化，鼓励班主任老师勤于思考，善于研究，大胆创新，培养班主任对班级管理工作的高度责任感，促进班主任以规范的管理教育学生，以自身的风范感化学生，以诚挚的爱努力成为学生的良师益友，为班级管理建设夯实根基。

社会、学校、家庭是学生生存、学习、成长的大环境，这个大环境对学生行为习惯的养成起着至关重要的作用，三者之间不同的价值取向、行为标准、教育目的都会影响学生行为习惯的养成。因此，我校以实现行为规范养成教育为目标，加强学校、社会、家庭三位一体教育网络建设，形成了独具特色的开放型育人新体制。

家庭是学生教育的第一课堂，家庭教育以言传身教、情境影响为主，与学生的成长同步，具有感染性强和潜移默化的特点，在养成教育中起着重要作用。2004 年 10 月我校德育处推出了“阳光通道——家校互动平台”网站，让家长更直观地了解学校中学生的各项活动和学生的各项信息，学校也借助这个网站向所有家长进行家庭教育、学生行为规范养成教育以及心理教育的指导。学校还通过家长委员会以及家长顾问团，定期了解学生在家庭中的行为动向和思想动向，同时也向家长委员会以及家长顾问团通报学校的一些基本制度和基本做法，通过家长委员会以及家长顾问团向家长宣传学生行为规范养成教育的重要性，帮助和引导家长更新教育观念，帮助学生形成在学校里与在家庭里相一致的行为方式，从而帮助学生拥有健康的日常生活和生活情趣，培养学生自我约束和自我教育的能力。另外，学校经常组织教师家访，随时掌握学生的思想动态，反馈学生在校情况。通过学校和家庭的互相沟通，为学生拥有规范、健康的行为方式创造民主而宽松的育人环境。

学校的教育工作是一项社会性的系统工程，需要社会、学校、家庭的密切配合。我们充分利用学校周边的德育活动基地，充分利用学校周边的社区资源，让学生参与社会实践和志愿者服务。通过社区服务和志愿者服务，学生们真正地融入社会，在社会的大课堂中学会了参与、沟通、面对困难，提高了解决实际问题的能力。同时，学生们在实践过程中进一步完善了自己的行为规范，使自己的道德品质得到了提升。

俗话说“冰冻三尺，非一日之寒”，要让学生养成良好的行为习惯，不仅学生要自觉坚持，教师也要做到坚持，久而久之，才能使这些良好的行为习惯在学生身上得到内化。

### （三）注重班级文化建设

班主任应该十分注重班级文化建设，把班级文化建设当作管理班级的重要法宝之一。那么，什么是班级文化？班级文化是指班级成员在班主任引导下，在朝着班级目标迈进的过程中所创造的物质财富和精神财富的总和。它具有无形的教育功能、激励功能、制约功能，这些功能一旦形成就会产生巨大的力量，加速班级的快速发展。因此加强班级文化建设，努力营造积极、健康、向上的班级文化氛围，已成为学校提高班级管理水平和促进学生发展的一个重要举措。

第一，确立班级目标，形成良好的班级风气。在学生入校之初，通过军训，一个新的班级初步形成，一个班级的班级文化也随之初步形成。在班主任的引导下，各个班级逐步形成了各自的风格和特色，由此也就逐渐产生了各个班级的班训。班训的产生应得到班级每一个学生的认可，并且班训应成为班级文化建设及班级管理的总目标。各班在设计班训的同时还要为之配上班徽，设计班训和班徽的过程是一个班级凝聚力充分体现的过程，每个学生的主人翁精神展露无遗。在此后的每一项活动中，各班的学生都会努力为班徽增添光彩。而这些班徽和班训将在各班门口醒目的位置予以展示，让所有师生知晓，这是对班级学生的督促和鞭策。现在，各班在形成班训和班徽的基础上又进行了班歌的征集，学生将他们喜爱的流行歌曲配上自己写的歌词，当全班学生共同演绎时，每个学生都受到激励，这就是班级文化的升华。

第二，建立学习共同体，形成优良的学风。在学习过程中注意根据学生的学科特长，引导他们建立学习共同体，加强学生的团队精神和合作意识。通过学习共同体的建立养成良好的学习习惯，形成良好的学习氛围，使全体学生获得共同的提高。学校在学习共同体的实践中已经取得了初步成效，数学、物理、化学、生物、信息技术竞赛都已经取得了不错的成绩，从下面这份化学学习共同体的活动记录中可以看出我校学习共同体建设的一些情况。

## 高二（1）班化学学习共同体活动记录

记录人：高二（1）班　杨　扬

**第一轮对话：基本情况和主要学习模式**

化学学习小组主攻化学学科竞赛，辅导老师是张燕老师，其他组成人员是高二（1）班10位选择投身于化学竞赛的同学。我们的学习模式主要有两个。一是（用班主任王老师的话说）“埋下头来做卷子”（笑）。全国联赛的难度很大，张老师在高一一整年要求我们踏踏实实做高考卷，立志“一道都不错”。这种坚持培养了我们对学术严谨的态度，为联赛打下了扎实的基础。二是“抱团取暖”。这是我们化学学习小组最大的亮点。“抱团取暖”让每位同学参与讨论问题、相互协作（学习）的过程，使小组的整体水平得到了提高，因而出现了大批同学获奖的可喜局面。这一点我将会在后面的环节作具体介绍。

**第二轮对话**

1. 最大的亮点：抱团取暖，共同进步

- 有好书，一起分享（借书、借笔记、借考卷）。
- 有问题一起讨论（面红耳赤，激动的时候会在黑板上写上一大片）。
- 手抄50页联赛复习资料（让我们每一个人都记忆深刻的是，大家聚在小房间里，用奋笔疾书的速度，分头把所有联赛考试的考点都整理了一遍，然后复印，资源共享，方便每个人快速抓住重点。大概50页的手抄资料，如果由一个人来做工作量将大得惊人，我们10个人3天搞定）。
- 开创“化学群”（在网上找到好的资料或考卷后在化学群空间里张贴、分享）。

或许我们每个人坐下来单独打拼也会出成绩，但“抱团取暖”让我们有大量的同学在各类竞赛中取得了较为满意的成绩。这是我们学习小组最大的亮点。

2. 一句话阐述心目中优秀学习共同体的最大特点

关键词：团结协作

无论是“好帮差”还是“共同进步”，无论是学习上的帮助还是心理上的疏导，参与者之间的团结协作是最为重要的。心灵的距离近了，彼此就会产生信任感。我感觉这种信任感最有助于参与者教学相长，创造合适的学习模式，构建学习共同体。

**第三轮对话：成果展示**

我们学习小组有10位成员，学习小组的成绩如下。

在2007“白猫杯”化学竞赛初赛中，9个区一等奖，1个区二等奖。

在2007“白猫杯”化学竞赛复赛中，3个一等奖，2个二等奖，4个三等奖。

在2007“全国化学联赛”中，3个二等奖，1个三等奖。

经过一年半的学习，同学之间也收获了弥足珍贵的友谊。有一位同学如是说：“我从不知道这样的生活可以那么开心，可以那么充满激情，似乎有很多力量可以去冲刺。”我们互称为“战友”，我们在一起，很开心。

第三，精心布置教室，构建温馨的学习场所。教室是学生学习的主要场所，因而对教室的布置不可忽视。教室的布置是班级文化的重要组成部分。在我校的每一个教室，都有黑板报，都有“学习园地”和“团的生活”版面，还有一个绿色植物角。这些版面的设计和环境的布置是班级学生干部在听取班级每个学生意见后，再结合学校的主题精心设计出来的。班级文化建设的水平越高，班级向心力、凝聚力和群体意识的发展态势就越好。

第四，设计班徽、格言，营造积极向上的氛围。为了进一步丰富和繁荣校园文化建设，打造班集体的团队精神，激励学生积极向上的精神风貌，寒假期间，由德育处发起，高一、高二年级各班进行了“建温馨教室，创和谐校园”班级班徽、格言的创作设计活动。学生们积极投入，人人参与，共同讨论、认真筛选。这项活动，激发了学生们的想象力、创造力，展现了我校学生的风采，使班级和校园成为学生们学习生活的温馨家园。

当然，要创建班级文化，班主任必须具备多方面的素质。第一，要有与时俱进的教育理念；第二，要有优秀的组织能力和敏锐的洞察力及强大的亲和力；第三，知识要渊博，并尽可能地多才多艺；第四，能高瞻远瞩，着眼全局，有整个学段的意识；第五，头脑要灵活，点子多。班主任是一个班集体的领头雁，他的个性、能力、知识储备、工作作风、教学热情无不影响着班级文化的建设质量，因而要创建有特色的班级文化，班主任必须具备多方面的素质。

班级文化建设是一门潜在的课程，它有着无形的教育力量，就像古诗中说的：随风潜入夜，润物细无声。它的作用，就像这润物春雨一样，因此班主任应该做个有心人，抓好班级的文化建设。

### （四）完善多元评价机制

21 世纪社会的变革引发了人们价值取向的变化，价值取向呈现多元化、多层次的特点，因此教育培养模式也要随之变化以适应社会发展的需要。教育的目的是为社会培养知荣辱、明是非、有爱心、有道德、人格健全、文化素养高的有用人才。鉴于此，学校在落实分系列的德育实施方案时，依循为学生的全面健康成长搭建平台的原则，尊重学生的多元选择，发展学生的个性特长，打造学生的特质，激发学生的潜能，为学生将来成为能够引领社会进步的精英奠基。学校对学生的评价实施多元评价机制。

#### 1. 多元评价的目的

学生多元评价以实施素质教育为目的，以培养高素质公民为目标，引领学生形成正确的世界观、人生观和价值观，引导学生全面而有个性地发展，促进学生的健康成长。

学生多元评价重在关爱每一位学生，重视走进学生的内心世界，关注学生成长的各个方面，观察学生日常学习和生活的行为表现，捕捉细微变化和点滴进步，因势利导、循循善诱，帮助学生树立目标、规划人生蓝图，做到为学生修身设置路径、为学生成长搭建阶梯。通过评价引导，激励、教育学生努力追求目标和不断完善自我。

#### 2. 多元评价的原则

（1）客观性原则

评价要以具体事实为依据，帮助学生树立信心，同时指出学生存在的问题与不足，分析原因，提供解决方案，根据学生的发展需求，提出发展建议，促进学生主动发展。学生多元评价可以从道德品质、公民素养、学习态度与能力、交流与合作能力、运动与健康、审美与表现方面进行评价。

（2）激励性原则

评价要善于发掘学生的潜能与特长，鼓励学生的成长与进步，对于进步明显、提升较快的学生，要特别给予关注，注重利用学生的闪光点、典型事例去引导、教育、激励。对于受到处分的学生，要特别给予关爱，帮助他们制订改进措施，使其正视存在的问题，树立改正的勇气和信心，并付诸努力。

（3）过程性原则

过程性评价要着重体现适时性、有效性和教育性，关注学生每一天、每一环节和每一阶段的发展水平与成长状态。班主任和科任教师要针对学生在成长过程中的思想状况和行为表现，适时、有效地开展评价，使评价活动成为伴随学生成长的教育过程，培养学生的自主发展意识和互助合作精神。

（4）阶段性原则

阶段性评价是在学段或学期、学年结束时对学生发展目标的实现程度作出评价，是过程性评价的积累和总结。阶段性评价以过程性评价生成的事实材料为依据，要注重帮助学生总结、反思本阶段的成长状况，及时修正发展方向，确立发展阶梯目标，使之在及时改进、不断完善和努力追求中逐步提升自身的综合素质。要利用家长会、家委会、家访等多种形式，及时将学生的阶段性评价信息反馈给家长。

（5）导向性原则

正确处理激励性与客观性的关系。从激励、帮助学生健康发展的意愿出发，分寸得当、客观公正地反映和评价学生的成长发展状况。要兼顾学生的学习状况和综合素质发展状况，引导学生全面健康发展，彰显个性特长。

### 3. 多元评价的内容

为促进学生形成良好的素质——品格高尚、意志坚强、善于反思、责任心强、有自信心与公德心、善于人际交往与团队合作、具竞争力与独立性、乐观、富有同情心与爱心、讲诚信、知感恩等，给学生在将来成为学有所成、研有所精、责有所担的社会精英奠基，须对学生在文明礼仪、学习、集体活动、劳动、交往等各方面的参与情况和表现及取得的成绩实施多元目标评价。

（1）个人多元目标评价

①集体活动

社会实践先进个人：在学军、学农社会实践中有突出表现。

体育先进个人：在运动会（市、区、校三级）、体育节中取得优异成绩。

艺术先进个人：在板报、绘画、书法、剪纸、摄影、优秀主持人、校园歌手、歌咏比赛等艺术类活动中有优秀表现。

志愿者服务先进个人：在社会公益劳动、社区服务中表现突出。

②行为规范教育

行为规范教育标兵：依据《格致中学学生一日行为规范》，每学期末各班级评选出20%左右的行为规范标兵。

③好人好事

“金爱心”个人：积极组织或参加爱心行动，表现突出，主动助人解决困难，有典型事例（两年一次，由学校选定，参加市级评定）。

④住宿生

住宿生标兵：学校宿舍按住宿生评比条件评选。

⑤班级工作

优秀班干部：班级按优秀班干部评比条件初评上报，学校评选。

优秀团干部：班级按优秀团干部评比条件初评上报，学校评选。

优秀团员：班级按实际表现初步评选三名左右上报，校团委评选。

⑥学生会工作

优秀学生干部：学校团委、政教处按优秀学生干部评比条件评选。

⑦三好学生

根据新三好学生评价标准，班级按分配名额初步评选、上报，学校进行联评，确定各级别三好学生。

（2）集体评价

优秀班级：形成优良的班风、学风，每学年学校评比一次，分年级评选，各年级取前四分之一。

优秀团支部：每学年学校评比一次，分年级评选。

文明寝室：每学期学校评比一次，学校宿舍按住宿管理评比条件评选。

行为规范优秀班集体：每学期学校评选出三个行为规范优秀班集体。

明星社团：按照学校社团考核条例每学年评定一次。

**4. 评价保障**

（1）班级评价保障

班主任组织考评小组进行评价，做到公正、公平，起到促进学生不断发展、完善自我的激励、导向作用。

（2）校级评价保障

政教处、年级组、团委、各相应组室依据学生的事实材料，公正、公平地评价，促进学生发展特长，提升自身素质。

在个体评价的过程中，我们实行自评、互评、家长评、教师评四结合的原则，既强调学生的自我审视，又要求在评价的过程中教会学生倾听他人意见，在此基础上完成自我反省、自我完善。

## 四、格致德育的特色

### （一）理想教育：凸显核心

德育追求的是品德的健康发育，不是抽象的说教，它的真正基础是学生的学习生活过程。理想教育中的德育孕育着“坚持”的品质。巨大的成功靠的不是力量而是韧性。社会竞争常常是持久力的竞争，有恒心和毅力的成功者往往成为笑到最后、笑得最好的人。因此，要引导学生在学习生活中体验和培养认知、情感、意志，塑造人格、个性，切实执行梦想，以便发挥自身的价值。不管梦想有多好，除非真正身体力行，否则永远没有收获。教育和教学活动对德育有重要的意义，品德是靠行动书写出来的，德育是行动的体现、理想的牵引。因此，理想教育也就成为道德教育的一项重要内容。

#### 1. 大别山社会考察活动

大别山社会考察活动是我校坚持了十余年的德育特色项目之一。一大批学生由此而进一步接触社会、了解国情、体验生活、增长才干，获得了终生难忘的宝贵经历。

自 1997 年起，我校师生几乎每年赴大别山太湖县弥陀镇进行学习考察活动。学生们与大别山人民同吃同住，体验山区生活。同时，还根据大别山区人民的实际生活情况制订课题，深入研究，为山区人民脱贫致富献计献策。课题研究内容涉及“职业教育”、“农业生产”、“发展中的大别山”、“大别山的学子之梦”等。各课题小组写出了较高质量的调查报告。

学生电视台制作的 20 分钟新闻短片《情系大别山》、《希望的呼唤》，多次在市、区电视台播放，专题片《一次“脱贫”之行》还荣获了市第三届学生电影节学生自制电视短片一等奖。

大别山社会考察活动已成为我校大都市中心城区的学生了解中国农

村，参加社会实践的有效途径。多年的交流使我校师生与老区人民建立了深厚的感情。到过大别山的学生深有感触地说："大别山之行，使我知道，热爱祖国和人民不应该是抽象的、空洞的，我们要经常深入社会，了解国情，牢固树立为人民服务的思想和为建设社会主义祖国贡献力量的志向。"

大别山弥陀镇社会考察活动的成功，促使我校在2009年又开辟出了金寨县花石乡德育实践基地。

### 2. 邓小平理论读书会活动

通过这十几年在学生中开展邓小平理论教育，我们深深地感到，邓小平理论是一个强大的思想武器，在推进以爱国主义、集体主义、社会主义为核心的学校德育过程中，在促使高中学生形成正确的人生观、价值观、世界观方面，确实起到了非常大的作用。

首先，通过邓小平理论教育使许多学生提高了理论水平，坚定了自己人生的追求。学生们深有感触地说："学校的理论学习，无论是激烈的讨论还是精彩的报告，无论是个人的阅读还是互相的交流，我们都学到了许多。"

一些邓小平理论读书会（以下简称"读书会"）骨干毕业后，还把邓小平理论学习带到了大学，并推动了大学的邓小平理论学习的开展。我校读书会原副会长李迪同学进入复旦大学后不久，便在上海高校学生学习邓小平理论的论文评比中获得优秀奖，她得奖的论文题目就是"我用邓小平理论指导阿姨再就业"。1998届毕业生、学生党员金骞进入华东师范大学计算机系就读后不久，就成为系里党课学习小组负责人。

其次，由于我校在邓小平理论的教育中强调理论知识学习与社会实践并重，因而学生在掌握理论知识的同时，实践活动能力得到了提高，社会责任感得到了增强，对一些社会问题的思考也更深刻了。近七八年，学校组织读书会成员带着课题前往大别山革命老区考察。在大别山考察期间，学生们深入农民家庭，走访山区有关部门，对当地的情况有了比较深入、全面的了解。回沪后，学生们又写下了许多颇有见地的调查报告，从教育、经济建设、交通建设等各个方面对大别山进行了调研，并提出了自己的独特见解。2000 年读书会的同学还创办了学生理论刊物《求实》，从组稿、编排到发行全部都由学生自行完成，现今已发行了四十余期。这其中花费了读书会负责教师的大量心血，反映了一届届学生的成长历程。2000 年，读书会成员陈新春在上海市论文竞赛中获二等奖；2002 年，读书会成员林礼的论文《大别山地区村级集体经济不见潮涨的原因》被评为 2002 年上海市中学生理论学习优秀论文。2002 年 11 月，读书会成员在“上海市学生世纪论坛”上发布研究成果——《青春热血融于“三个代表”》。2002 年 12 月，读书会被评为 2002 年上海市优秀中学生理论学习组织。2002 年 12 月 ，我校“情系大别山”考察活动被评为 2002 年上海市中学生理论学习优秀活动项目。2008 年，读书会成员徐冰倩被评为上海市大中学生理论学习先进个人。

### 3. 党课学习小组与嘉兴、南京社会考察

我校党课学习小组成立至今已有近二十年的历史，每一届党课学习小组都实行理论学习、楷模寻访、社会考察等阶梯渐进的活动模式。

高一学段，党课学习小组成员系统学习党史、党章及《论共产党员的修养》等理论，使全体成员对我党的历史、党员的标准有一个初步的了解。为了增强学生的感性认识，我们组织学生对身边的党员教师进行走访，了解党员的先进性。

高二学段，组织学生赴嘉兴南湖进行考察，一方面增强对党史的了解，另一方面结合时政调研长三角发展的前景，增强学生的社会责任感。

高三学段，组织党课学习小组成员赴南京进行考察，瞻仰革命先烈的丰功伟绩，坚定共产主义信念。

每一位光荣加入中国共产党的学生都不约而同地提到：“正是理论学习和实践活动相结合，使我们从中懂得了什么是一个共产党员的信念，怎样面对人生的挫折，从而使我们对党的追求更执著了。”

## （二）生命教育：学会关爱

生命教育其实蕴涵两层含义：一是用心爱护生命，珍视与尊重生命，欣赏生命的丰富与可贵，让生命免受伤害；二是用心经营生命，发觉生命意义，思考生命方向，实现生命价值，使生命得到成长与发展。因此，在构建生命教育心理部分课程体系的时候，我校采用横向和纵向两个框架。从横向来说，生命教育课程分为两个部分：一部分是预防性的内容，主要是帮助学生珍惜生命，免受伤害，如危机应对的技巧；另一部分是发展性的内容，主要是协助学生充实和发展生命，如发掘生命潜能、提升自我意识、进行生涯规划等。纵向则是根据每个年龄段学生的特点，设计不同的教学内容。如高一年级主要是适应新环境和新的学习要求，学会自我调适和转变，所以主要围绕自我意识、情绪辅导、学习心理和人际交往四部分开展教学。高二年级主要是探讨青春期情感、危机应对和死亡问题，所以教学分为爱、梦想和价值三部分。高三年级则着重于考试心理和生涯规划两部分内容。三个年级的教学均贯彻尊重生命、实现自我价值的理念，这样就构成了一个螺旋式上升的活动课程体系。

### 1. 开设心理健康课程，引导心理社团发展

心理健康教育强调两个目标：一是发展性目标，即通过各种途径，帮助青少年确立既为社会赞成，又使个人满意的生活目标，使青少年心理健康发展，形成健全个性，个体与环境之间取得积极平衡，个体的发展与社会现实的要求之间达到完美、和谐；二是矫治性目标，即注意有问题的学生所处的环境，积极治疗，使其心理早日恢复健康。从评价体系来说，矫治性目标是消极的，它面向的是部分特定的人，是对已出现问题的学生的治疗，而发展性目标是积极的，它面向的是所有学生，是在全体学生中普及心理健康常识，提高心理自我调适能力，预防心理问题和人格偏差的产生。后者应是学校心理健康工作者的一个重头戏，因此，把心理活动课程作为必修课排进学生的课表，是实施心理教育发展

性目标的一个有力途径。

我校是上海较早开设心理活动课程的学校。在开设心理活动选修课程方面积累了一定经验之后，学校于1998年正式将心理活动课程排进课表：高一年级开设心理活动基础课，高二年级开设心理活动拓展课，高三年级则是辅导讲座。我校在大量参阅国内外相关资料的基础上，结合学生的特点，依照发展性和可操作性选择教学内容，在不断摸索中形成了自己的一套课程体系和教学模式，受到了学生极大的欢迎。

“发展性”是指教学目标的制订和教学内容的安排要符合学生不同阶段心理发展的规律与需要。从整个高中的心理活动课程体系来说，各个年级的教学有其共通的部分，可以归为以下几个方面：自爱心理、情绪心理、学习心理和社会适应心理。但每个年级又有其特殊性，学生的特点不一样，因此必须要有相应的课程教学安排及侧重点。如高一年级主要是适应新环境和新的学习要求，学会自我调适和转变；高二年级主要是人际交往和学习适应性与创造性的培养；高三年级则是根据个性心理特点进行自我设计等。心理活动课程就像螺旋形的阶梯，一步一步地促进学生心理健康发展。

“可操作性”是指在心理活动课程的设计和教学过程中，教学目标不能抽象空洞，不能只停留在纯理论和概念上，而要具体地转化为学生可以实际操作训练的行为，让学生通过教学能有意识地去实践并塑造自己。这样既可以在全体学生中普及心理常识，树立心理健康的观念，又可以缩短心理辅导教师和学生的距离，消除学生对心理辅导的误解和偏见，有利于学生自觉维护心理健康。教学在宽松的心理专用多媒体教室里进行，教师讲解只占很小一部分，更多的是让学生自己通过讨论、实验、游戏、角色扮演等活动形式去理解和感悟。这门课受到了学生极大的欢迎。某个学年结束后，学校对高一不同层次的100名学生进行了一次抽样调查，100名学生均对这门课表示非常有兴趣和欢迎，把它称为“心灵的鸡汤”——“轻松中获得知识，欢笑中懂得道理”。一位学生这样写道：“在这门课上，我们可以敞开心扉畅所欲言；在这个课堂上，我们轻松自然，怎么想就怎么做。这门课真正走进了我们的‘心世界’，我很喜欢它。”

在心理活动课程逐步成熟后，学校开发编写了心理活动课程校本教材，并选取部分内容辑成《心理游戏》一书出版。心理教师还参与了《中小学心理健康教育心理高中用书》的编写。根据教学实践和学生的发展，学校不断对心理活动课程进行创新和改革，尝试从高一年级开始培养学生的成功意识、职业素养、独立思维和决策能力。同时，学校积极和校外优势资源建立联系，尽可能地为学生创造开阔视野、锻炼能力的机会，如请高校就业指导中心的教师来校开设择业讲座，和国际青年成就组织合作开设“青年理财”等课程，组织学生到通用电气公司参加职业见习，参加“赛智”比赛等活动。我校还成为“2049 中国青少年科学素质培育行动计划 · 上海市推广试点项目”心理学部分的试点学校。

我校指导学生成立了心理社团，其宗旨是通过心理社的各项活动，使学生们“时时有快乐的追求，天天有成功的喜悦”。心理社在学生中有着深厚的“群众基础”，广受学生欢迎，现有社团成员百余人。社团拥有自己的标志、图章、照片集和网上论坛，每月都会开展一个专题讨论活动，诸如“快乐”、“我最感动的……”、“高三特别专题”、“我要谢谢他（她）”等。社团成员在专题讨论中互相交流，畅所欲言。学生们还一起探讨一些心理方法，并将内容整理成小报供全校分享，以使大家都能有收获、有成长，将这些知识应用于平时的学习生活中，使自己的心理更健康。

社团节上，心理社开展的特色活动深受学生和教师的欢迎，取得了很好的效果。其中，“书签情”活动最为成功。心理社买了各种颜色的卡纸，自己设计制作书签，印上心理社图章，使书签有了纪念意义。学生们将自己的祝福和心里话写在书签上，投入心理信箱，社员把给每一个学生、教师的祝福书签串起来，派专人为他们传递这些祝福，把心意送到他们手中。有一个班的学生把写完的书签挂在圣诞树上，送到正生病住院的前任班主任手中，希望她能早日康复，回到校园，希望她笑口常开，欢喜每一天。学生们的一张张笑脸、一句句祝福，都在鼓励教师渡过难关，祝福教师拥有灿烂的明天！

心理社还为学生们提供关于性格、潜力、学习压力等方面的心理测试题，让大家了解自己、挖掘自己的闪光点，弥补自己的不足，缓解压力。同时，心理社还配合不同的测试提供自助资料，开展同伴辅导，使学生能更有效地解决心中的困惑。

心理社还与华东师范大学心理协会以及光明中学、向明中学等学校的心理社联谊，一起探讨学生中的心理问题和辅导技巧，并联合发行心理刊物。心理社组织学生积极参加市、区的各项活动，多次获奖，并被评为黄浦区优秀社团。

### 2. 开展高中生命教育研究，深化学生生命观培养

教育，从本质上说，是直面人的生命、通过人的生命、为了人生命质量的提高而进行的社会活动，是以人为本的社会中最体现生命关怀的一项事业。既然教育要以人的生命为基础，那么它更高层次的追求应当是唤醒人的生命意识，这种生命意识的形成，不但能够使学生深刻认识到生命的意义和价值，还能够培养他们丰富的生命情感、坚强的生命意志和乐观自由的天性。

作为上海市第一批生命教育示范校，我校自 2005 年起开设了生命教育校本课程，从生理和心理等方面对学生进行全面、系统、科学的生命教育，引导学生善待生命，帮助学生完善人格、健康成长。同时，学校还成立了课题组进行相关研究。

学校课题组编制了调查问卷，对上海市 6 所高中生命教育的状况进行了调查研究。通过对这 6 所位于 4 个不同区的中学的高一或高二年级学生的问卷样本进行分析，了解上海市高中学生对生死学、青春期知识、生态道德、求生技能、应对挫折的措施等的认识情况，以及生命教育的现状和存在的问题；通过征集学生希望了解的生命教育主题和倾向的生命教育方式，获知学生的需求，为进一步的实践研究作好准备。

通过对上海市高中生命教育状况的调查，我们发现：大多数的学生都认同生命教育的必要性，肯定生命教育对生命价值观提高的有效性。

学生最喜欢以实践活动的形式开展生命教育，在生命教育的各项内容中，生存技能、死亡教育、青春期性教育、生命的由来等内容最受学生欢迎，学生最喜欢的生命教育的教学方式是观看教学影片。

此外，学校课题组还根据我校的情况确立了研究方案，开展了理论与实践研究。

通过生命教育的理论研究，我们发现：有关生命教育的研究首先侧重于哲学中人学理论的研究，其次是对教育的人性反思，它有着特定的哲学、心理学、教育学和生命伦理学等方面的理论基础。在教育体制内开展的生命教育是旨在帮助学生认识生命、珍惜生命、敬畏生命、欣赏生命，提高生存技能，提升生命质量的一种教育活动。在推行生命教育的过程中，形成了生死教育取向、生理健康取向、生活教育取向和宗教取向等不同发展取向，生命观的培养偏向于生死教育取向和生理健康取向的生命教育，是生命教育中的一个重要内容。纵观国内外研究现状，国外关于生命教育的研究主要在生命教育和死亡教育两方面，国内研究仍处于起步阶段，缺乏深入研究，存在基础研究和应用研究脱节的现象。

实践研究主要通过专题教育的方式，设计了“生命篇”、“青春篇”、“健康篇”三大主题，其中“生命篇”通过“生命的诞生”、“生命告别计划”两个板块实施生死教育取向的生命教育，促进学生形成正确的生死观；“青春篇”从“睡眠与梦”、“成长的烦恼”两个角度剖析青少年成长过程中的心理与生理问题；“健康篇”包括“饮食与健康”、“科学护理你的大脑”两部分，关注青少年的健康问题。此外，“学会生存”的主题实践活动则是从生存教育的角度提高学生的生存技能和生活能力。

反馈评价的结果表明，实验组学生和对照组学生之间在生命态度价值观得分上存在显著差异（$P=0.049<0.05$），在生命教育的相关知识掌握情况得分上存在极其显著差异（$P=0.000<0.01$），反映了实践研究的有效性。学生问卷和访谈的情况，亦表明了学生对于生命教育课程的支持与肯定。

## （三）环境教育：强化责任

环境保护是一个跨国界的绿色工程，是全人类可持续发展的保证。我国已把环境保护确定为基本国策之一。"环境保护，教育为本"，我国已郑重承诺：使经济、环境、社会都得到可持续发展。

多年来，学校一直致力于在寸土寸金的中心城区构建一个闹中取静的自然生态环境，使之成为全校师生潜心学习的场所；构建一个绿色的学习生态环境，使学生得到自主发展；构建一个绿色人际生态环境，使全校师生在和谐的环境中获得持续发展。

我校作为上海市重点中学，意识到自身的责任，力争让环境保护的教育深入人心。我们从本校做起，从自己做起，从点滴做起：开通绿色学校网站宣传环保；全方位地加强环保教育，并增加节能的资金投入；提倡走出校园宣传环保，争做对社会有贡献的人。在实践过程中，我们把环保教育渗透到各门基础型课程、拓展型课程和研究型课程之中，组织教师编写了《互动式环境教育·活动设计》校本教材（获上海市首届中小学环境教育教材、课例评选一等奖），为更好地开展环境教育提供了可以实践操作的案例。

### 1. 环境教育的总体目标

《中小学环境教育实施指南》指出，环境教育的总目标是："引导学生关注家庭、社区、国家和全球面临的环境问题，正确认识个人、社会和自然之间相互依存的关系；帮助学生获得人与环境和谐相处所需要的知识和技能，养成有益于环境的情感、态度和价值观；鼓励学生积极参与面向可持续发展的决策与行动，成为有社会实践能力和责任感的公民。"

我校的环境教育"主要是使学生正确认识人与环境的关系，树立正确的对待环境的态度，并且鼓励学生积极参与改善环境以促进可持续发展的系统教育过程"，要求学生能"认识环境问题的复杂性；理解环境问题的解决需要社会各界在经济技术、政策法律、伦理道德等多方面的努力；养成关心环境的意识和社会责任感"。其课程目标必须包括《第比利斯环境教育大会宣言和建议》中提出的意识、知识、技能、态度、参与五个方面。

在学习、研究和实践的基础上，学校提出了争做有“公共精神、国际胸怀、诚信关爱、独立自信”和“现代人文素养与科学素质”的格致新人的培养目标。学校将环境保护教育与新时代的道德素养和道德实践能力培养相整合，通过“学习—参与—体验—感悟”的自我教育模式，使学生成为可爱的上海人。

### 2. 形成环境教育校本课程开发主题的主要途径

我校环境教育校本课程开发主题主要从学生的兴趣出发，建立在学生已有经验的基础上。在调查环境问题、形成环境教育主题之前，首先调查和了解以下方面：学生经常遇到的环境问题，学生所关心的环境问题，学生对其所关心的环境问题所持的基本态度，学生已经参加过的环境活动，学生在相应问题上的已有知识、技能和价值观；学生通过各学科中渗透式的环境教育所要学习的知识；学校提供的、学生拥有的和手头已有的环境教育资源等。在调查环境问题和形成环境教育主题的过程中，须对这些因素作通盘考虑。

形成环境教育校本课程开发主题的途径主要有以下三种：一是教师对环境问题的调查、认识和理解，由教师确定某一个或几个相关联的环境教育的问题。二是学生生活情境中的，学生感兴趣的环境问题。三是教师针对学生所面临环境问题的理解和感受进行的调查和研究。

确定环境教育大致的主题以后，根据该主题的性质，分解主题的内容，并分析每项内容所适合的知识取向，根据知识取向确定开展环境教育的方式方法。

### 3. 校本课程建构与实施的方式方法

《中小学环境教育实施指南》指出：“环境教育强调贴近学生生活和社会实际，鼓励亲身体验。它的实施为培养学生的创新精神和实践能力提供了很好的机遇。学校和教师可以依据自身条件，通过多种途径和多种方式，创造性地达成环境教育的目标。”教师对环境教育方式和方法的选择，与教师对环境教育知识性质的理解以及师生观密切相关，并且需要建立在对学生所处情境和原有经验知识的分析与研究的基础上。

由于环境教育的问题具有综合性，一个环境教育校本课程往往牵涉各个层面的知识和技能、方式和方法，以及情感、态度、价值观，因此，当环境教育校本课程的主题确定后，教师须对主题进行拆分，将其拆分为若干分主题或不同层次，然后根据不同分主题和层次需要达成的目标，确定相应的取向，并在此基础上决定课程实施的步骤和方法。

### 4. 环境教育校本课程的评价方式设计

我校环境教育校本课程的评价逐步做到了以下几点：形成性评价和终结性评价相结合，以形成性评价为主；评价主体多元化；单项评价与综合评价相结合；评价方式多样化，以定性评价为主。对学生在与环境有关的情感、态度与价值观，过程与方法以及知识等方面的发展进行描述，并在此基础上评定环境教育的成效，为改进环境教育提供建议。

参与评价的人员可以是实施环境教育的教师和参加环境教育的学生，也可以是学校的环境教育教研人员、学生家长和社区居民。教师可以设计或与学生一起选择和设计评价的方式，评价以学生为主。教师负责为每一位学生建立成长记录袋，将采取的所有评价方式和结果都放到该成长记录袋中。

在评价过程中需要注意以下几点：明确和描述需要评价的学习结果；根据所确定的学习结果确定评价任务；制订评价学习任务的方式和标准；在课程开始的时候就把评价方式和标准传达给学生；让学生根据标准开展活动，完成任务；根据任务的性质和内容的特点采取以上各种评价方法；记录并将相应材料放入每个学生的成长记录袋中；反思评价方式，以便下一次作出改进。

### 5. 环境教育校本课程开发的主要过程

我校在开发环境教育校本课程的过程中主要采用如下步骤：了解和

调查环境的问题以及学生在环境方面的问题与需求，归因分析，形成环境教育主题；根据环境教育的可用时间和已有资源，拟定时间表和计划方案；对学生进行有关背景知识的教育和基本技能的说明。

学生可完全按学习兴趣分组，或按课程涉及的学科切入点分组，也可以根据活动需要分组。分组和确定每个小组的分主题任务可以同时进行。确定每个小组的分主题后，学生便可开展自主探究。教师要鼓励学生以各种方式呈现探究的过程和阶段性成果，并帮助学生一起修改活动计划和方案。在以上过程中，要边实施边评价，并进行记录。教师还要帮助学生确立参与性社会行动方案，进行终结性评价并确立进一步研究的课题。

**6. 环保类学生社团的发展壮大**

我校环保类学生社团经过多年发展，成效显著。目前主要有“根与芽”社、惜源联盟和绿缘社三个社团。

我校“根与芽”社成立于2001年9月，成立至今始终围绕“环境保护”和“人道主义”两方面的主题，自主开展了一系列活动。社团成员以“每个人都很重要，每个人都能发挥作用，每个人都能带来变化”的信念和热情，积极倡导关心和爱护所有的动物，坚持以“培养环境意识、学习环境知识、做改善环境的实事”为宗旨，倡导学生从关心环境、关爱动物、关怀社区三个方面积极参与各项活动。该社团曾多次举办上海市“根与芽日”活动，并曾邀请“根与芽”创始人珍·古道尔博士莅临我校指导。

我校惜源联盟成立于2004年11月。作为环保公益类社团，惜源联盟在成立之初便提出“节可节之能，惜可惜之源”的“惜源”理念，以“爱绿护绿，珍惜资源，节物回收”为活动宗旨。社团成立以来，参与组织了世界环境日宣传、上海节能周宣传、节能减排全民行动、港澳台志愿者交流等多项环保节能实践活动，组织编写了漫画版《格致校园节能三十六计》，其开展的“教室电灯常开还是常关节能”研究，连续多次在《新民晚报·教科卫版》上头条刊载，引起很大的社会反响，受到各方好评。2007 年 2 月，我校王佳玮同学代表上海市参加在我国香港地区举行的“两岸四地青少年义工交流营”活动，把“惜可惜之源，节可节之能”的环保理念和行动，与所有代表交流。2007 年 9 月 23 日，我校周梦迪同学作为唯一一名上海市中学生代表，参加了在外滩举行的“节能减排　全民行动”活动。在 2007 年 10 月举行的黄浦区中学生社团文化节中，我校惜源联盟荣获黄浦区中学生社团文化巡礼现场“最具人气奖”。从 2005 年 12 月起，学校还定期邀请上海市节能协会、上海市环境教育宣传中心等部门的专家学者到校宣传，将“惜源”的理念深深扎根于我校校园中。社团成员坚信：赠人玫瑰，手有余香。我们为保护环境、节约能源所做的每一件小事，都是为了让社会更温馨、更和谐，让这个世界变得更美好。

我校绿缘社成立于 2008 年 3 月，作为环保类社团的新军，该社团主要通过水质检测部、气象观测部、噪声监测部等三个部开展活动。水质检测部采集校园内外各类水样，通过专门的仪器测定水温、pH 值、浊度、溶解氧、氯化物、硝酸盐、氟化物等指标，检测校园、家庭内饮用水和河流水质情况，并将监测的结果告知同学。气象观测部运用各种仪器监测校内最高气温、最低气温、气压、降水量、紫外线强度等指标，将每天获取的数据及时发布在校园电子屏上，让同学们了解到当天的天气情况。噪声部测试各教室在开、关门窗，拉或不拉窗帘情况下的噪声量，以及每天生活中的噪声变化，作了大量的数据记录并进行了细致的分析。

以上这些环保类学生社团为学生搭建了认识环保、了解环保、参与环保的平台，也成为展示学生才能的最好舞台。

### 7. 学生环保意识进一步内化

在学校二期改扩建过程中，我校学生对新校园的绿化和节能提出了多个可行性建议。惜源联盟对教室照明线路的开关提出了合理化建议并被学校采纳，所有教室的日光灯都有单个开关控制；2008 届学生贺俊逸等设计的“自闭式节水水龙头节水效果及推广价值研究”获上海市

“壳牌美境行动”方案设计评比“一等奖”，这一成果被学校采纳，在格意楼卫生间改造中全部使用了自闭式节水水龙头和小便冲淋器；2006届学生倪温戎等设计的“格致中学雨水收集利用系统设计方案”获上海市“壳牌美境行动”方案设计评比“一等奖”，学校采纳了他们的研究成果，规划在物趣楼楼顶的生态园中建造雨水收集系统。2009届学生邓蓓佳向上海市世博局无偿捐赠三个环保节能专利，受到媒体广泛关注和世博局高度赞誉。

**8. 创绿色格致，环境教育硕果累累**

我校环境教育硕果累累，学校在2005年被评为“上海市绿色学校”，2008年被评为“上海市节能先进单位”。全校师生积极参加环保竞赛，各类竞赛捷报频传，在“壳牌美境行动”、“绿色成长计划”、“气候酷派绿色校园行动”、“根与芽”、“英特尔创新大赛”等活动中获国家级或市级一等奖三十多项。

近年来学校师生组织和参加的环保活动主要有三十多项，多家媒体报道了我校的环境教育成果。如2005年8月31日，《新民晚报》刊登了我校学生的节能倡议书；2005年9月2日，《新民晚报》刊登了我校学生的节能研究成果；2005年10月27日，《新民晚报》报道了我校学生“惜源”思考；2006年11月3日，《中国环境报》报道了我校的环境教育；2007年9月24日，《文汇报》、《解放日报》、《青年报》、《新民晚报》等多家媒体报道了我校惜源联盟社员周梦迪同学作为唯一一名上海市中学生代表，参加了在外滩举行的“节能减排 全民行动”活动；2008年4月1日，《解放日报》报道了我校学生向世博会无偿转让环保专利；2008年4月8日，《文汇报》刊登了我校的环境教育创新做法；2008年4月15日，《新民晚报》报道了我校的节能减排研究成果和倡议；2008年6月10日，《文汇报》报道了我校“世界环境保护日纪念活动座谈会”；2008年10月12日，《解放日报》报道了我校学生获国家环保部宣教中心举办的“索尼绿色成长计划”节能环保行动评比“一等奖”。

### （四）科技教育：重在创新

培养学生的科学创新精神是我校优秀办学传统的精髓，也是培养未来国家栋梁之才的关键所在。在传承“爱国”和“科学”的办学传统的基础上，学校全面落实素质教育的精神，特别是在培养学生的创新精神、创新意识、创新方法等方面，从课程、课堂和课外活动诸渠道积极探索，形成了具有我校特色的科学教育和科技创新的格局，学校的科技教育取得了显著的成绩。

根据青少年自身的发展和社会需要，以学生的发展为本，以主动、积极、内涵丰富的活动为主，利用综合性课程与隐性课程的效应，我校每年都开展多种科技活动，以促进青少年自主活动的生成和良好个性的培养。学校运用各种资源组织学生参加各种科技活动，寓教于乐，寓教于玩，寓教于活动，通过广泛的科技活动，孕育了一批又一批的科技之苗，赢得了良好的声誉。

为了适应时代发展的需要，全面推进素质教育，培养青少年的创新精神和实践能力，培养创新型科技人才，学校把科技教育作为教育工作的重要内容之一。学校以培养创新型人才为宗旨，以科普宣传为主线，根据当今国际国内及上海市的科技竞赛项目，结合学校实际，以头脑奥林匹克活动、机器人项目为品牌展开一系列活动，开设了头脑奥林匹克、机器人等项目拓展课，成立了科技社团。通过这些科技教育活动，达到了提高学生科学文化素养，培养学生创新意识、增强学生创新能力的目的，也营造了校内的科技氛围。在学校领导的重视和支持下，学校还开设了拓展型必修课“创新学”，取得了很好的教学效果，学生的创造发明硕果累累，学校新的特色正在逐渐形成。我校的科技教育在上海市名列前茅，获得了诸多奖项，并被评为上海市科技特色示范学校、上海市头脑奥林匹克特色学校、中国创造学会创新实验基地。

学校开展的特色科技教育项目主要有头脑奥林匹克活动、格致科技节、机器人教育活动、创新教育等。

1. 格致中学头脑奥林匹克（OM）活动

头脑奥林匹克活动是一项非常适合青少年学生开展的创造性活动，值得广大科技辅导员用心去投入、去普及。让我们都来关心、支持头脑奥林匹克活动，使我们的学生更具有创造力。

我校从 1993 年起引进世界级的创造力竞赛——头脑奥林匹克，至今已有十多年。经过师生的共同努力，在市级 OM 各类项目竞赛中共获得第一名、第二名、第三名多达三四十次，并先后两次代表中国赴美国参加世界决赛。学校于 1997 年被评为上海市第一批头脑奥林匹克特色学校，至今一直保持着这个荣誉。

作为头脑奥林匹克特色学校，学校每年组织数支学生队参加 OM 竞赛，不断有新学生充实到 OM 的大家庭中。与此同时，我们还注重 OM 后备队伍的培养，积极组织学生参加上海市 OM 擂台赛和 OM 万人大挑战活动，学生多次获得金擂主、金擂奖等荣誉。OM 队伍的不断壮大，保证了学校 OM 活动的蓬勃开展。

通过这十多年头脑奥林匹克活动的开展，我校科技队在市内比赛中也获取了很好的成绩，为学校争得了荣誉，这也是对我校坚持开展科技活动的一种肯定。但更重要的是，科技队的队员们在创造能力、实际操作能力和获取利用资料的能力以及乐于合作的团队精神等方面都得到了很好的训练与发展。他们学会了交流和分享信息、创意及成果，在欣赏自己的同时，也学会了欣赏别人。

总之，头脑奥林匹克作为一项培养学生创造力和创新思维能力的活动，跟我们的办学特色不谋而合。它的内容和形式都符合素质教育的要求，不仅丰富了学生学习科学技术的内容，更使学生迅速提高了技术能力和创新能力，有利于促进青少年全面素质的提高。学校在引进项目之初就将其定位在普及的层面上，旨在让更多的学生从活动中受益。该项活动以其独特的魅力，深深吸引了广大学生，使我们的学生更具有创造力。

### 2. 格致科技节

学校一年一度的科技节，活动内容丰富，每年根据不同的形势有不同的内容，举办各类“徐寿”杯科技竞赛，如机器人比赛、光电寻迹小车比赛等，举行学生创新作品展览和专利作品展览。热闹非凡，在学生中反响很好，很受学生欢迎。

### 3. 机器人教育活动

20 世纪 80 年代是 PC 时代。90 年代是 Internet 时代。21 世纪是机器人时代！未来世界是机器人世界！

学校开展机器人教育活动已有十年，每学期都开设机器人选修课，每年都组织学生参加各类机器人比赛，多次获得上海市一等奖，并于 2001 年被选派到美国（代表中国）参加比赛。近年来学校学生获得的有关科技竞赛项目奖项主要有：

2001 年机器人灭火比赛一等奖；
2001 年机器人驱逐赛一等奖；
2002 年机器人灭火比赛二等奖；
2002 年机器人论文比赛二等奖；
2003 年机器人灭火比赛二等奖；
2004 年机器人灭火比赛二等奖；
2005 年机器人灭火比赛三等奖；
2006 年机器人世界杯“机器人搜救”二等奖；
2007 年机器人世界杯“机器人搜救”二等奖；
2008 年机器人世界杯“机器人舞蹈”二等奖。

通过亲手装配、实验、编程和实施机器人项目以及参加机器人比赛，设计自己的机器人伙伴，参加比赛的学生获得了发自内心的快乐，并且增强了自信心，提高了综合能力，更重要的是，通过机器教育活动，学生们敢于面对新的挑战。

### 4. 创新教育

我校自2005年开始开设“创新学”课程，除了讲授创新思维和创造技法以外，还讲解宣传知识产权基本知识，在师生中开展普及知识产权教育，形成了尊重和保护知识产权的良好氛围。

“创新学”开设以来，每年学校学生的各类创新方案都有2000多项，现已申请专利的有近300项，并在上海市“飞利浦杯”青少年专利评比中获金奖和银奖。邓蓓佳同学积极参加各类科技活动，在两年的时间里共获得19项国家专利，并于2009年获得上海市“飞利浦杯”青少年专利评比发明金奖。由于科技成绩突出，2009年3月邓蓓佳同学被美国加州大学录取并获全额奖学金。张勇同学在我校读书时积极参加头脑奥林匹克、机器人、电子技术等各类科技活动，提高了动手能力，打下了扎实的基础，在大学一年级参加全国大学生单片机制作比赛获得一等奖，大学一年级就被保送攻读研究生，全国仅此一例。

“创新学”已经把创新的种子播撒在学生的心间，使学生们认识到创新对一个国家一个民族的重要性，掌握了创新思维的方法，了解了创造技法，提高了创新意识。因此，开设创新学的意义将会是深远的。

时代在发展，时代呼唤创新型人才。为了适应时代发展的需要，全面推进素质教育，培养青少年的创新精神和实践能力，培养创新型科技后备人才。学校以教育部等中央五部委联合发布的《中国青少年科学技术普及指导纲要》为指导，将创新精神和实践能力的培养贯穿于科技教育活动的全过程，以学生为本，深入开展科学思想、科学方法、科学知识、科学精神四位一体的科技教育，努力争创科技特色，力争成为能体现上海国际大都市形象的，在本区、本市乃至全国具有品牌效应的现代化学校。

## （五）艺术教育：修养陶冶

随着课程改革的进一步深入，如何在现有的艺术教育模式下打造我校精品文化，体现我校传承与创新理念，是我校艺术教育一直都在思索的问题。近几年，学校在艺术教育上有了很大的突破，从培养学生丰富内涵到挖掘学生积极创新精神，使更多的学生参与到艺术活动中来，大大提高了学生投入艺术的热情。

**1. 充分利用学校丰富的资源，形成个人特色的课堂教学，呈现多元化的艺术课堂教育特点**

美术课程中设置了“传统文化介绍”的学习模块，在“传统艺术欣赏”学习模块中设有书法、篆刻内容，在“现代媒体艺术”学习模块中设有古代服装的内容，而这两块内容都融入了“传统文化介绍”模块中，以加强学生对中国传统文化的认同和理解。同时，课程也注重体现美术学科在理论方面的新动向，如强调美术的人文性质，重视美术与生活、美术与文化的联系等。课程还关注了美术创作活动中观念、材料、方法和技术方面的新发展，如在“传统艺术欣赏”学习模块中加入了自己动手制作的内容，导入了现代艺术观念和环保的意识。“才艺综合素养”作为我校校本研修的拓展课，更是充分发挥青年教师的特长，利用教师自身丰富的舞台经验，从舞台表演、声乐、主持和朗诵这几个方面，把学生从以往的知识接受者变为积极主动的参与者，使学生增强了舞台表演的自信心。

**2. 积极开辟第二课堂，建立适合各类学生需求的艺术团队**

学校有为艺术特长生提供的高质量的专业团队，如民乐队、弦乐队、爵士乐队等学校重点团队，这些乐队聘请了著名指挥来校辅导，学生们在这些专家的指导下了解了系统而又严格的专业知识，这对提升他们的艺术修养是一个很大的推动，这些学生也把他们所学到的专业知识的优势在艺术课堂教学中发挥出来。近几年学校又相继开设了适应当代学生需求的踢踏舞、街舞和音乐剧社。这些与时代接轨的活动一经推出就受到了学生的普遍欢迎。在第二课堂音乐剧选修中，学生进行进一步的深化学习。从自由选题、获取知识信息资料，到处理、讨论、探究、交往创造、排练演出、交流、展示成果等，都提出更高的要求。学校还邀请上海戏剧学院的老师为学生们进行专业上的进一步辅导。而在教学设计上，采用将工作细化，分成多个小组，以小组为单位，分成不同的部门，完成不同的任务的形式。共同活动中教师与学生之间是相互尊重、相互理解、相互促进的关系；学生与学生之间是团结友爱、互帮互学、取长补短的关系；学生和集体之间是鱼和水的关系。要让学生喜爱自己的团队，认识到自己是团队的主人，对团队负有不可推卸的责任，更重要的是要通过教学活动让他们学会如何更好地与他人协作、沟通、表达，从而全面地提升个人素养。“创新”二字在音乐剧教学中占有主导地位，可以说创新是一切发展的动力。所以，在音乐剧课堂教学和课后实践中都努力为学生创设一个有利于群体交流的开放的活动环境，通过合作讨论，引导学生进入积极研究和自由探索的状态。

表 8　学生参与创作音乐剧的各项数据

| 时间 | 音乐剧名称 | 剧本来源 | 音乐创作 | 舞台布景道具制作 |
| --- | --- | --- | --- | --- |
| 2006 年 | 我心飞翔 | 学生改编 | 0 首 | 6 件 |
| 2007 年 | 快乐王子 | 学生改编 | 6 首 | 15 件 |
| 2008 年 | 爱，被爱 | 原创 | 25 首 | 8 件 |

### 3. 组织各类艺术活动，传承文化艺术，激发学生创新精神

学校每年还举办各类艺术活动。每年 5 月的学生艺术节是面向全体学生的艺术展演舞台。在为期一周的时间里，既有“格致之星”综合才艺比赛，也有学生歌唱比赛、艺术知识大赛、辩论赛等一系列由学生自发组织的艺术活动；每年的年底是学校的新年音乐会，旨在推广高雅音乐；其他还有“麦新”杯合唱比赛，这是以班级为参赛单位的艺术活动；另外还举办一些单项的比赛，如钢琴比赛、书画比赛、剪纸比赛等，从比赛中挖掘各类艺术人才，同时也为学生创造了各个层次的艺术实践活动。通过艺术活动，学生的各种艺术创造能力也得以展现出来。如剪纸艺术，随着时代的发展，艺术家运用传统剪纸的方法，采用新的

材料来创作新时代的题材与内容，这本身就是艺术的再次创新。因此在课堂教学中，我们鼓励学生利用传统的方法，创作表现他们身边的题材的剪纸作品，不仅让学生体验了剪纸的过程，也激发了他们的创新精神。

# 第五章 格致教学

我校素以自然科学见长，严谨教风是格致人一以贯之的优良传统。今天的格致人在继承传统的基础上，更加注重人文和自然学科的整合，在保持严谨教风的基础上不断探寻教学智慧，努力打造智慧课堂。

## 一、格致教学的传统

我校素以教学严谨、学风扎实著称，其教学特色继承了自1874年格致书院建立以来的优良传统——科学教育见长、注重培养能力。这种教学特色和传统是格致文化在教学中的渗透，也是我校能在教学中取得丰硕成果，始终走在前列的重要基础。

### （一）突出自然科学的教学特色

我校的前身是格致书院，其建立之初就不同于旧式书院，而是致力于系统传播近代科学知识，造就科技人才。“格致”即“格物致知”，强调只有反复思考推究，才能明了“物之本末，事之始终”，指明了格致书院读书、做学问、认识事物、认识世界的基本原则和方法。用“格物致知”的精神与方法去学习，掌握“格致”诸学（近代中国称自然科学为“格致学”），为国为民尽责尽力，这就是格致书院创始人以“格致”二字为书院命名的主要原因。格致书院从建立初始，就强调科学思维、科学方法和科学精神。

格致书院的教学内容以西方格致之学为主体，兼及经济、政治、时务、文化教育等经世之学。格致书院的课程类目主要有六：一是矿务，二是电学，三是测绘，四是工程，五是汽机，六是制造。这六类专业，皆以数学为基础课程，在精熟几何、代数、三角等学说的基础上，才可研习专门功课。格致书院的教学方式也比旧式书院有相当的开拓，除了采用书院的讲解答疑式教学法外，还从西方引进了公共讲座制和分班制等新的教学形式以及参观、实验等直观教学法，形成了一套以自学为主、以讲授为辅、以科学实验和演示为重要教学手段的教学模式。格致书院在教学上有一系列创新，很早就有了公开教学活动。《格致汇编》

第二年第五卷就曾记载了光绪三年五月十九日（1878 年 6 月 29 日）美国传教士 C. W. Mateer 讲解电学原理的课堂实录。听讲的有五十多人，课上做实验演示，引起了学习者的广泛兴趣。在格致书院，不仅外籍教师上课受到学员欢迎，华籍学者的课也同样精彩。如书院主讲化学的教师山东蓬莱学者栾学谦，他的上课方法是一面讲解化学原理，一面进行化学实验。他在《格致书院教演化学记》[①] 一文中比较详细地记录了当时他在课堂上所做氢、氧反应实验的过程。格致书院一百多年前的一堂物理公开课，一堂化学公开课，都注重实验教学，注重科学的方法和精神，这在当时的中国是非常先进的。

### （二）突出能力培养的教学活动

格致书院除了要求学生在校学习科学知识以外，更重要的是强调培养学生学习的能力，主要表现在以下两点。

第一，格致书院保留了旧时书院的优良传统。旧时书院教学大多采用问难论辩式，启发学生思维，培养学生自学能力，提高学生学习兴趣。格致书院作为新式书院，保留了旧时书院好的传统，这比一般学校只是先生讲，学生听，呆板、生硬的注入式教学优越得多。

第二，“格致”方法和精神包含了自主学习的理念。科学发展的历史告诉我们，新的知识只能通过实地实验而得到，不是由自我检讨或哲理的清谈就可求到的。明朝大思想家王阳明的一个故事很好地说明了这一点。有一天，王阳明想依照《礼记·大学》的指示，从“格物”做起。他决定要“格”院子里的竹子。于是他搬了一条凳子坐在院子里，面对着竹子硬想了七天，结果因为头痛而宣告失败。所以，科学实验的过程不是消极的观察，而是积极的、有计划的探测。学生必须自主学习，自主探究，才能在科学的道路上前进。

---

① 参见：麦仲华．皇朝经世文新编［M］．台北：文海出版社，1972.

# 二、格致教学的发展

我校的学科教学一向保持了教学的高质量。随着教育改革的深入发展，素质教育的观念逐渐深入人心，我校提出教学的目标不仅是要保持和发扬“理科见长”的特色，还要注重学生各方面素养的提高，更要注重学生自主能力的培养，实现学生全面和谐的发展。因此，我校的教学重视培养学生基本的学科知识结构和学科思维能力，既注重学生基本素质和基础学力的培养，又注意学生多元智能和创造性学力的开发。因此，我校提出了教学改革的重点——“激活思维，自主发展”。

## (一)“激活思维，自主发展”的提出

我校提出“激活思维，自主发展”的理念是对学校传统教学特色的传承。自格致书院时期起，我校教学就体现了重视科学思维和精神，主动学习的特点。此后，这一优良的教学传统一直得以继承和发展下来，构成了学校文化的重要组成部分，同时也是学校教学实现和谐发展、理科见长特色，实现学生全面和谐发展的重要保障。

我们认为，思维是一种探索和发现新事物的心理过程。学生学习新知识，必定要激活其思维，才能在学习中发现问题、分析问题并解决问题。自主发展则是充分发挥学生的主体性，开发学生的潜能，使之成为学习的主人。激活思维与自主发展是相辅相成、相互融合的。激活学生思维，让学生掌握科学的思维方法和过程，能够给予学生学习方法论上的指导，让学生有能力去自主学习，并取得良好的学习效果；而学生自主学习、自主寻求发展，必然会激活其自身思维状态，使其保持积极良好的学习势头。此外，提出这个理念也符合学生发展的特点和要求。15—18岁的高中学生处于青年初期，他们在身心发生巨大变化的同时，在思维方式和实践能力方面也存在巨大的创造性潜能。许多研究表明，处于青年初期的高中学生，创新意识强，敢于标新立异，思维活跃，受传统的习惯力量束缚较少，敢想敢干，不怕权威。这一时期是激发每个

人身上的创造潜能的大好时光。因此，“激活思维，自主发展”符合学生发展的特点。

1997 年，我校初中、高中部脱钩，学校只保留高中部，由此带来学校生源质量有所下降的问题。学校开始关注课堂教学的实验和改革，期望通过教学中对学生思维能力的培养，提高其学力，通过自主学习促进其自主发展。其做法是：以“激活学生思维”为切入口，以小学科为突破点，逐步“以点带面”，在各个学科推广开来，使“激活思维，自主发展”成为整个学校教学的理念核心。经过几年的教学实践证明，激活学生思维，实现学生自主发展是正确而有效的。

### （二）“激活思维，自主发展”的特点

我校在围绕“激活思维，自主发展”这一理念进行教学实践时，表现出了“精、活、实”的教学特点。即在课堂教学的各个环节落实“激活思维，自主发展”的理念，做到教学的精致化、互动性和实效性。

#### 1. “精”

我们提倡课堂教学的“精”可以从三个方面来体现。

第一，备课精细。教师要做到“四备”，即“备教材、备学生、备教法、备作业”。学校规定 35 岁以下青年教师要写出书面的备课详案。教案或教学设计要符合以下几个方面的要求：①有适切的教学目标；②有主要教学内容和重点、难点；③有切合学生实际的教学方法（过程）的设计；④有作业布置，包括对不同层次的学生的差异性要求，并要求教师课前对实验及作业应演算正确；⑤教学后有反思及对策。教案应体现教师本人教学上的风格和特色，防止出现一味照抄教学参考书的现象。所以，备课一定要全面而精细，要融入教师本人的理解，体现教师本人的教学风格和特色，做到备课精细化。

第二，内容精要。课堂必须是经过精心设计的，表现在：教学内容

安排合理、合适、精良、精彩；导学艺术运用得体、得法、自然、精巧；课堂情境设计恰时、恰当、精到、精妙。课堂教学是学生获得知识的主要阵地，然而课堂教学的时间总是有限的，只有精心设计课堂，让学生在课堂上获得最大发展，才能提高教学的实效性。教师应注重教学目标的全面落实，教学流程应符合科学性、适切性、灵活性、创造性的原则。教师应注重启发学生思考、探究、合作学习，创设良好的课堂教学情境，有效调节学生的学习心理。课内教师应精神饱满、情绪稳定，关爱学生，形成师生互动的良好教学氛围。

第三，练习精当。课后练习、作业的布置应体现必要、适量和精选的原则，切实帮助学生巩固和理解课堂上所学的知识和技能。美国许多学校的教师已经注意到，为了给更多的孩子创造成功的机会，就必须改变传统学科作业的形式和内容，他们相信获取最好成绩的办法就是给予作业一种新的概念，他们创造了一种“贴近生活”的作业形式。教师要求学生在生活中寻找有关学业课题，独立完成既适合自己水平又与自己生活环境贴近的研究，这种作业有利于培养学生的自信心和成就感，学生可以通过作业发现社会对自己正在学习的知识的需要，从而对作业产生一种更为积极的态度，认识到今天在学校里的学习就是为将来生活所作的准备。格致中学在全面推进研究性学习的活动中，提倡“长作业”的做法。所谓长作业，与美国教师要求学生在生活中选取课题展开研究的做法有某些相似之处，但两者各有特点。长作业，应该是课堂教学的延续，是课业学习的进一步发展和深入。

作业设计的原则是“练以致用，举一反三”。应引进现代教育理念，全方位地改进作业的设计策略与训练内容，形式上追求活泼多样，内容上体现个性化、生活化与社会化，以程序性自主学习为主线，以师生人文信息互动为主体。

2. “活”

第一，课堂教学一定要加强互动，激活思维。“互动”是加强过程教学的一个重要环节。课堂上一定要互动。互动体现在学生与学生、学生与环境、学生与教师之间。从教学模式和课堂结构来看，应以教师为主导，学生为主体，变单向的信息传递为双向式、多向式信息传递与交流。整节课中尽可能发挥学生的主观能动作用，最大限度地调动学生自主学习的积极性和主动性，突出学生的主体地位，只有让学生主动学习、独立思考，才能使得每个学生牢固地掌握所学知识，并获得素质的提高。学生的能力、情感等素质不是单纯靠教师教出来的，而必须通过学生积极主动地活动，参与到整个教学过程中，才能获得提高。所以课堂教学必须注重学生的积极参与，要激发学生积极主动地学习。

“教师是火种，学生的头脑是火把。”老校友杨福家先生曾这么评价学校的课堂。这个比喻形象地说明了课堂上的师生互动激活了学生思维，激发了学生学习兴趣，思维的火把熊熊燃起，使学生在课堂上取得了巨大收获。

第二，课堂教学要面向学生生活实际，联系生活。新课程改革的重要特征之一就是面向学生的生活，表现在：不仅是在教材里加进具有时代性的、贴近学生生活实际的东西，更重要的是依靠教师，通过具体的课堂教学来沟通教材的普遍性知识与学生各具特殊性的实际生活，来达到面向生活的目的。课堂教学面向学生生活实际，强调学生通过自身的活动和探索获得直接知识。关注生活体验就是引导学生从自己亲身的观察、接触和经历中，接受、筛选、加工和处理相关的信息，从而获得自己独特的知识积累。譬如，数学课堂中的应用题研究“公交车如何设计开门、关门的方式更节省时间”等与学生生活实际相联系的问题，激发了学生的学习兴趣，形成了积极探究的学习方式，取得了良好的学习效果。

#### 3. “实”

“实”就是课堂教学一定要扎扎实实，并能取得良好的实效性。近年来，各种教学理论流派纷呈，对学生的发展也不断提出新要求。但是不管怎样，落实“双基”，切实让学生牢固掌握基础知识，获得基本能力，这应是最根本的、最该坚持的。中小学教育就是要为学生的终身发展打下坚实的基础，所以课堂教学一定要落到实处，切实培养学生的基础知识和基本能力。基础知识强调的是知识结构，而不是知识点；基本能力则主要体现为一种“自我教育力”，即把学生的学习兴趣、爱好、态度和体力、思考力、判断力、表现力、创造力等基本要素综合起来的一种学力。这种“双基”的落实，是学生实现终身学习、自主发展的重要保证。

### （三）“激活思维，自主发展”的践行

“激活思维，自主发展”的理念带动了很多直接着眼于培养学生创造思维能力，引导学生思维发展的课题研究和教学实践。我校各个学科都在教学研究和实践中践行这一理念。

#### 1. 课题研究

我们认为，如果一切教学活动都以书本为经典，以教师的讲解为准绳，那么学生就不可能用批判的眼光去观察周围的世界，去比较、分析、综合、归纳、反思所获得的信息和联想有关的信息，也就不可能有新的见解和新的创造。

科学的教学，不仅要使学生获取科学和技术的基础知识，了解关注这些知识在生活、生产和社会发展中的应用，更重要的是激发学生对科学和探索未知的兴趣，树立创新意识和探究精神。强化学生的自主学习意识，这是培养学生创新精神的起点。苏霍姆林斯基曾经说过：“在人的心里深处有一种根深蒂固的需要，这就是希望自己是一个发现者、研究者、探索者。”德国教育家第斯多惠说：“一个坏的教师奉送真理，一个好的教师则教人发现真理。”我国也有“授之以鱼，不如授之以渔”的说法。“激活思维，自主发展”就是要通过让学生掌握自主学习策略，使学生真正成为“学习的主人”。

人的创造力，其核心是创新思维。培养学生的创新思维，发展其创造能力是现代教育的出发点和归宿。在高中英语教学中开发学生的创新潜能，让学生更好地掌握英语这一开启和引进世界先进文化、先进科技

的交际工具，具有十分重要的现实意义。我校英语学科的市级课题“在高中学生英语教学中培养创造思维能力的探索与实践”，提出英语学科是培养创造性思维的重要学科，教学的主要任务不是积累知识，而是发展思维——努力培养学生的英语创新思维能力，使学生跃出教科书框架，学活书本，从而使学生在掌握和运用英语时变得更聪明，更好地掌握这一国际性的交际工具。创新思维不是天生就有的，它是通过学生的学习与实践而不断培养和发展起来的，因此外语教研组从“合作互动，活化课文，拓展创新思维”、“立足双基，精心设置学案，激发创新思维”、“课堂中巧设疑问，引导创新思维”、“反思中不断改进教法，开发创新思维”、“坚持对学生进行积极评价，鼓励创新思维”五个方面入手，培养学生的创新思维。

物理学科则研究了“中学物理思维引导课堂教学模式”。思维引导课堂教学模式就是试图通过成功的思维引导来体现“教”字的优化，使学生在学习物理知识体系的过程中领悟学法精髓，掌握思维方法，培养全面素质，达到会学物理的高目标。由此提出的教学要点是：①须在吃透学生现有的学识水准和思维水平的基础上再进行思维引导的设计；②思维引导的教学设计中要非常重视能持续激发学生学习动机的情境创设；③思维引导的教学设计要在突出重点、整体设计的前提下，追求“一帆风顺”的理想境界；④成功引导学生思维，要分层组织、精心设计思维阶梯；⑤成功引导学生思维，应按秩序设疑、质疑、解疑、寻疑，以求步步深化、细化、固化、内化；⑥成功的思维引导，必须坚持双向互动、活跃思维的准则。

此类旨在研究在课堂中培养学生思维能力的课题，在我校很多学科中都在进行，使我们比较系统而理性地认识了思维能力的培养与学生自主发展的关系。

### 2. 教学实践

各个学科的教学实践都贯穿了“激活思维，自主发展”的理念。数学学科倡导“一题多解”，提出从“导学、激活、能力、探究”四个方面指导数学教学，提高学生思维品质。即教师对同一个数学问题从不同角度引导和启发学生进行思考，进而在所学知识范围内提出不同的构想和解法。在日常课堂教学过程中，教师应有意识地针对一些典型例题开展“一题多解”活动，这样不仅可以激发学生自己解决问题的热情，突出学生在课堂教学中的主体地位，而且对提高学生的思维品质、培养学生的问题解决能力都是十分有益的。此外，数学课堂经常进行发散思维训练，以形成“头脑风暴”。

物理学科探索思维引导的教学模式，并注重在随堂实验教学中推动学生从实验出发形成物理概念。物理学科是以实验为基础的学科，学生的生活体验中有很多包含了深刻物理知识的事例，假如能恰当地使之转化为课堂情境，效果肯定是好的。课堂实验设计得好，就可以引起学生的兴趣，在冲突中纠正学生错误的前概念，帮助学生突破难点以加深对概念的理解。下面的事例充分说明了这一点。

教师用“如何利用下落的尺测人的反应时间”作为“自由落体运动”一课的课堂引入实验，迅速激发了学生的兴趣，使课堂从一开始就进入观察、思考、探究的气氛。从树上飘下的叶片比从树上落下的苹果落地时间要长，这是学生在生活中能观察的现象，但对于为什么是这样却往往很不清楚，有许多模糊的东西纠缠在一起，这就需要层层突破。

第一个问题：有哪些方法可以让完全相同的两张纸在空气中下落快慢不同？

让学生根据生活经验各抒己见，有的学生还上台演示了自己设计的实验——两张相同的纸，一张揉成团，一张平铺，落地时一快一慢，得出下落的时间和空气阻力有关。但具体是什么样的关系呢？这又是一个存疑点。

这时候教师做一个演示实验并抛出一个问题：外观相同的两个纸盒在同一高度下落快慢不同，可能是什么原因？

学生上台掂一掂分量，先落地的那个纸盒重，这个时候学生真是有点疑惑了，难道要重复亚里士多德关于“重的物体先落地”的结论？如何合理地解释上述两个实验展示的结果？学生的思维被有效地调动了起来。

教师拿出两个外观相同的矿泉水瓶，一个装满水，另一个装半瓶水，让学生猜测：让它们从同一高度下落，谁先落地？

学生的讨论十分热烈，当持几种猜想的人都坚持己见时，教师演示了实验（两瓶水几乎同时落地）。

于是，一个关于物体落地快慢的较为完整的想法出来了：影响物体下落快慢的因素有两个——重力和空气阻力。当空气阻力相对于重力可以忽略不计时，只在重力作用下，所有物体的下落快慢是一样的。再用牛顿管进一步证实这一想法，播放1971年美国宇航员斯科特在月球上（真空，没有空气阻力）让一把锤子和一根羽毛同时下落的视频，让学生观察到它们同时落到月球表面，以此来对概念进行强化。

这样一套课堂系列实验，针对学生的思维障碍而设置，把学生可能存在的错误认识一个一个地加以突破，使学生有效并深刻地建立了新的概念。

语文学科的作文教学中注重多向思维训练。这主要是指一个题材多种文体训练。训练可从课文出发，在学习掌握了某一篇课文后，力求在主题相同、题材相似的前提下写成其他体裁的文章。如根据记叙文写作议论文，基于鲁迅的小说《阿Q正传》，学生们可以根据小说内容列出论题、论点，进而把这些内容合乎逻辑地整理成一篇以“辛亥革命时期农民的思想状况分析”为议题的议论文。训练也可以由教师命题，文体不限。不拘泥于一种文体的形式可以拓展学生的思路，为他们大胆想象架设平台。通过这类变通作文训练，既使学生把握了课文的深度，培养了写作的兴趣，又让他们拓展了写作思路，提高了写作能力。

化学学科注重培养学生的创新精神和实践能力。教师改变以学生单纯接受、教师传授知识为主的学习方式，为学生构建开放的学习环境，提供多种获取知识的渠道，以及将所学知识加以综合并应用于实践的机会，促进了学生积极的学习态度，使学生的聪明才智得到了充分发挥。

学生可以在没有条条框框限制的情况下，获得创造性学习的机会。学生探究问题的过程，就是他们进行创新思维活动的过程。

可以说，“激活思维，自主发展”的教学理念渗透到了我校各学科教学之中。每一学科都结合其自身特色，寻求激活学生思维发展的方法和策略，这在各学科的教学特色中均得以彰显。

## 三、格致学科的特色

我校一直很注重学科特色和学科教研文化的建设。我校的每个教研组都有一句格言，既体现了学科的特点，又充分展示了我校各个学科的教研特色。

语文：诚意　正心　传道　授业

数学：计数辨形　研学悟真

外语：融中西文化　行通才教育

物理：格物思理　合力超越

化学：变化中求发展

生物：春风甘雨育万物　格致基因出通才

政治：求真求实　真　优　美

历史：究天人之际　通古今之变

地理：经纬天地　格物文理

信息技术：致知于信息　科技中格物

艺术：让艺术照亮生活

体育：阳光体育　健康第一

劳技：劳动技术打基础　科技活动出人才

双语：通两语解惑　握未来先机

我校教学的学科特色是学科本身特色与学校教学文化的结合，是我校教学理念和实践的融合，体现了我校的鲜明特质。下面将解析各学科的风格和特色。

### （一）语文：精雕细刻，注重人文性和工具性的统一

我校的语文教学向来不乏名师，如老校长、特级教师高润华老师，特级教师钱伟康老师，学科带头人孙苏老师等。这些名师以其个人的教学风格和特色托起了学校语文学科的教学特色。

- **语文组格言：诚意　正心　传道　授业**
- **语文特级教师——高润华**

教学风格：精雕细刻。

教学格言：文以载道，文道结合。

- **语文特级教师——钱伟康**

教学风格：有趣、有用、谨而不拘、活而有序。

教学格言：一个教师的睿智，不只是惊起四座的精彩讲演，也不只是娴熟地解题和析疑，更在于由“教”向“不教”的潜心飞跃。

老校长高润华老师是我校语文教学中举足轻重的人物。今年已 76 岁高龄的高老师仍亲临教学第一线，给学生上课并指导青年教师的教学。所以，我校语文教学带有很浓厚的高老师的教学风格和特色。北京市教师进修学校孟宪伦老师曾将我国中学语文教坛颇有影响的几种流派作了总结，他认为高润华老师可算作“剥笋派”的代表人物。这种流派的特点主要表现在词语教学的精雕细刻和用词造句之精妙上。教师在教学中，往往从字、词的教学入手，然后一层层剥进去。大致可以经过这样几个阶段：查字典，了解字音、词义，组词、辨析，造句练习；通过对词语的讲解，对课文进行思考与分析。这样的教学，其长处在于让学生细细咀嚼，从中积累词汇，懂得用法，打下扎实的语言训练基本功。

语文教学要注重人文性和工具性的统一，两者不能有所偏废，课堂教学正是体现这一理念的载体。我校语文特级教师钱伟康就非常强调语文的人文性和工具性的统一，他所追求的语文课堂教学是“有趣、有

用”。语文教得“太死”不行，学生没兴趣；“太活”也不行，学生的听说读写能力没有受到有效的训练。钱老师曾经概括过八个字，叫“谨而不拘、活而有序”，或许可以代表他对语文教学的主张。而钱老师一直信奉的教学格言是：“一个教师的睿智，不只是惊起四座的精彩讲演，也不只是娴熟地解题和析疑，更在于由‘教’向‘不教’的潜心飞跃。”

费秀壮老师在课堂中很好实践了语文教学人文性和工具性的统一，充分重视感情因素，明确生命意识，激发学生的学习兴趣。费老师在总结自己的教学时写道：

充分重视感情因素，这里的感情，主要指具体教学过程、教学活动中的感情。语文教材中所选的篇目大多是文学性和虽非纯文学性但也带有很强的审美性的作品。例如朱自清的《荷塘月色》，是一篇极其优美的抒情写景之作。写荷塘，写月色，从从容容写来，似喁喁自语、娓娓坦露心曲，散发着沁人心脾的艺术芳香，皆可见其运用语言文字的能力及艺术表现技巧之高。然而作者为什么要写这些内容，又为什么用这样的方式、这样的笔调来写？原因在于作者要借此抒发一种朦胧的惆怅之情。作者因“这几天心里颇不宁静”，才下意识地“忽然”想起了荷塘，并且走向了月光下的荷塘。这是为什么？因为这里是“超出了平常自己”的“另一世界”。在这里，作者才感到是一个“自由的人”，“白天一定要做的事，一定要说的话”，“都可以不理”。于是作者极力地写月下荷塘的自然之美、纯洁之美、宁静之美、和谐之美，甚至由月下的荷塘而联想到江南采莲的旧俗——那热烈动人的情景，联想到《西洲曲》里的句子——那诱人的天真清纯的境界。这一切所含融的单纯、和谐与美好，正是作者所欣赏和向往的，与作者不得不想、不得不做、不得不说的生活着的世界恰成鲜明的对照。作者写这一切正是为了反衬自己对现实生活的惆怅，也是为了舒缓和排解现实生活所造成的惆怅。但作者对荷塘月色短暂的陶醉，究竟只像一个“笼着轻纱的梦”，所怀恋的江南采莲的旧俗，现在也“早已无福消受了”。在情绪的暂时慰藉之后，“猛一抬头，不觉已是自己的门前”，仍将要回到自己用“不宁静”

所表示的惆怅的“平常自己”的生活之中。

在这篇文章的教学中，不管用什么样的方式方法，只有教师自己并带动学生体味和捕捉住作者的感情脉搏，才能真正领悟到作者构思之妙、用笔之妙、行文之妙，才能使学生的审美能力和表达能力在无形的熏陶之中得到提高。

教学中要明确生命意识。在教学中，面对一篇教材，我们不能只把它看成一个静止的僵化的对象，而是要把它理解为一个活的生命体，而且这个生命体是作者在自己生命途径、生活经历的某一特定阶段、境遇、情境中的产物。我们要领悟的是其中体现的作者对人生、对世界以及自身生活的感受、体验、理解和认识，这种领悟就是我们和作者的对话。正是在这种对话中，我们（教师和学生）的心灵和情操自然地会受到陶冶和提升。只有在这种对话中，我们才能知道作者为什么会运用他所运用的方法、技巧、语言形式，从而学到活的知识。这里还有一个重要的前提环节：既然一篇作品只是作者生命途径中特定阶段和境遇中的产物，是其生命链条中的一个片段，那么，为了真正地理解这一作品，就必须对作者的整个人生、整个生命有所了解。

我校的教学始终贯穿培养学生思维能力、促进学生自主学习的理念，这在语文学科中也不例外。语文教研组尝试在语文课堂阅读教学中创设一定的问题情境，并进行感悟探究训练。自主学习的关键之一在于在学生头脑中引起兴趣和形成问题，问题能激发学生的求知欲望，指导学生的探究行为。教师所创设的问题情境，正是引起学生探究活动的重要外部条件。问题情境可以从以下几个方面设问：①在作品构思巧妙处设问。如小说《荷花淀》为什么不是通过写战火纷飞的战斗生活，而是通过写一群农村妇女来揭示抗日战争的伟大意义？②对耐人寻味的句子发问。如课文《中国古代建筑的格局》中有这样一句话：“在历史上固然有过许多光辉的创造、伟大的成就，最后却终于陷于形式主义，只能是处处似曾相识的庸人趣味。”对此可提问：对均衡格局的建筑，作者的评价到底是怎样的？③在激情增趣处设问。如在学生阅读课文后提问：你最喜欢文章的哪一节，为什么？④充分利用学生预习中的质疑提问。通过这一系列问题引起学生的学习兴趣，兴趣一旦形成，就会反过来激发学生在整个教学过程中进行自主创新思维活动。

自主学习的关键之二在于使学生具有感悟探究的能力。感悟是建立在理解和体会的基础之上的。理解和体会的关键在于学生的情感投入。学生的情感参与是有效学习的重要条件。教师通过创设问题情境，激发学生的求知欲，引导学生进入体验文本的过程并获得一定的感悟。探究就是在形成一定感悟的基础上鼓励学生围绕一个问题深入研究。教师指导学生寻求迥异的思考角度，不强求完全统一的答案，但可在此基础上进行优劣比较，寻求最佳。如关于课文《项链》的情节安排可提问：除了文章的情节安排，还可有哪些安排方法？体会全文，思考如果你是作者，你认为哪一种（包括课文中的情节安排）最佳？学生认真研读课文后，经过小组讨论，最后确定有五六种顺序。对学生的主动探索，教师及时进行鼓励，并请学生继续讨论，比较哪一种顺序最好，为什么。进行比较后，学生普遍认为原作顺序最佳，因为它符合人物性格特征。这类训练会让学生深入课文，在头脑中产生丰富的思维内容，从而培养他们的综合思维能力和创造性思维能力。在这种教学过程中，教师的主导作用是至关重要的，教师要适时点拨，鼓励存异。由于学生的认知水平各不相同，在阅读过程中的感受也不可能完全相同，因此教师的指点、鼓励势必会进一步激励学生主动学习的欲望。

语文阅读教学包括“读”、“议”、“结”三个过程。“读”即阅读，主要是教师钻研教材，摸准学生心理与思维障碍，理出知识重点，设计问题，引导学生阅读，学生则精读课文，整体感悟，把握课文主要内容。“议”即讨论，主要是学生交流阅读体会，教师相机诱导，鼓励学生深入探索，使学生思维始终处于活跃状态，并有创新思想产生。“结”即小结，主要是教师就所讨论的问题，对所要掌握的内容进行整理、概括，帮助学生求同存异，实现知识重组，形成新的认知结构。

此外，教师还在语文课堂写作教学中进行多向思维训练，其具体做法前文已有叙述，在此不再赘述。

课堂教学是学校教育的生命，也是一个优秀的语文教师的生命。出色的语文教师必须立足课堂，钻研业务，也需要跳出课堂，反思教学。进入21世纪后，中国教育界思想纷呈，学派林立，众色迷目，让人颇有无所适从之感。不过，语文教学理论虽然在不断花样翻新，但在纷繁的变化过程中，总有一些核心理念是不变的，即使有时候它们因为各种各样的原因而没有被正式提出。可以说，我校语文教学精雕细刻，注重人文性和工具性统一的特点，正是我们所要坚持的核心理念。

### （二）数学：激发思维，注重数学思想方法的培养

数学学科一直是我校课堂教学的优势学科，自1956年起，我校屡屡在全国、全市数学竞赛中取得了良好的成绩。数学学科也是名师云集，各有特色。

- **数学组格言：计数辨形　研学悟真**
- **数学特级教师——柴志洪**

教学风格：设置问题，激发学生思维；
启发提问，帮助学生思维；
创设情境，使学生乐于思维 。

教学格言：教书育人，身正为范。

- **数学特级教师——孙兆桂**

教学风格：讲课细腻，既注意思维过程的剖析，又重视证明、演算的完整。努力用学生易懂的语言来讲解数学 。

教学格言：“教师要坚守自己的讲台”，“每个学生都是可塑造的”。

- **数学特级教师——刘汉标**

教学风格：重视基础，因材施教，注重培养学生的学习能力。

教学格言：多接触学生，经常与学生沟通思想是搞好教学工作的重要环节。

由名师们的教学风格和格言可以看出，我校的数学教学很重视激发

学生的思维能力，注重数学思想和方法的培养。

有的数学教师提出在教学中要捕捉思维火花，训练直觉思维。直觉是一种无意识的思维，是一种不可言状的洞察力和概括力，它是创造性思维的一种形式。爱因斯坦认为，在科学的创造过程中，从经验材料到提出新的思想之间，没有“逻辑的桥梁”，必须诉诸直觉和灵感，“相信直觉和灵感”。伟大的物理学家牛顿曾说：“没有大胆的猜测就作不出伟大的发现。”在数学教学过程中，教师要积极鼓励学生大胆地猜测，大胆地假设，展开合理的想象，即兴回答问题；教师要教给学生捕捉直觉思维的方法，如即时记下思考过程中一些偶然出现的新异的念头，在解决问题时对脑子里出现的每一种想法要一一验证，不能轻易否决，要让学生尽可能多地获得一些解决问题的经验等。

有的数学教师提出要训练学生的发散思维，提倡“一题多解”。引导和启发学生对同一个数学问题从不同角度进行思考，进而在所学知识范围内提出不同的构想和解法。由于学生思维的发散性，教师要及时对学生的构想加以分析评价，帮助学生深入认识问题的本质，引导学生探索不同的解法。在日常课堂教学过程中，教师应有意识地针对一些典型例题开展“一题多解”活动，这样不仅可以激发学生自己解决问题的热情，突出学生在课堂教学中的主体地位，而且对提高学生的思维品质、培养学生的能力是十分有益的。

数学教学中还很注意学生学习方式的转变，提倡学生开展研究性学习，培养学生发现问题的能力，提高其分析问题和解决问题的能力。例如在“求函数 $f(x)=2x+1$ 与其反函数图像的交点”和“已知点 $(1, 2)$ 在函数 $y=\sqrt{ax+b}$ 及其反函数的图像上，求 $a$ 和 $b$ 的值”两个数学问题的解决中，学生提出了问题：原函数与反函数的交点是否一定在直线上 $y=x$ 上？由此，产生研究性课题，学生通过查资料，向别人请教，自己探索，获得了结论。培养创新能力最需要的素质就是：观察和发现问题的能力，独立思考解决问题的能力，与此相关的自学能力和动手能力，以及热爱真理、追求真理的积极性和责任感。学生在研究性学习过程中，培养了认真、踏实的探究精神，严谨务实的科学态度，不断追求的进取精神。这些研究体验就是以后创新的基础。

数学教研组一直致力于促进数学学科的发展，提出从“导学、激活、能力、探究”四个方面指导数学教学。①导学（学法指导）目标：会学、会问、会想、会解、会结（物色优秀学生代表进行交流、示范）。②激活（教法改进）目标：抓实搞活，使尖子生能自主发展，落后生能逐步提高。开展以年级、学校为单位的数学活动（基础知识竞赛、接力赛、提高性竞赛），调动学生的学习积极性。③能力（教学要求）目标：思维严谨、灵活；要继承传统，还要适应新课程改革，修订原有的教学目标。④探究（研究性学习）目标：有自己的思路与内容（长作业），多做启发、引导，希望取得实效。

总之，在数学学习和教学的过程中，教师通过对概念、定理、习题的个性化“再创造”，把学生置于发散思维的状态中，让学生主动地参与数学思维活动。学生在问题解决中，有意识地进行观察、思考、想象、猜测、探索，从而激发创新思维，进行研究性学习。这就是我校数学教学的特色。

### （三）外语：构建一支“协作，尽责，多元”的团队

- **外语组格言：融中西文化　行通才教育**

我校外语组现有在职教师17人，其中，高级教师9人，一级教师6人，初级教师1人，语音室管理员1人。组内有德高望重的老专家、我校的老教导主任林立勋老师，在他的关心、督促、帮助和指导下，组里的年轻教师们在不断地进步成长。老组长顾汉章老师也是兢兢业业，全身心地投入高中英语教学，为我们树立了榜样模范作用。中青年教师挑起了大梁，其中有黄浦区园丁奖获得者、区骨干教师马莹老师，区、市英语名师工作室成员詹玲老师。

“如何真正提高高中英语教学质量，切实改善课堂教学效果”是英语教学的核心问题。在整个教学过程中，教师应如何把握各个环节以达到良好的教学效果，这其中尤为重要的是课前准备和课后总结两大环节，也就是要做到“前思后想”。所谓前思，即课前准备（备课），主

要包括思教、思学生、思教法、思资料；所谓后想，即课后总结，主要包括记所得、记所失、思效果、想改进。

近几年来，我校外语组坚持以“研究英语课堂教学的有效性和培养学生学习习惯”为重心，以提高全组教师的专业水平和理论素养为目的，坚持新老携手，共同提高英语课堂教学水平。组里年富力强的青年教师脱颖而出，任云老师和朱跃隽老师都获得了区青年教师说课大奖赛一等奖、区青年教师教学基本技能大赛一等奖。教师们通过勤勤恳恳的工作，努力去实践，去达到我们的目标——融中西文化，行通才教育。组内每一位教师都已参加过出国研修，足迹遍及英国、美国、澳大利亚、新西兰、加拿大等，并带回了宝贵的学习经验。如今的我校外语组已找到了工作的支点，基本形成了“协作，尽责，多元”（CRD）的特色。

1. 协作（**Cooperation**）

我校外语组始终强调教师在做好自己工作的同时，要关注整个教研组的建设，全体教研组成员要上下团结一致，协调合作，为形成自己的教研组品牌而努力。高一、高二、高三三个备课组是构成教研组的基本元素，是协作基地。近年来我们极其重视备课组的备课协调性，坚持做到三个“统一”：统一资料，统一进度，统一打法。高考是一场讲究整体配合的大战役，发挥整体优势，集合大家的力量，是打赢这场战役的关键所在。高三备课组坚持板块分工：组长詹玲老师负责计划的制订、教学进程的全面调控，七位教师本着“一滴水只有放进大海里才不会干涸，一个人只有融入集体才有制胜的法宝”这条原则，既分工负责不同板块，又坚持团体战，好资料大家分享，好做法立即推广，好作文统一打印，众难点集体攻坚。为攻克英语写作这个难题，高三教师们从上百份试卷中精心挑选出适合学生的训练素材，整理出范文、好词佳句，制订计划，“功夫不负有心人”，学生的整体写作水平已有了质的飞跃。协作不仅在高三备课组生根开花，在高一、高二备课组同样也被视为一切工作的基础。每一次考试，教师每人出一个专题，一张试卷就集合了全组的智慧；每一节公开课，所有教师都去听，听完后集体研讨，再结合自己班的实际到本班去上课，将一节优质课延伸成很多节，最大限度地发挥了优质课的辐射带动效应。

2. 尽责（Responsibility）

每一位教研组成员都应该加强理论学习，认真学习教育理论，以此作为课堂教学的指导纲领，努力提高自身的专业和理论水平。结合学校校本研究，我校外语教研组重点开展了如何培养学生学习习惯以及提高英语课堂教学有效性的研讨，教师们在活动和交流中受益匪浅。同时，教研组内形成了重研讨、重实践、重反思、重责任的教研氛围。

“抓好教学常规管理，促进教学质量提高”是每一位教师的基本责任。我校外语教研组的每一位成员都能为自己确立一个品牌建设目标，负起一定的教研任务，分工明确，责任到位。如高一的教师们分块负责学生听力、词汇的提高。高二的每位教师负责本年级的英语拓展型课程，其中有极具特色的江柳老师的“雅思听力预备课程”以及“英语经典阅读”，她既要完成外语特色班的常规教学任务，又要负责“海文杯”、“世博英语”竞赛辅导。今年詹玲老师负责的高三“海文杯”、“科普英语竞赛”在区级和市级比赛中都取得了骄人的成绩。

教师的教学活动很大程度上决定着教学质量的好坏，而教学质量又与教师平时的备课有直接关系。因此，外语教研组一方面加强了备课的管理力度，随时督促，保证了备课质量，另一方面强化了校本教研的科研职能，三个备课组先后以“课堂词汇教学”、“课堂阅读提高”和“高三复习课教学策略”为主题，发起了教学研讨活动。组内教师责任到位，积极参与公开展示课的教学实践。此外，许多教师的科研论文都具有较高的质量，获得了各级嘉奖。

3. 多元（Diversity）

多元，首先是以集体备课为突破，建立高效、共享、反思的新型备课方式。不拘泥于教材，充分考虑学生层次的多样性。其次是以课堂观察为突破，建立互动、互助型听课方式。外语组分专题设置了如“提高解题能力”、“出一份好试卷”、“学说课”、“学评课”等不同项目。英语教育的关键在于激发学生的学习兴趣。外语组结合本校学生的特点，在高一和高二年级开展英语书写比赛、英语对话比赛、英语词汇量比拼等学科类竞赛，引入《空中英语教室》教材。通过这些多元活动，不仅激发了学生的学习热情，让他们体验到了英语学习的乐趣，同时也培养了学生英语的综合运用能力和表达能力，实现了英语学习的生活化，为学生提供了语言实践的机会和平台，深受学生欢迎。

### （四）物理：思维引导，学法差异

物理学科也是我校的强势和特色学科，我校物理教研组获得过上海市先进物理教研组、上海市劳模集体的光荣称号。原副校长、物理特级教师、上海市第一和第二届物理名师培养基地主持人导师庄起黎老师，在物理学科如何培养学生思维能力，让学生领会学习方法等方面作了大量全面而深入的研究。在他的带领下，物理学科的各位教师也积极探索着如何在物理课堂中激发学生思维，让学生乐、快、好地学习。为此，“思维引导，学法差异”就成了格致物理学科教学的特色。

- **物理组格言：格物思理　合力超越**
- **物理特级教师——庄起黎**

教学风格：崇尚思维能力的培养。

教学格言：追求超越，肩膀上长着自己的脑袋。

- **物理特级教师——方梦非**

教学风格：重视概念形成，开发实验功能；<br>抓住动态特点，培养多种能力；<br>穿插学法指导，实行滚动复习。

教学格言：最重要的是激发学生对新事物的好奇心理；<br>鼓励学生追根究底的求真精神；<br>培养学生处理实际问题时抓主要矛盾的物理思维方法。

如前所述，我校的物理课堂教学致力于寻求一种“思维引导课堂教学模式”。思维引导课堂教学模式就是试图通过成功的思维引导来体现“教”字的优化，使学生在学习物理知识的过程中领悟精髓，掌握思维方法，培养全面素质，达到会学物理的高目标。思维引导课堂教学模式的设计必须遵循化教法为学法，化教学过程为学习过程，改讲堂为学堂，变主演为导演的指导思想。只有这样，才能从根本上落实“以学生为主体”，完成“让学生会学物理”的高目标任务。“施教之法，贵在启导”，若能在对学生思维的启、导、疏、点、拨、引上深入研探，并将此服务于学，定能变“苦学”为“乐学”，变“要我学”为“我要学”，变“死学”为“活学”，变“难学”为“易学”，最终实现变“学会”为“会学”，不仅使学生掌握科学有效的学习方法和养成良好的学习习惯，而且使学生掌握获取新知、解决问题的思维方法和心智技能，真正达到变知识为能力、全面提高素质的目的。

**1. 切实把设问技巧在课堂教学中用活用好**

对于成功引导学生爱物理、会物理而言，教师能否掌握高效的设问技巧至关重要。庄起黎老师总结出两类设问：一类从课堂教学整体结构上所起的作用来划分，有引导性设问、承接性设问、检查性设问、释疑性设问、应用性设问和发展性设问六类；另一类就设问的艺术角度来划分，有激欲式设问、导向式设问、判断式设问、引导式设问、递进式设问、题变式设问、逆向式设问、联系式设问、探究式设问及开放式设问十类。

设问有优劣，设问有技巧，在设计问题时，要遵循以下几条规律。①设问的方向性要单一，目的性要明确。②设问要以旧知识为基础，简明扼要。③连续性的设问要一环扣一环，一问衔一问，问问深入，步步逼近问题的解决——既点出思维的起点，又展开思维的走向，同时也拨正思维的航向。④问题要有适当的难度，以学生跳一跳能摘到果子为恰当。⑤过难的问题可以化为连续性设问来提出。

为使教学真正达到双向互助、活跃思维的目的，要特别注意启发、引导、点拨学生思维时的恰时性、方向性和灵活性。或者说，教师应该努力做到“启在关键处，发在疑难时，引在上升点，导在要害处，点得时间恰当，拨得分寸合理”。

总之，教师若能合理设疑，巧妙设问，就能引导学生的思维走向成功，让学生在学习中不断享受到成功的乐趣，对物理学越来越感兴趣。

### 2. 切实传播科学家的科学精神、科学态度和科学方法

就中学物理教学的特点而言，教师应重视科学探究的方法，重视培养学生探究未知世界的意识、能力与智慧。我校物理组全体教师认为，若把科学家的思维与探索活动有机地融入到教学中，能使学生学到活生生的思维方式和探究方法，领略到科学家献身科学的真诚与可敬、追求科学真谛的求实精神、对待实验的科学态度以及科学发展的艰难与必然。

庄起黎老师认为，在教学中，至少可从以下六方面让学生获取“高价营养”。①不断地深入思维与探究是推动科学不断发展的源泉；②思辨是科学理论不断完善的必由之路；③科学的结论依赖于科学的思维与科学的方法；④求实求是的科学态度是科学健康发展的保证；⑤假设与设想是科学新知不断被发现的动力；⑥新的理论与实验成就都是建立在众多巨人肩膀上的辉煌成果。

可见，在教学中关注知识的来龙去脉和科学家们的研究过程是多么的重要！为此，教研组收集了不少相关材料以用于教学，不仅使学生切实感受到什么是科学精神、科学态度和科学方法，也提升了学生的科学素质。

### 3. 切实把物理思想方法传播给学生

物理学是一门研究物质基本结构和物质运动规律及其应用的科学，是一门运用科学的方法、科学的思维和独到的见解去进行观察与实验，并从中获得新知的带有方法论性质的科学。物理学的发展带动了科学技

术的发展，所以，物理学也是一门走在科学前沿的科学。

物理组认为：无论哪门学科，都要能完成以下的良性循环。

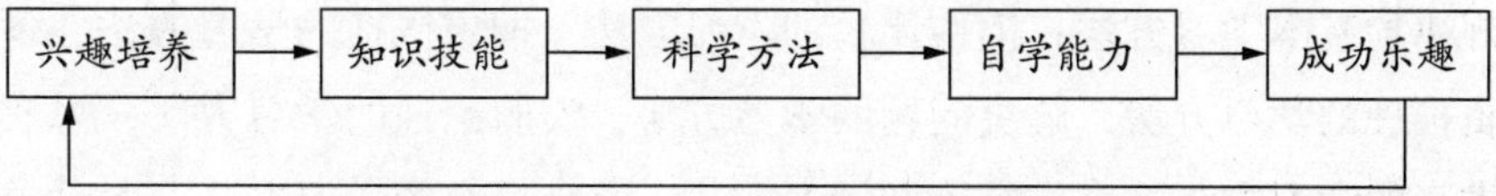


从以上的良性循环体系中可知，科学方法的培养是这一循环体系的突变口。

在长期的发展过程中，物理学形成了一整套行之有效的“实验、分析、研究、归纳、总结”的优秀的物理思想方法，这些思想方法不仅对物理学的研究与发展起了重要的作用，而且对其他学科的发展乃至社会的发展也产生了巨大的影响。因此，物理学曾被称为“自然哲学”，被誉为“科学方法论的典范”。在物理学科的教学中，切实加强物理思想方法的有效教育，正是宣扬物理观念的最佳手段。

我校物理组提出：要把物理思想方法融入到教学的每一环节中去。从教学的引入、展开、深入、发展到总结的全过程，从问题、思考、探索、释疑到新疑、深思、探研、明了的解决问题过程，从教师演示实验的高效益到学生实验的高成功率，从师生互动的共振度到生生互动的高质量等，都成为物理思想方法与设问艺术相结合的研究方向，一系列的研究成果使教学质量不断提高，竞赛成绩名列前茅，我校物理组在上海市的名气也越来越响亮了！

#### 4. 切实把多种学习方法传播给学生

科学思维方法的精华是让学生会发现问题，不断自问，并能自己解决问题。提高学生学习能力的核心是让学生真正具有自主学习和合作学习的能力。对于不同层次的学生，教师必须要区别对待，提出不尽相同的要求，给学生一定的自主权，但教师必须把多种学习方法传播给学生，以便学生能自主选择适合自己的学习方法——这就是我校物理组所推崇的学法差异。

关于中学物理学习方法，庄起黎老师早就提出了贵在“理顺”、高在“探究”、胜在“融通”的三层次理论。

此外，结合物理学特征来考虑，庄起黎老师提出了八种能体现学习规律的基本学习方法：模仿比较的学习方法，抽象概括的学习方法，逻辑推理的学习方法，解决问题的学习方法，实验论证的学习方法，思辨求真的学习方法，合作交流的学习方法，总结提高的学习方法。各种差别各异的学习方法既可以结合物理学的不同内容来选择，也可以由学生依据自身特点来选择，从而有效地培养学生自主学习的能力。

为了提高学生解决问题的能力，庄起黎老师在“一题多解”、“多题一解”、“一题多变”的基础上，总结出了通用性“题变”方法六种、探索性“题变”方法六种、创造性“题变”方法六种，共十八种“题变”的方法。庄老师的《利用“题变”来培养学生能力的尝试》一文集中论述了其中五种方法的运用，分别是：运用指向性“题变”方法培养学生的集中思维能力；运用辐射型“题变”方法培养学生的发散思维能力；运用递进性“题变”方法培养学生的研究探索能力；运用迷惑型“题变”方法培养学生的周密思考能力；运用复合型“题变”方法培养学生的综合分析能力。

我校物理组倡导互帮互学、互问互考，课内学生可以自主发问，课外应把共同探讨作为交流互补的最佳手段；倡导学生多做小实验和小制作，自告奋勇上讲台讲课，自编习题和试卷，敢于发明创造；倡导学生多看物理学史、科学家传记、科学新知识和新成就、科技发展史等方面的书籍和资料。

在物理思维引导课堂教学模式的探讨中，除庄起黎老师外，还有很多教师也在教学实践中注重培养学生的思维能力，重视学生的自主学习。如特级教师、教研组长方梦非老师，在针对性教学、有序化教学、专题化教学和分层教学等方面都取得了成果；区骨干教师李耀华老师，在培养学科资优生方面成果丰硕，有一套引导学生完成“兴趣—情趣—志趣”过程的方略以及高速提升学生自主学习能力、合作竞争能力和解决问题能力的方法；童松华老师提出并实施了“随堂实验教学是培养学生从实验事实出发形成物理概念，从而通过思辨上升为物理规律的良好思维习惯与思维能力的极为重要环节”的实验研究等。

总之，我校物理组是一个团结友爱、朝气蓬勃、合作互补、携手共进、个性张扬、敢于超越的集体，在这个集体中，讨论和探究是大家不可或缺的精神食粮，思维碰撞中的每朵火花都能使大家兴奋，每位教师的研究成果都能成为大家的“公有财产”，每次超越目标都能成为大家的共同心声！

### （五）化学：研究、反思、合作，聚焦课堂要质量

**化学组格言：变化中求发展**

我校化学教研组是一个团结友爱、积极向上的学习型和研究型工作团队，教学、竞赛双丰收，在上海市内有很高的知名度，被市教委评选为先进教研组，曾先后两次受到中国化学会的表彰。全组高级教师的比例高达83.3%，居全校之首。半数以上的教师先后参加过市、区两级名师工作室的学习，还有一名教师参加过骨干教师国家级培训。

近年来，全组坚持不懈地把主要精力放在“聚焦课堂，使教学效率不断提高”上，教师的专业化水平也不断得到提升。

#### 1. 以研究“反思性教学”为主题，“同课异构”，提高化学课堂教学的实效性

课堂教学是实施化学教学的主渠道，是培养学生化学素养的主要途径。认真学习现代化学教学理论，探索符合课改理念的课堂教学模式，提高化学课堂教学质量，生动高效地上好每一堂课，是化学组全体教师的共同目标。为此，我们以“同课异构”的形式开展主题研究。

以备课组为单位，大家同上一个教学内容，独立备课，采取“听课—评课—反思”的形式，探讨交流，共同提高。同时，与同行交流切磋，请外地的优秀教师“同课异构”，由名家点评，拓宽视野。

我校化学组邀请了武汉市两位学科带头人和我校王政华老师各自以“物质的量”为题开设三节研究课，同时邀请华东师范大学资深教授钮

泽富老师、上海师范大学博士生导师吴俊明老师、名师工作室的导师黄埔区吴峥老师和卢湾区童晓庚老师及化学同行参加听课、评课活动。专家对三位教师的实践精神给予高度赞誉，他们的课程设计各具特色，尤其是王政华老师以扎实的教学功底、严谨求实的治学态度和掌控课堂教学的智慧，获得了专家和同行的一致好评。

深入研究化学学科教学的理论与实践，不仅要探索学科教学的基本规律，更主要的是将理论转化为教改实践，在实践中升华理论。在做中学，在行动中研究，真正做到“以研促教”。娄华老师代表上海市参加国家级课题“聚焦课堂的研究”的“同课异构”课堂教学比赛，以全国教材中的《水的电离和溶液的 pH》一课为题，在课堂教学的实践中诠释课改的理念，获得了极大的成功。

### 2. 在各类研究课中提高课堂教学质量

坚持不懈的教学实践有效地保证了教学研究的实效性。教研活动对课程设置中的重点、难点、热点内容进行深入探究，立足本学科特点，教师们以化学实验为依托进行了系列的教改探索，将研究的重点分为以下两类：一类侧重探究化学原理；另一类侧重探究化工生产。如：陆静老师的“海水资源的综合利用”，娄华老师的“化学实验设计——工业纯碱的纯度测定”、“食盐中碘元素的存在形态的探究”、戴路茜老师的“氯水成分的探究”、“由几个简单‘化学实验’引起的思考”、“乙醇化学性质”，张燕老师的“化学发散性思维的培养”等。

陆静老师的“海水资源的综合利用”研究课，主旨是引导学生探究从卤水中进一步提取溴和碘的化工流程。课堂上气氛宽松，学生们在探究过程中充分发挥了各自的聪明才智，展示了自主探究的成果。本节课的教学设计是以学生的生活经验、在生活中感受到的问题与需要为中心，充分利用学生已有的前科学概念，发挥学生的主体地位，强调学生的亲身经历和参与，让学生进行体验性学习，并在实践过程中提高学生的问题意识，在解决问题的过程中巩固环保意识和可持续性发展观念，同时也在发现问题和解决问题的过程中形成积极的情感、态度、价值观。这些无疑是对“以人为本”的教育思想的诠释。

娄华老师的“化学实验设计——工业纯碱的纯度测定”研究课，把教学行为和理念融合起来，从学生设计的方案入手，以小组合作教学为中心，通过独创的“贴图”环节，为学生创设了发现问题、探究问题的氛围，其目的不是想要学生追求一个完美的标准答案，而是向学生传递发展性、多元性评价的信息，让学生在评价的过程中从多层面进行体验、反思、发现并力求解决问题，培养学生严谨的科学态度，并使他们感受实验科学的研究方法。

娄华老师的“由几个简单‘化学实验’引起的思考”研究课，通过教学情境的设计，即以对比金属镁分别与水、氯化铵溶液反应的不同点为铺垫，再实验金属镁与醋酸铵溶液的反应，成功地引起了学生思维上的强烈冲突，引发了学生思维上的共振。娄华老师在教学中及时捕捉学生思维中智慧的火花，及时应变，将教学引向高潮。本节课的目的就是让学生通过自己的实验和逻辑推理认识到：有时大家认为简单的问题，其实并不一定很简单；有时大家认为已经解决了的问题，实际并未完全解决；有时一些司空见惯的简单实验，表面上看似乎没有多少创新的余地，但是只要我们抱着存疑求真的态度，亲自动手去实践，或许可以从中获得意想不到的收获。这也是学习化学的兴趣所在。

我校化学组在市、区开设的教学研究课不仅引领了学科教学，而且具有一定的辐射作用。每到组内教师上研究课的时候，总有很多外区的教师慕名而来，甚至还有知名专家闻讯后主动要求亲临现场。我们开设的每一节研究课都是集思广益、集体智慧的结果，组内教师在研究、指导、交流中，共同发展、共同进步、共同提高，达到了教研活动的宗旨。

前瞻的理念，深入的实践，启发了很多同行。不仅互动交流活动频繁地在市内学校间进行（如与上海中学、卢湾高级中学等校的化学组进行教学研讨），还有远在深圳、新疆、四川等地的教师们纷纷前来考察、学习，并且亲历教学实践，其中深圳宝安中学的江老师以“元素周期律”为题上了一节学习汇报课，效果良好。

"送课上门"，实现资源共享，共同提高，合作进步，这是我校化学组的行动原则。我校化学组曹宙峰、戴路茜等老教师曾先后远赴新疆等地开设讲座，分享成果。组内的骨干教师经常在市、区的教研活动中作专题交流，并带教金陵、储能、格致三所初级中学的教师，不仅扩大了示范性高中的辐射作用，也提高了自身的教学水平。

2008 年 10 月，我校化学组还配合英国皇家化学学会访问学者 David Evans 教授在我校成功作题为"魅力化学—— Favorite Fascinating Chemical Reactions"的科学报告。报告之前，教师们仔细研究涉及的各个环节，报造过程中通过简单、有趣和富有震撼性的化学实验让听众领略到了化学科学的魅力。David 严谨的治学态度、深入浅出的讲解和英国式的幽默，博得了师生们的阵阵喝彩。

### 3. 重实验教学，重潜能开发，重课业评价

化学是一门实验学科，为了给学生营造一个良好的实验环境，学校对化学实验室进行了改造，改造方案的设计不仅继承了学校实验的传统，还力求有所改进和创新。改造方案贯彻绿色主题，符合人体工学原理，既适应全体学生化学研究性学习的开展，又适应资优生的提高型学习，从而为化学实验教学提供了物质保证。目前，我校化学实验室在上海乃至全国都处于领先地位。

在这么好的实验环境下，教师更多地利用实验进行教学，还开设了"生活中的化学"、"环境监测"等拓展型课程，深受学生欢迎。

化学实验室的李厚平老师积极配合教学，制作和改进了大量的实验教具。其中，"电解质溶液导电能力测试仪"获得了国家专利，并在全国首届实验创新大赛上获得二等奖。

"学生的头脑不是一个被塞满的容器，而是一个需要被点燃的火把"。尤其是对学科的资优学生，更要充分发掘其潜能。化学组十分重视培养化学特长学生，在实践过程中总结出了一套行之有效的培养模式。教师们将教学策略和方法设计成"三个阶梯渐进的教学模式"，设置三个不同层次的教学目标。帮助学生初步成为"独立的研究者"，从

激发学生对科学的“兴趣”，培养有疑可问、有疑可探的习惯和能力，到帮助他们提升科学态度和思维方式，培养立志投身科学研究的“志趣”、喜爱创新的“情趣”，并能围绕一定的问题或课题进行“自己学”，达到独立学习的层面。在教师们悉心指导和热情鼓励下，学生参加各级各类的化学竞赛，取得了丰硕的成果并荣膺了一系列荣誉。

评价也是有效提高教学质量的主要途径之一。除了关注课堂教学实践之外，化学组还在学生学业评价的关键环节——考试上作了一些研究，开展了以“如何科学命题”为主旨的研讨活动，这也是关乎教师专业素养的问题。以高三年级期中试题为例，全组共同研究，全程跟踪。程序如下：请命题教师谈命题思想。试题呈现，集体讨论，专家点评，修改预测，测试，反思。不仅命题教师有很大提高，而且大家都受益匪浅。此外，高一备课组还对如何使课外作业更有效作了探讨，结论是：共性作业关注学力，个性作业激发内力。教学相长，促进师生共同发展。

总之，我校化学组在研究、反思、合作中，正脚踏实地向着更高层楼攀登！

### （六）生物：实验探究，注重能力培养

**生物组格言：春风甘雨育万物　格致基因出通才**

我校生物组虽然教师平均年龄较小，但全组学历层次高，各位教师合力同心，坚持探索、研究和创新，学科近年来发展迅速，不仅平时成绩和高考成绩均出色，且在学科竞赛方面始终走在上海市的最前列。这是生物课堂教学不断改革所取得的成果。生物课堂教学从生命科学的角度对学生进行科学精神、科学素养、科学态度的教育，不仅使学生获得生命科学知识，更重要的是提高其科学思维能力，使其掌握科学的研究方法，并在对生命科学信息的认识与理解、表达与交流、实践与决策、预测与判断、探究与创新方面获得充分提高。

### 1. 注重生命科学素养的培养

在课堂学习中我校生物组教师非常注重学生生命科学素养的培养。在课程设计思路上，重视培养学生运用生命科学知识解决自身实际问题及生活相关问题的能力；强调学生学习方式的转变，培养学生主动独立的学习态度与吃苦耐劳的人格品质；注重培养学生对生命科学乐于探究、勇于实践的精神，激发其学习兴趣，为未来培养生物拔尖人才奠定基础。我们的目标是：让学生尽可能地“经历”、“体验”，发展实践能力、科学思维能力、收集和处理信息的能力以及合作学习与表达交流的能力，并掌握生命科学研究的方法和技能，能进行生命科学的探究活动，学会自主探究，初步锻炼自己的科研能力。

### 2. 强调学生学习方式的转变

我校生物组在教学中强化科学探究，提倡探究性、研究性学习模式，要求学生积极投入、亲身体验、主动探究。

在生物教学中，教师主动引导学生通过质疑、调查、探究等教学环节，帮助学生形成有效的学习策略，从而使探究性学习落到实处。教师注重以学生为本，变接受性学习为探究性学习，加强对学生的发展性学力和创造性学力的培养。例如在介绍细菌与病毒相关知识时，学生会对艾滋病病毒和炭疽杆菌产生质疑，这时我们会鼓励学生通过各种渠道获取信息，如病毒和细菌的种类、形状、结构、来源、感染渠道、传播速度、防治方法等。对于那些想进一步展开研究的学生，再引导他们在遗传、繁殖、代谢等机理方面进一步深入。

在课堂中穿插研究性学习内容，鼓励学生多“参与”、“体验”、“感悟”，使之运用科学的方法、科学的思维逻辑、多学科间穿插的理论来探究生命科学的本质，借助科学的实验方法与实验技能解决日常生活中发现的问题，进一步培养其合作学习、集体决策、共同探究的团队精神。在这一系列探究过程中，培养了学生的独立性、自主性，张扬了学生的个性和多方面的才能，促使学生的情感、态度、价值观进一步升华。以研究性学习作为基础，采用开放式、滚动式管理模式开发校本课程，则是更富有创造性的教学探索。

### 3. 关注学生自主学习习惯的养成

我校生物组着重引导学生运用相关知识解决问题，培养学生自主的学习态度和人格品质。

在教学中应充分利用生物学发展过程中的一些史实和生命科学最新的成果，与学生共同探讨科学家们是如何发现问题、研究和解决问题并最终得出结论的。在讲解遗传和变异时，可介绍遗传学的奠基人孟德尔，引导学生认真总结孟德尔在科学研究道路上成功的经验，并向学生及时指出生物学科与其他学科知识间的联系。其他诸如生物芯片、苏州河治理、生物的入侵和防治、垃圾分类、温室效应、城市生态环境与根治等问题，都可以在相关章节中插入并进行引申。这些内容的引入，足可以激发学生对知识的渴求。

科学的理论和研究成果往往是在逆境中产生的。科学创新意识的培养是建立在奉献甚至冒险基础之上的。“杂交水稻之父”袁隆平数十年如一日，在水稻扬花的中午，头顶烈日，做水稻去雄和授粉实验，为寻找几万分之一的雄性不育稻，可谓踏破了铁鞋，最终解决了国家的粮食问题。

创新思维的培养有别于其他。爱因斯坦曾断言：“创造并非是逻辑推理的结果。”因此，在教学中应有意识地培养学生的逆向思维和发散思维。例如达尔文是天主教教徒，却敢于向“神创论”挑战，创立了生物进化论。所以在教学中，生物组主张教师少一些灌输，多一些探讨，让学生尽可能地参与到知识的产生和发展过程中来，从而使学生从接受知识变为发现知识、更新知识、利用知识，以达到培养学生综合能力的目的。

### 4. 加强信息技术与生物学科教学之间的整合

生物教学强调逐步培养学生运用信息技术来获取、表达和处理有关生命科学的知识与信息，通过严格的实验训练逐步使学生能顺利完成比较复杂的观察实验、测定实验和验证实验，尤其是对拓展性实验和探究性实验能提出自己的见解，对于发现的问题能够自行设计实验进行验证，并结合信息技术对获得的数据信息进行充分的对比、加工处理，得出较完整的实验结论。

生物教学注重引导学生观察问题、发现问题，对自己发现的问题进行检索，充分运用网络查找资料，并根据实际情况不断调整思路，将研究过程中发现的问题放到网上开展讨论，在实践中提高自己的科学素质和创造性思维能力。

如生物教师李艳在“植物细胞的有丝分裂实验”一课的设计上，更新实验理念，认为教学中要突出师生互动、生生互动、人机互动，探索信息技术教育和学科教育之间的整合。其教学设计的主框架结构包括：对教材的理解，运用多媒体视频网络系统激发学生主动学习，进行“观察”、“对比”等科学方法的训练，以及关于创新思维能力的培养等。这种在教学过程中积极实施探究性学习、激发学生的思维和创新意识的教学设计，可以说是对以上生物教学理念非常好的诠释。

### 5. 极力推动学生的自主发展

生物教学中还特别重视学生自主动手、自主学习的能力，促进学生的自主发展。如放手让学生们自主设计实验步骤，以培养其创新能力。中央电视台曾来我校录制《异想天开》节目，主题是如何用植物来检测大气污染。如果直接利用一些现有的环境监测仪器是可以检测大气污染状况的，但利用植物进行检测就有些难度了。有些学生考虑观察植物叶片气孔开闭情况；有些学生考虑通过植物细胞渗透势的变化了解污染情况；还有学生利用物理知识，通过测定植物体内木质部上下两端电阻值的变化来检测大气污染。在近两个星期的摸索中，学生们尽管遇到了一些挫折，有些实验方法也存在一些欠缺，但是在整个过程中他们充分发挥了主观能动性，锻炼了实验设计能力，培养了自主创新能力。

生物教学正是因为贯彻了新课改的理念，非常注重挖掘学科内容和民族精神内涵，将民族精神教育和生命教育有机融入日常教学中，真正“以学生为本”，教学生怎样学习和怎样做人，把“将学生培养成为有历史使命感和社会责任感的人”当作教师的教育目标，才取得了教育教学水平不断上升的可喜成果。

## （七）政治：求真求实　真　优　美

- **政治组格言：求真求实　真　优　美**

我校政治教研组现有教师 8 人（其中政治教师 7 人，心理教师 1 人），是一支思想政治素质高、专业知识扎实、师资结构合理、乐于奉献、勇于创新的队伍。

### 1. 落实教学常规，提高教学质量

教学质量是学科建设的重中之重。政治组在学科建设方面，始终抓住质量建设不放松。各备课组注重集体备课，认真科学地制订教学工作计划和授课进度，每次备课活动做到备课程标准、备教材、备学生，定时间、定内容、定主讲人，研究重点、难点、知识点、思想教育及环境教育渗透点，研究教法、学法，使每次备课活动的内容充实而有实效，切实提高备课质量。

政治组不仅注重教师教学水平的提高，还注重对学生进行学法指导，使教育质量稳步提升。以往的政治教学，学生常常处于被动接受的状态，教师注重的是如何把知识、结论准确地传达给学生，学生只要全神贯注地听讲，把教师讲的记下来，考试时准确无误地写出来就达到了目的。这样的学习不仅窒息了学生的思维和智力，也在一定程度上打击了学生学习政治的兴趣和热情。所以，我们在课堂上努力探索帮助学生由“学会”向“会学”延伸，教学过程不再仅仅重视知识的获得，而更重视获得知识的过程和方法。任课教师不仅“授之以鱼”，更注重“授之以渔”。比如，杨娟老师在教学中总结了“选择题答题方法与技巧”、“材料分析题常见题型的解题方法”等经验。同时，我们还引导学生进行学法的探索，激发学生的求知欲。比如在高三政治教学中，学

生经过两年的政治学习已经掌握了一定的学科知识，复习阶段如果只是采取让学生被动接受的方式，不仅会加重学生的记忆负担，而且还会使学生厌倦。在教学中引导学生分小组自己动手梳理知识，探求知识间的内在联系，构建自己的学科知识体系，做学习的主人，这不仅会激发学生的求知欲，调动其学习的积极性，提高教学质量，而且还有助于学生培养自学能力、合作精神。

**2. 学习先进理念，强调教学创新**

传统教学把学生当成学习的客体，看成接受知识的“容器”，要改变高中政治教学方法，就必须彻底打破封闭、机械、以教师为主体的教学模式。有什么样的教学理念，就有什么样的教学。政治教学要实现创新，教师的教学理念必须首先进行转变。在教学过程中，教师应当着力引导学生参与教学过程，培养学生探究问题的能力，努力使学生在教学中成为探索问题、发现新知的主体。而先进的教学理念必须通过先进的教学方法来体现，为此，政治级组全组成员重视对现代教育理念的学习和实践，争做“课堂教学的改革者”，大胆探索教学模式，大胆尝试发挥学生主体作用的多种方法，并取得了很好的收获。比如，杨娟老师“师生角色互换，让学生成为学习主人”的教学方式，以学生为出发点，把学习的时间与空间还给学生，使学生变被动接受为主动参与，通过“过程让学生参与，新知让学生发现，问题让学生探究，情感让学生体验，成功让学生追求”的理念和设计，使学生真正成为学习的主人。近年来，政治组根据课程特色和教材内容，努力探索让学生参与教学，自主探究理论知识，促进学生的知识、能力、情感、态度与价值观发展的生动活泼的教学形式，在教学中采用案例教学、主题教学、体验式教学（师生角色互换、模拟法庭、模拟人大）、辩论、课题研究等教学模式，努力创造人人参与教学的氛围，激发人人参与教学的热情，提供人人参与教学的机会，展示人人参与教学的成果，取得了学科和竞赛双丰收的良好成绩。

### 3. 运用现代技术，增强教学实效性

我校政治组在重视对现代教育理念进行学习和实践的同时，也重视对现代教育技术手段的掌握和运用，并有效地进行了信息技术与学科教学的整合。

随着信息技术的普及，以多媒体技术和网络技术为核心的现代信息技术越来越多地被运用到教学活动中。怎样将现代信息技术更好地运用到教学活动中，提高课堂教学效率，优化教学过程，成为政治组教师研究的主题。

由何平、杨娟、潘燕雯三位教师共同承担的清华同方“运用现代信息技术实现思想政治课教学内容呈现方式变革和师生互动形式变革研究”课题，获全国教育科学“十五”规划重点课题“信息化进程中的教育技术发展研究”国家级教育资源库建设研究项目二等奖。同时，由杨娟老师制作的课件《资本主义国家的政党制度》发表在2005年12月第4期《中国多媒体教学学报》上。

运用信息技术等多媒体进行教学已成为政治组所有教师的基本功，所有组员都会制作课件并运用于教学中。经过几年的积累，几乎所有的课时都有了相应的教学课件，大大提高了课堂教学的效率，增强了教学的实效性，也为师生互动学习、合作学习、研究性学习提供了机会。

### 4. 坚持教学科研，提高教学效能

我校政治组在学科建设中，紧紧抓住教学研究这一提高效能的“牛鼻子”，着重开展了三个方面的工作。一是突出教法研究，提高教学技能，以最佳方法达成最佳教学目的；二是突出教育对象研究，提高教学的针对性，提高学生能力；三是突出时政研究，提高教师的学科敏感性，以最佳教学素材打造政治课堂的生命力。仅2008年一年政治组就有三篇教育教学科研论文发表。

比如，杨娟老师这几年一直致力于案例教学方法的研究，并撰写了教学论文《运用案例教学渗透情感态度与价值观教育》。她在多年的教

学研究中认识到，“师者，所以传道、授业、解惑也”，所谓“道”，不仅指学生学习的方法、做事的原则，更包含了学生情感、态度及价值观的养成。作为课程改革的实施者，教师在教学中必须关注每一个学生，在进行知识传授和能力培养的同时，注重培养学生积极的情感、态度与价值观，使学生获得基础知识与基本技能的过程，同时又是学生积极情感体验和正确价值观形成的过程，从而增强教学活动的吸引力，提高课堂教学的效率。为此，她在日常教学中，将情感、态度与价值观确立于案例教学目标中：“以境育情——营造和谐的情感氛围”，“以情唤情——熏染学生的情感世界”，“以趣激情——形成学生的情感体验”，“以情引理——确立学生的情感态度”，“情理交融——建构学生正确的价值观”。

案例教学的实践，使教师们深深地体会到，有目标、有计划、有意识、有步骤地将情感、态度与价值观目标确立于案例准备中，融入案例教学过程中，这不仅有利于学生知识的把握和能力的培养，而且有利于学生形成正确的世界观、人生观、价值观，为学生的终身发展奠定基础。

**5. 拓展教学空间，鼓励特色发展**

立足于让学生接触、学习更多的知识和技能，为学生的全面发展服务，我校政治组积极开发选修课程，编写校本教材，以形成学科特色，完善课程体系。其内容贴近现实生活，突出时代性、创新性、综合性、实践性。

近年来，政治组共开发了《经典哲学》（上、下篇）（教师版、学生版）、《当家理财》、《生命的灵动》、《中国——当代国际政治舞台上的一支重要力量》、《“邓读会”学习材料》（一、二册）、《时政风云》六套校本教材。有对中外人类历史瑰宝的学习，在生活中学哲学，引导学生用科学的思维方法看事物；有课本知识的延拓和深化，鼓励学生不满足于课本知识的学习，向更深层次知识探究；有社会热点问题的探究，开阔学生视野，培养学生的社会责任感；有跨学科知识运用的专题探究，给学生学习和生活上的心理指导、生命的关注，彰显“生命”本色，体现“生命”关怀等。

近年来，我校政治组基本上已经形成了具有政治、心理学科特点的课程体系。高一、高二开设了“经典哲学”、“经济学 &MESE”、“时政”以及“生活中的心理学”等拓展型和研究型课程，旨在培养学生学习的兴趣和拓宽学生的视野。在此基础上，学校还拥有邓小平理论读书会、经济学社团、模拟联合国社团和心理学社四个学生社团。其中，邓小平理论读书会和心理学社被评为黄浦区优秀社团。

**6. 重视个性规划，突出专业发展**

我校政治组教师在夯实内功的基础上，主动发展，突出个性，打造品牌，提升亮点。2008 年我校政治组成员在各自不同的领域施展才华，并取得了骄人的成绩。潘燕雯老师主持的模拟联合国项目在“2008 复旦大学全国中学生模拟联合国大会”上荣获优秀组织奖、参与奖；周健老师主持的中学生全球商业挑战赛项目在“2008JA 中学生全球商业挑战赛（中国区）”上荣获第一、第二名；印云亮老师主持的辩论赛项目在上海科普教育发展基金会和上海市青少年科技教育中心主办的“生态上海绿色家园”中学生辩论邀请赛中进入八强；杨娟老师指导学生在第五届上海市中学生时政知识竞赛活动中获得团体银奖和上海市个人一等奖，她主持的思想政治课案例教学模式探究 2008 年两次成功地进行了教学展示。

此外，我校政治组还发挥政治教师特长，积极配合学校党支部、德育处的工作，为全校师生举办时事辅导讲座。近几年，多次承担了党的“十七大”报告、党的十七届三中全会决议的辅导讲座工作，并承担了全校午会课时政热点新闻的宣传和评述工作，同时还积极开展以“民族精神”和“生命教育”为主题的教育活动（如人口教育、廉洁教育、国情教育等）。

我校政治组全体教师的无私奉献、爱岗敬业的精神，为学校的发展增添了浓厚的一笔！

## (八) 历史：注重历史思维、史料分析

**历史组格言：究天人之际　通古今之变**

在以理科见长的学校，历史学科并不是强势学科，但是它的发展有其自身特色，尤其作为“小学科”，很多课堂教学的改革和探索都是从它开始，历史学科对我校教学改革发展起到了重要作用。我校历史教学非常注重对学生历史意识和史论结合的思想方法的培养，注重史料分析，寓情于史，寓理于史，可谓是它的特色。

历史组教师积极探讨如何激励学生主动参与的教法改革，努力向“善于思考、勇于实践、勤于交流、乐于展现”的课堂教学氛围的目标靠拢。例如，在高一年级，进一步尝试在课堂上进行“问题教学法”的实践研究。每堂课前，教师预先设计好一个中心问题，然后让学生围绕这一主题展开阅读、思考、讨论，从而激发学生的学习兴趣，培养他们的历史思维能力，同时鼓励学生自己提出问题，供大家思考、讨论和解决，并把它作为对学生进行学业评价的一部分。

此外，教师继续在课堂上开辟5—10分钟的“历史小论坛”，对主题不作限定，让每个学生都有机会上台展示自己的才华。同时，依据不同的教学内容，每个章节所采用的教学方式也不尽相同。比如高一年级的教材，第一个主题“人类早期文明”以教师讲授为主，通过补充大量的史实资料让学生提炼抽象的概念，理解文明社会的标志以及文明与地理环境的关系。第二个主题“人类生活”涉及的内容广泛，而且贴近学生的生活，所以就以学生活动为主，让学生充分体会历史就在我们身边，多姿多彩的人类生活、丰富的文化积淀构成了人类文明的多样性。第三个主题“人类文化”主要从社会意识的角度看人类的生存方式，涉及的相关概念特别多，专业性强，因此仍以教师的讲授为主，并让学生懂得社会意识不是绝对抽象的精神世界，它与社会制度、社会经济等总是关联在一起的。

历史学科主要是从史料中获取信息，学习历史是为了更好地指导未来。所以，如何有效地获取历史信息，如何评价历史，又如何来“以史

明智”，培养学生的历史思维是历史学科的重要任务。我校的历史教学就很注重学生历史思维的培养，训练学生从史料中提取信息进行分析。下面举一个事例来加以说明。

闵红老师的“清末新政”教学案例设计是这样展开教学的。

1. 先由教师讲述史学界对清末新政的不同评价意见，导入新课。

2. 进入分析新政实施的背景阶段：教师提到光绪二十五年腊月初一（1900 年元旦），光绪皇帝因病破例没有到慈禧皇太后面前请安，但在地球的另一端，新世纪正给人们带来新的希望。

然后让学生结合所学知识，回顾资本主义世界的发展情况。接着让学生分析当时中国的状况。1840—1900 年，中国有太多不堪回首的往事，清政府面临怎样的统治危机？请学生回答。最后教师从客观原因和主观目的两方面进行归纳。

这样设计，既能结合学生所学过的知识，又能把中国放在世界大背景下去审视，以此让学生意识到清末新政的出台是中外形势所逼，是内外因合力下的产物。

3. 教师提供学生十则材料，学生通过阅读、交流，梳理出清末新政的实施过程和主要内容（颁布变法上谕，推出新政举措—实行预备立宪—颁布《钦定宪法大纲》—出台“皇族内阁”）。

十则材料包括：1901 年，慈禧颁布“第一道劝诫妇女”缠足的诏谕，1911 年，清政府允许官民自由剪发；1902 年，清政府鼓励留学；1906 年停止科举考试；1903 年起，清政府的一系列奖励实业和提倡重商的政策出台，民族资本工业迅速发展；为了实行新政，编练“新军”，不惜巧立名目，筹集经费，使财税紊乱，贪污横行，给广大人民造成了前所未有的灾难；慈禧太后曾七次召见出洋大臣，关注立宪一事；清政府对立宪的理解；“皇族内阁”出台后各省咨议局联合会的反对；《钦定宪法大纲》内容节选；英国 1689 年《权利法案》内容节选等。

这些材料既反映了新政带给中国的变化（具有进步的一面）；又反

映了清政府实施新政的真实目的（有其欺骗性的一面）。

为了避免由于史料过多而使课堂变得沉闷，教师特意找了不少生动的照片资料，还补充了一些名人小故事，诸如“中国留学生之父”容闳，清末状元刘春铭，清末实业家张謇、张弼士，以及五大臣出洋考察宪政的事例，用来活跃课堂气氛。

在学生充分有效地互动后，教师再进行归纳。

4. 提出新问题：如何评价新政？史学界主要观点有以下三种：①新政纯属骗局；②假维新中有真改革；③新政是中国现代化进程中极为重要的一环。请问你持哪一种观点？为什么？结合新政的具体内容加以论述。让学生再一次进行独立思考，作出判断。

这种在学生独立思考、作出判断、自由发言、充分交流基础上，教师再进行归纳的教学方法，正是我校历史组正在实践的主要教学方法。实践证明这是一种提高学生学习兴趣，培养学生历史思维能力、自主学习能力、合作交流能力等多种能力的好方法。

### （九）地理：在能力极限边缘尝试地理教与学

- **地理组格言：经天纬地　格物文理**
- **地理特级教师——向学禹**

教学风格：文、行、忠、信。

教学格言：知之、乐之、好之。

- **地理特级教师——吴照**

教学风格：以激情激发兴趣，巧设问培养思维，重学法提升能力，借技术增添效率。

教学格言：师者思者之师。

我校以崇尚“爱国”和“科学”精神享誉海内外。兼容自然和社会科学的地理学科，其学科建设长期以来一直受到学校领导和教师的重视。从新中国成立后我校的首任校长、我国著名地理基础教育专家、第一届“中国地理科学成就奖”（2004 年）获得者陈尔寿先生，到现在学校的全国著名地理特级教师向学禹老师和吴照老师，都为我校地理学科的长盛不衰作出了不懈努力和巨大贡献。在他们的共同努力下，我校地理学科在上海市处于领先地位，在全国也有一定的知名度。近年来，地理组尝试在能力极限边缘改革教与学，形成了鲜明的特色。

每个人的能力是有限的，而能力会随着一个人生活经验的积累、终身学习的推进而不断提高，能力提高的过程是无限的。如果一个人总是在自己的能力可以轻松应付的范围内工作和学习，他的能力提高的过程将会非常缓慢，甚至如逆水行舟不进则退；而如果一个人总是在自己的能力难以轻松应付的范围内工作和学习，他的能力提高的过程将会非常迅速。这里所说的“自己的能力难以轻松应付的范围”就是“能力极限”。总结地理组的教学实践，归结起来就是：创造条件促使教师在能力极限边缘教，帮助学生在能力极限边缘学。

**1. 关注学生最近发展区，创设能力极限学习条件**

维果茨基于20 世纪30 年代初提出的“最近发展区”理论已被教育界认可并在教学实践中实施，培养了一批又一批专家型人才和合格劳动者，也引领着地理组的教学实践。多年来，地理组一直在苦苦探求学生智力的“最近发展区”，研究学生原有学习基础，在教学过程中设计“跳一跳，摘桃子”的教学环节，并适时搭建“脚手架”，帮助学生“摘桃子”，但总是难以达到最佳的“摘桃子”效果。是不是“最近发展区”理论错了？通过学习新课程理念，地理组教师们终于悟出：学生是“生物的人”，好奇、接受挑战是生物的本能之一。“一看就懂”还愿意看吗？“不学就懂”还愿意学吗？好奇之心、挑战欲望失去了，动力何在？这应该算是学生非智力（心理）的“最近发展区”。“学习地理有什么用？不学地理照样考上大学！”这是大多数重点中学学生的想法。如何引导学生感悟学习地理的意义并且愿意学习地理，这也应该是学生非智力的“最近发展区”。

基于此，针对我校学生原有基础较好的特点，地理组想方设法对教材内容进行取舍。对那些学生“一看就懂”、“不学就懂”的内容“忍痛割爱”，而主要抓住能够成为知识“生长点”的学习内容挖深做大，激发学生的探求欲望和学习兴趣。如吴照老师在进行“人口问题”一节的教学时，考虑到高中生在学习这一主题之前，对发展中国家和发达国家的人口问题已基本了解，这一问题对学生而言属于学生“已经达到的发展水平”，如果在教学中按部就班地比较发达国家和发展中国家的人口问题，学生将不用“跳”就可以“摘桃子”，学习兴趣顿失。因此，在教学时他就引导学生解读“人口金字塔”图，归纳两类国家的人口问题，然后直接投影出教材中列举的两类国家的人口问题。当学生正为自己的归纳与教材中的内容不谋而合沾沾自喜时，他再适时出示两类国家的“人口金字塔”图，要求学生进一步解读“人口金字塔”与两类国家的人口问题之间是否有矛盾，此时学生的求知欲望（心理的“最近发展区”）被激发出来，会进一步从“劳动适龄人口”、“育龄人口”、“被抚养、赡养人口”等方面进行探究，提出一系列问题：为什么发达国家劳动适龄人口比重高于发展中国家却产生劳动力短缺问题，而发展中国家就业压力大？为什么发达国家育龄人口比重高于发展中国家，人口增长速度却低于发展中国家？发达国家赡养负担重，发展中国家抚养负担就不重吗？这些问题的深入探究，有助于学生进一步加深对两类国家人口问题产生原因及解决措施的认识。

针对学生“学习地理无用论”的普遍想法，地理组设法在教学过程中适时设计诸如“科学家研究这一问题的意义何在”等问题，使学生感悟地理科学的价值所在。如吴照老师在进行“板块运动”一节的教学时，在完成“从大陆漂移学说到板块构造学说”学习任务后，及时发问：“科学家孜孜以求地研究地壳运动有何意义?”这一问题，引发学生思考“研究板块运动能够帮助人们分析火山、地震等灾害的分布规律”，在此基础上吴照老师适时介绍李四光院士用“地质力学”为我国摘除“贫油国”帽子的事实，从而帮助学生感悟地理科学的价值，进而愿意学习“有用的地理”。

## 2. 挑战学生思维能力极限，培养学生科学思维品质

学生是“社会的人”。“是否是高考科目”一直是困扰地理教与学的顽疾，强迫这些“社会的人”去学高考不考的内容谁都于心不忍，基于此，地理组尝试在学习方法、思维方式、质疑精神等方面下工夫，挑战学生的思维能力极限，探求提高学生科学思维品质的途径。青少年时期正是科学素养形成的关键时期，科学知识的掌握是科学素养形成的基础，科学思维方式是科学素养自我实现的“工具”，科学史是科学素质与人文素养整合的切入点之一，科学质疑精神（科学哲学观）使科学素养的形成走向“自由王国”。科学素养提升的关键是科学思维品质的培育，因为学生是“自由的人”，自由的最高境界是思想。由此，吴照老师把“师者思者之师”作为自己的教育格言。如吴照老师在进行“板块运动”一节的教学时，以“从大陆漂移学说到板块构造学说的三级跳”作为整个教学过程的主线：通过“大陆漂移学说”创立过程的再现，帮助学生初步学会“大胆设想、小心求证”的科学思维方式；通过“海底扩张学说”创立过程的再现，帮助学生初步领悟逻辑推理的科学思维方式；通过“板块构造学说”创立过程的再现，帮助学生初步懂得前人研究成果对科学研究的重要性。

（1）“大陆漂移学说”学习环节。首先设问：“观察各大洲大陆轮廓图，你有何想法?”引发学生产生“可能这些大陆原来在一起，后来分开了”的设想。接着追问：“如果你是魏格纳，你如何验证你的设想?”引导学生寻找证据验证设想。在此基础上设问：“‘大陆漂移学说’不同于前人的高明之处在哪里?”引发学生思考“大陆漂移学说”的划时代意义——“前人认为地壳运动主要是升降运动，而魏格纳却认为是水平运动”。在学生认为“大陆漂移学说”高明时，继续制造矛盾——“魏格纳的‘大陆漂移学说’发表后反对者远远多于拥护者，这是为什么?”引发学生进一步质疑“大陆漂移学说”。

[这样设计的原因在于：“大胆设想但需小心求证”的科学思维方

式是学生开启地理学科智慧之门的钥匙之一。没有“设想”就缺少探究的动力，敢于“设想”才能创新；只有“设想”没有“求证”只能算是“空想”，“小心求证”变“空想”为“科学”。“质疑”是科学研究不断创新的原动力之一，恰恰也是中国学生最为缺乏的科学素养之一，教师在平时的教学中要适时地加以引导。地理科学思维方式的习得甚于地理知识的掌握。]

(2)“海底扩张学说”学习环节。引导学生逐步分析海底探测技术成果即“海底地层岩石的年龄及其分布特点”、“海底地貌特点”以及“古地磁研究成果”，引导学生逻辑推理这些现象产生的原因。

[之所以这样设计，主要是因为：缜密的逻辑推理是地理学科无穷魅力的渊源之一，也是学生地理学习的好帮手。人类的研究视野从大陆转向海洋（“大陆漂移学说”研究大陆，“海底扩张学说”研究海洋），体现了科学研究的换位思考方法，这是学生习得地理知识的重要方法之一。海底探测技术的成果说明科学技术的进步对科学研究具有重要作用。]

(3)“板块构造学说”学习环节。以“‘海底扩张学说’问世后，科学家们重新审视‘大陆漂移学说’，1968 年法国地质学家勒皮雄等‘站在巨人的肩膀上’，提出了‘板块构造学说’”作为承上启下，进入“板块构造学说”学习主题。然后逐步阐述“板块构造学说”的主要观点，引导学生利用该学说解释各种地貌以及火山、地震的分布规律。在此基础上设问：“‘板块构造学说’的创新之处是什么?”引发学生思考“‘板块构造学说’不局限于海洋或陆地来研究地壳运动，而是第一次从全球视角研究地壳运动”。

[这样设计的原因是：“站在巨人的肩膀上”使科学研究“在传承中创新，在创新中发展”。如何逐步培养学生具有这种科学素养值得教师关注，这是科学哲学观的表征之一，也是科学素养习得的最高境界。]

### 3. 挑战信息技术应用极限，提高信息技术整合效益

全国和上海新一轮课程改革的地理课程标准都把“关注与现代信息

技术整合的地理”作为课程理念之一。上海中学地理课程标准建议：“中学地理课程在教学目标制订、教学内容选择、学习方法和手段改革、学习评价实施中，要将现代信息技术的运用作为课程的有机组成部分，以展示千姿百态的地理事象、千差万别的地理空间、千变万化的地理演化过程。要充分考虑现代信息技术的深远影响，促进地理学习的革命，为学生主动的、富有个性的学习创造良好的环境。”我校地理组 1999 年开始尝试计算机辅助地理教学，从学习计算机技术开始，到探索计算机辅助教学方法、模式，再到探寻基于信息技术的学习评价，每一步都是对教师信息技术应用能力的极限挑战。我校地理组全体教师经过不懈努力，取得了较为明显的成绩。目前，我校地理组已完成了高二年级新老教材所有学时的演示型计算机辅助地理教学软件和部分网络型计算机辅助地理教学软件，实现了计算机辅助地理教学的日常化。我校地理组的计算机辅助地理教学实践与研究也得到了学生的认可，对学生信息素养的提升和学习效果的提高有较大帮助。

虽然我校地理学科的计算机辅助教学取得了一定成绩，但地理组教师深知：计算机辅助教学不是万能的。如何充分合理地利用数字化地理专用教室提升地理教学的内涵，帮助学生发展？地理组至今仍在寻找最满意的答案。演示型计算机辅助教学和网络型计算机辅助教学各有优劣，地理组教师探究如何与学生一起高质量地完成网络辅助学习，花了大量的时间钻研计算机技术，但技术是万能的吗？地理组努力寻找“平民化”的计算机辅助教学，尝试利用现成的教学软件和教学系统，尽量使用常用、便捷的软件工具制作课件。这些困惑促使地理组不断去实践，去求索，去创新。

#### 4. 挑战学生学习方式极限，注重学生研究方法指导

中国传统的教学方式固化了学生的学习方式，要改变学生的学习方式，从何处入手？地理组一直在思索。经过教研组全体教师的共同探讨，从 1999 年开始，地理组从研究性学习方面寻找突破口，通过六年的实践和研究，共指导学生完成了约五百多份课题小论文，并利用计算

机辅助教学把研究性学习内化到日常教学中，效果显著。地理研究性学习的推广，彻底改变了“灌输式”的传统教学模式：它使地理教学从课堂走向天象厅、网络、阅览室、实验室，走向社会，走向现实；它引导学生自主学习、探究学习，拓展了学生学习知识、发展能力的范围和途径，为学生提供了比以往更多的发展机会和充分的学习自由，使学生真正成为学习的主体；它开展以小组为单位的课题研究、研究性学习，增进了学生的合作意识和互助能力，促进了学生非智力因素的发展；研究性学习这一新型教学活动起到了教学相长的作用，在活动中教师的观念逐步更新，知识结构也逐步完善，教学能力逐步提高。地理研究性学习的效果如何，已进入高校学习的部分学生的经历是最好的明证。

我校一位资深语文教师的女儿原来在吴照老师任教的班级，参与了系统的地理研究性学习过程，她主持的课题获得了“首届全国中学生地理研究性学习实践活动竞赛”一等奖。从我校毕业后，她考入了同济大学。在大学即将毕业时，她到一家大型公司实习，公司领导让几位实习生做一份公司发展调研与策划报告。同去的几位实习生中，只有她的研究报告得到了领导的赞扬。她告诉母亲，这得益于在我校读书时认真参与地理研究性学习，通过系统的地理研究性学习，她掌握了基本的研究方法。这位资深的语文教师说，如果有需要，她带过的班级有很多学生都愿意到学校来现身说法，为学弟学妹们作地理研究性学习动员报告。

这位教师的一席话、我校毕业生的感受，更加坚定了地理组教师进行地理研究性学习的信心。

#### 5. 在能力极限边缘孜孜以求，促使地理教学共生相长

“在能力极限边缘教与学”使地理组尝到了甜头。第一，在“挑战学生思维极限”的同时，也挑战了教师的思维极限：促使教师深入研究教材，挖掘教材中的思维增长点；促使教师用心研究学生，找准学生的能力极限边缘；促使教师不断提升自己的科学素养，应对学生提出的各

种富有创造性的问题。这些都使教师的思维品质得到提高。第二，在“培养学生信息素养”的同时，也挑战了教师的信息素养。21 世纪是信息技术的时代，信息技术的日新月异在给人类带来方便的同时，也对人们的信息素养提出了更高的要求。信息技术与地理课程整合的目的不仅是提高地理学习的效率，更重要的是在整合中提高师生的信息素养。无法想象，一位信息素养不高的教师如何能培养信息素养高的学生。第三，在“挑战学生学习方式极限”的同时，也挑战了教师的学习方式和教学方式。学生的研究课题涉及自然科学和社会科学的方方面面，这就要求教师必须改变原来只学习经典的教育教学理论和地理专业知识的做法，教师要博览群书、关心时事，以应对学生涉足的各个研究领域；要求教师改变原来的集体授课的教学方式，针对学生不同的研究课题进行个别指导；要求教师摒弃原来注重知识传授的教学思想，转而注重学生学习方法的习得。

“教与学互促进，师与生相共生”——这是地理组追求的终极目标。虽然深知这一目标的实现难度很大，但地理组坚信：只要孜孜以求于“在能力极限边缘教与学”，我校地理教学就会离这一目标越来越近。

### （十）信息技术：电教入课堂，自有通天路

- **信息技术组格言：致知于信息　科技中格物**

信息技术组是一个团结向上、朝气蓬勃的教研组，中共党员占60%。平时学校的各项活动，人人都积极参加；通过合理运用分工明确、合作共赢的策略，获得了教学和竞赛成绩双出色的成果。全组教师个个有个性特长和敬业精神，深受师生的好评。

信息技术组承担着信息技术教学和现代教育技术服务的双重任务。信息技术的高速发展和新的教学理念、新教材都向全组教师提出了越来越高的要求，但教师们能不畏艰难、乐于奉献，工作勤恳、默契配合，虚心好学、积极进取，一次次顺利完成了学校布置的各项任务，为学校的信息化建设作出了突出的贡献。

信息技术组的具体工作有：高一年级的“信息科技”教学，学生信息技术知识和能力的拓展指导，计算机特长生的培养；校园网络建设和管理，学校计算机、电教设备的维护与管理，学生电视台、学生网站的指导和管理，学校各项活动的摄录像工作，学校信息化建设的实施、推广等。

信息技术组的全体教师在教学中注重培养学生主动学习、合作学习的习惯和探究精神，强调教师应关注学生的发展；探索精讲多练、讲教结合的方法；在指导中都能服务到每一个学生。三年来，通过各种项目活动和使用过程性评价平台等实践，对学生信息科技课程的学习过程进行评价，帮助学生更好地掌握学习方法，培养学生的信息收集、信息筛选、信息整理、信息储存、信息分析和信息应用等能力。在每年的上海市中小学信息科技等级考试中，我校学生的合格率都是100%，优秀率也达到50%以上。

每学期的学校教学展示周是信息技术组最忙的时候，教师们不仅需要承担学校每一节公开课的摄录像、IP远程转播和光盘刻制等全套任务，而且自己也积极开研究课，和同行交流研讨课堂教学经验。近两年，信息技术组开出了“我也能做福尔摩斯——枚举法解题初步”、“图像合成与网络道德”、“因特网地址和域名”等公开课，均获得好评。

随着信息社会的发展，学生对信息技术的需求也越来越迫切。近几年，信息技术组共完成了《学生电视台电视节目制作及编辑》等5套自编校本教材，开设了“Dream weaver网页制作”、“跟我学做Flash动画”、“Photoshop图像处理”、“Premier视频编辑”、“计算机实用技巧”、“Pascal程序设计”等多门拓展型选修课程，满足了学生的需要。

学校所有的电教设备都由信息技术组管理和维护，包括学校现有网络、计算机、投影仪、广播、摄像机等，由于设备越来越多，也越来越先进，对管理工作也有了更高的要求。管理不再仅仅是保管好、不能遗失的概念，而是要科学地、技术地进行管理，要能排除设备的常见故障，实现网络的实时跟踪、流量控制、自动升级、病毒防护、行为控制等。2006年，学校网络进行了大规模的升级换代，为了科学地管理好学校的网络，网管员倪慧俊老师刻苦钻研技术，放弃了很多休息时间，勤勤恳恳地工作，现在学校的网络管理上了一个台阶，达到了较为专业的水平。在黄浦教育信息中心委派专业公司进行的校园网评估中，我校的校园网管理工作获得了好评。目前，校园网的功能还在不断开发过程中，比如网络硬盘、网络视频点播等技术。我校网站建设的脚步也从没有停止过，2008年增加了行为风采展示栏目，新开了学生视频交流平台，增设了教师教学展示周的课堂视频点播等栏目。学生电视台2007年获得了黄浦区中小学生“我眼中的电影”DV比赛一等奖，2008年获得了“黄浦区中小学影视教育系列活动——影视活动方案比赛”团体一等奖。

前些年，信息技术组采用面向全校教师的信息技术集体培训课程形式，提高教师信息素养。近年来，学校为每位教师配备了笔记本电脑，教师们的信息技术水平大大提高。与此相适应，培训的形式也由集体上课转为个别指导，只要教师们需要，信息技术组的每位同志都非常热心地予以帮助。现在一方面学校的研究课、观摩课、评比课越来越多，另一方面学校绝大部分计算机和教室安装的投影仪设备都过了保修期，工作量在持续增长，加上病毒泛滥，相应的防毒杀毒、保障网络安全占去了信息技术组教师们的很多时间。更有很多琐碎但是学校不可或缺的工作需要信息技术组加入，如大大小小会议的拍照、录像、光盘制作、网络保障等，又如档案评审，文明单位、绿色学校和各类检查、评比，研讨会，交流会，只要学校需要，组里的每个人都是尽心尽力地配合。在学校课表调整后，中午增加了午会课的转播工作，大家没有怨言也不计报酬，默默地承担了下来。

信息技术组的老师们就是这样勤奋努力地学习、教学和工作的，他们的言行正体现了我校教师的师德风范！

### （十一）艺术：传承经典　穿越流行

- **艺术组格言：让艺术照亮生活**

我校艺术教研组是学校最年轻的教研组，教师平均年龄为30岁，全组共有教师三名，其中音乐教师两名，美术教师一名。在三位年轻教师的共同努力下，在学校领导的关心支持下，艺术组教师们在各自的领域都取得了一系列不俗的成绩。学校被评为首批“上海市艺术特色学校”，艺术教研组也获得了黄浦区“优秀共青团班组”的荣誉。

### 1. 充分利用资源，形成个人特色，呈现多元化的艺术课堂教育

目前学校的艺术课程主要分为基础型课程“音乐赏析”、“美术赏析”和校本课程“才艺综合素养”这三门课，这一课程设计弥补了原有的高中艺术课程中学生不参与教学过程的缺憾。“音乐赏析”着重从交响音乐的普及讲解、歌剧的入门知识与经典片段欣赏以及芭蕾和其他几种有代表性舞蹈的观摩等方面，培养学生具有一定的音乐素养。学校充分利用学校的乐队资源，在学校的学生艺术节、新年音乐会以及主题班会等活动中，通过音乐演出的形式宣传和推广经典音乐，使全校学生形成一定的音乐鉴赏能力，同时也使校园洋溢高雅的艺术氛围。“美术赏析”主要通过对各国的绘画流派、名家名作的介绍，使学生开阔眼界。“美术赏析”的教学不局限于课堂，而是充分利用学校优越的地理位置，带领学生参观博物馆、美术馆，使课本上的知识变得更直观，提升了学生积极参与课堂的兴趣。“才艺综合素养”课作为一门校本研修的拓展课内容，更是充分发挥青年教师的特长，把老师自身丰富的舞台经验，从舞台表演、声乐、主持和朗诵这几块艺术教材上缺少的学生才艺展示部分，把学生从以往知识的接受者变为积极主动的参与者，使学生增强了舞台表演的自信心。三位艺术教师凭着自己对艺术教育的热情，刻苦钻研，形成了我校独具特色的艺术课堂教育新模式。

### 2. 注重学生艺术团队的品牌建设，使之成为独特的、具有专业水准的学生艺术团体

我校原有学生艺术团队有弦乐队、民乐队（都成立于1996年），这两支乐队作为我校的艺术特色团队，在十多年的不断努力下已经取得了良好的口碑，为我校艺术教育取得了一个又一个的荣誉。近几年为了让

更多的学生得到艺术的多方位培养，学校陆续成立了踢踏舞队和爵士乐队，而随着学生的不断变化，学校一支新兴的表演团队——“音乐剧社”在艺术组两位青年教师的指导下迅速成长起来。这支由没有任何舞台表演经验的学生组成的学生社团，由于教师和学生的执著追求以及学校领导的大力支持，已演出了《我心飞翔》、《快乐王子》、《爱，被爱》三部音乐剧。2007 年 6 月 1 日，音乐剧《快乐王子》结束后，观看演出的师生对“育苗园”进行了现场捐款，掀起了一股爱心热潮；2008 年 7 月 9 日，《爱，被爱》作为我校迎接四川地震灾区师生的汇报演出节目，以其真挚而感人的情节让在座的观众为之动容。现在音乐剧社和我校的弦乐队、民乐队一起成为了学校的三支重点团队，形成了我校“经典与流行”并存的校园艺术氛围新格局。

### 3. 在教研领域勇于探索，寻求理论与实践相结合的课题探究

全组三位教师不但注重课堂的艺术教学本职工作，在教研领域也不断要求自己，尽管一边要忙于学校的日常教学任务，一边还要参加许多课外的市、区各项比赛，但教师们仍注重自身的科研要求，把平时的工作心得慢慢积累下来。夏星老师的《让经典音乐融入高中艺术课堂》一文刊登在 2007 年 11 月的《上海教育》上；她和区里其他六位音乐教师共同参与的课题“民族艺术教育在艺术课堂中的运用初探”被批准为上海市“十一五”教育科学规划课题。另两位青年教师吴燕老师和杨敏老师的课题“以音乐剧为载体提高学生综合艺术素养的研究”被批准为 2007 年度上海市青年教师教育教学研究课题，并获得了 2007 年度上海市青年教师教育教学研究课题成果鉴定三等奖，而这些都是以往艺术教师的薄弱环节。

### 4. 丰富校园生活，举办各式各样的艺术比赛和演出，为学生搭建展示艺术才华的舞台

2008 年学校组织和参与的演出或比赛如下。5 月，学校“麦新”杯高二年级歌唱大赛；6 月，音乐剧《爱，被爱》学校首演；7 月，音

乐剧《爱，被爱》对四川地震灾区师生汇报演出；9 月，接待澳大利亚 PLC 学校校长一行，举行两校交流演出；10 月，参加上海市“美年达”杯百校风采大赛；11 月，参加黄浦区“上海之春”世纪广场天天演活动；12 月，和上海交通大学联合举办我校 2009 年新年音乐会。

2007—2008 年，我校艺术团队获得了一项国际金奖以及三个上海市一等奖和多个二等、三等奖。

一系列的比赛和展示活动丰富了校园生活，也为学生搭建了展示艺术才华的舞台，让更多的学生喜爱艺术、学习艺术、享受到艺术给他们带来的欢乐，进一步开发了他们的右脑。

### （十二）体育：健身体育　健志体育　健智体育

● **体育组格言：阳光体育　健康第一**

我校体育教研组共有七位教师，承担着全校的体育课教学任务和运动队的训练任务。全体组员团结协作、互帮互助，使体育组成为一个和谐进取的大家庭。

在学校领导的关心、支持下，全组教师平时注重教学研究和经验总结，在市、区以及学校组织的各项教学课评比中取得优异成绩，同时还撰写了多篇教学心得、论文，并在刊物上发表。近年来，学生的身体素质逐年得到提高，体育达标率、优良率逐年上升。在日常教学工作中，组内每一位教师都积极地发挥各自在教研组工作中的作用，齐心协力，共同提高，力求将教研组工作做得更好，为推进学校素质教育作出自己的一份贡献。

#### 1. 抓常规，重课改

制订全年体育工作计划和必要的规章制度，教研组坚持每周一次的教研活动，定期向领导汇报工作。备课组每两周活动一次，做到定时、定点、定人，定期检查教学情况，总结经验，并重点学习新课程标准，根据课程标准和学校计划的要求，结合具体教学实践，研究制订本科各年级教学计划、课时计划。

课改的关键在于教师思想观念的转变，在于教师自身业务能力的提高。因此，我校体育组在日常教学中充分体现“以学生发展为本”的教学理念，贯彻“健康第一”的课改精神，在教学实践中突破原有的传统模式。首先，试点课程年级的教师参加区里举办的新教材培训活动，认真领会二期课改的新理念，贯彻新思路，切实提高贯彻课改精神的自觉性。其次，全组成员认真学习课改的有关文件、聆听相关报告，学习领会“行动纲领”和“课程标准”。体育组组织教师学习《中小学体育》等刊物上发表的有关课改先进经验的文章，激励和提高教师的参与意识与创新意识。另外，体育组教师们还参加区组织的课改培训，听取市专家学者的报告，并进行相互交流、探讨，达成共识，共同提高。

**2. 在“关注”健康第一的理念下，注意培养学生的意志品质和思维能力**

在“健康第一”的指导思想下，体育组实施了“2+1”的菜单式教学模式，为提高学生的学习兴趣注入了新鲜血液。通过“分项教学”，提高了学生对体育课的兴趣，并且教学形式多样，教学效果显著。业余时间组织各项体育活动，极大地活跃了学生的体育文化生活，增强了学生的体质。

针对学生对某一项体育活动的掌握程度有所不同，基础好的学生有些“喂不饱”，基础差的又有些“跟不上”的现象，教师在教学中采用“分层教学”的方法进行教学。分层教学虽在一定程度上影响了整体教学进度，但没有让学生在困难面前退却，反而培养了学生的意志和毅力。

在各项体育项目（特别是技巧类项目）的教学中，我校体育组教师强调各种体育运动项目不仅有强身健体的功能，更有其独特的思维能力培养功能——它们与物理、数学、化学、生物等学科关系密切。学生通过自己独立的思维活动或同学间的相互探讨交流，把动作要领想通后再与身体的动作融合起来，就会取得事半功倍的效果。确实，在教师的点拨下，学生都取得了不同程度的进步，好奇心和学习心也进一步增强。

体育课涉及的柔韧性、灵活性、协调性、速度、耐力、弹跳力、爆发力是其他学科所无法替代的，而意志力、抗挫力、勇敢性、思维能力等却都能在体育课中得到锻炼。所以，全组教师都深爱自己的专业，也深感自己的责任重大。

在多年的学校游泳、棋类、排球训练工作中，我校体育组也把上述理念贯彻下去，并总结出适合本校学生特点的科学训练方法，学生连续多年在市中学生运动会上取得好成绩。游泳队在上海市中小学生游泳比赛中获得三金三银，国际象棋队连续六年获得上海市中学生国际象棋比赛团体冠军，围棋队获团体亚军。在2008年首届中小学生围棋比赛中我校代表队荣获男子团体金牌和女子团体金牌以及团体金牌，在国际象棋比赛中我校代表队荣获团体总分第一名，并荣获了体育道德风尚奖。

### 3. 加强教研组建设，把健身理念深入到师生心里

我校体育组开展各种各样的友谊比赛活动，使校园的体育锻炼氛围日益浓厚，同时还开展师生同乐的活动、教职工的常态体育活动和趣味性比赛活动，把健身理念深入到师生心里，为教师能健康地生活和教学作出了一定的贡献。

为了加强体育组的建设，全体组员认真学习《教育心理学》、《素质教育观念学习提要》、《教学研究方法论》等著作，丰富自己的教育教学理论修养，为教学研究奠定了坚实的基础。全体组员处处以“师德”规范自己的言行，遵纪守法，为人师表，教书育人。在教学工作中，教师们充分把握教材的重点难点，精心设计教学过程和方法，根据教材的特点，联系学生的实际情况，把新的教学理念运用到教学中去，在教学实践中坚持做到边学习边总结，努力提高自己的教育教学能力。教师们还积极参加教师培训班的学习，认真聆听教授、专家、优秀教师的专题报告和讲座。体育组也大力支持、鼓励教师参加各类进修，加强理论学习，提高自身素质，大大改善了专业水平与教学不相适应的状况。对青年教师，除了在政治上、生活上关心他们，鼓励他们参加区级

各类进修外，还立足于发挥教研组的作用，坚持用“结对”、“拜师”等形式，一对一进行“结、帮、带”，相互学习，取长补短，就教育教学工作进行交流、切磋。这样做不仅培养了青年教师，还在共同的探讨过程中促进了教学。

我校体育组就是这样学习、研究、投身于教学改革的洪流中，为我校全体师生的健康作出了不可磨灭的贡献。

### （十三）劳技：动脑能设计，动手能制作，人人能创新

- **劳技组格言：劳动技术打基础　科技活动出人才**

我校劳技组在头脑奥林匹克、机器人和发明创造方面的成绩骄人，其中 OM 和机器人是我校的两个品牌项目。我校劳技组共有四位教师，他们各有所长，虽担任的必修课数量不多，但科技类竞赛项目的任务却很重。培养学生的创新意识、动手能力和创造能力是该组最重要的工作。

为体现劳动技术学科的特点，更为了实现学生的全面发展，在现有的条件下，尽可能让学生多动手实践，我校劳技组把希望全体学生“动脑能设计，动手能制作，人人能创新”作为自己的教学目标。

具体而言，高一和高二两个年级的教学目标如下。高一年级：着重培养学生的动手能力，掌握常用工具的使用；通过“创新学”的教学，培养学生的创新意识，提高学生的创新能力，激发学生参与创造发明和参加科技活动的兴趣。高二年级：培养学生会用面板做电子电路实验，熟练掌握电烙铁的使用，焊接电子元件和拆卸电子元件都要达到产业工人的水平。为了达到上述目标，我校劳技组还编写了《创新学》和《电子技术》校本教材。

对待教学任务，全组教师坚持精讲多练的策略，坚持通过对每个学生的实效性辅导，使每个学生的动手能力迅速提高，使劳技课成为学生所喜爱的一门学科。

在劳动技术课堂教学中，教师精心设计教学内容，把科普知识、科技竞赛活动等内容与劳动技术课程有机地结合起来，如头脑奥林匹克擂

台赛和头脑奥林匹克万人大挑战，就是与劳动技术课相结合，高一、高二年级的学生全员参与，不但丰富了劳技课的教学内容，也培养了学生的动手能力，增加了学生的学习兴趣。

劳技组还把世界上发生的一些大事与劳技课相结合。例如：印尼发生海啸后，立即找到有关海啸的科普视频资料在劳技课内挤出时间进行播放；2008 年“5・12”汶川特大地震发生后在第一时间播放了关于地震知识的视频，既拓宽了学生的视野，又普及了科普知识；“神七”上天后，同样及时地向学生进行视频播放与讲解，不仅进行了科普教育，更提升了学生的爱国热情。

《电子技术》校本教材的成功编写，为培养学生的动手能力提供了学习的好教材，更为拓展型课程“头脑奥林匹克”、“智能机器人”、“机械机器人”、“单片机”等科技类活动的长期进行提供了丰厚的资源。在全组教师的共同努力下，以上各类竞赛成绩优异。特别是头脑奥林匹克竞赛，更是长期成绩斐然。我校能成为首批上海市头脑奥林匹克特色学校，劳技组的功劳是第一的。

《创新学》校本教材的成功编写，为培养学生的创新意识和创造能力提供了学习的好教材。在李军老师的成功教学与指导下，我校学生已获得专利三百五十余项，2006 年“一种开关控制电路”专利获得上海市“飞利浦”杯金奖，2007 年有两项专利获得上海市“飞利浦”杯银奖。2008 年 12 月，李军老师荣获中国创造学会“创新作品成果奖”。2008 年 3 月，李军老师获得 2008 Inter 国际创新大赛教师作品一等奖，还被评为头脑奥林匹克优秀教练。

我校劳技组为祖国培养出了数以百计的创新型人才和动手能力极强的工程型人才，相信劳技组的成绩会越来越佳！

### （十四）双语组：集他人优秀经验　走“双语”创新之路

● **双语组格言：通两语解惑　握未来先机**

我校双语组成立于 2002 年，是上海市首批成立的双语教研组，主要任务是在高中阶段普及双语教学。2005 年我校被授予首批“上海市双语实验学校”的称号。学校双语教学的目标是：基于我国素质教育背景下的双语教学，积极引导学生从基本的语言层次，向知识与情感目标提升，在发展学生语言水平的同时，提高学生跨文化理解以及与人平等相处、协同合作的态度，切切实实地推进素质教育的发展。双语教学遵循的基本原则是：以学生发展为本，符合学生实际，坚持双语教育实效性。

从双语教学的规模看，我校双语组最多时有 7 位双语教师教授不同的双语课程。双语课程是多学科、大规模的双语教学“联合行动”，涉及数学、生物、化学、物理、旅游地理、环境科学等学科。学科是实施双语教学的有效载体，获取学科知识是双语教学的重要目标，而使用英语进行学科教学则增添了学生运用英语的机会，拓展了学生的视野，培养了学生进行国际交流的能力，学校把双语教学纳入必修与选修课程中，充分发挥现有师资的潜能，并适当外聘高质量教师，开设更多的双语课以满足学生的需求。除各年级均有选修课外，每周还有一节课被列入必修课，保证了学生在高中阶段就能接触涉及多门学科的双语教学。

双语组在教学中能够根据双语教学的目标和原则，针对双语教学的特点，真正有效地实施双语教学。

**1. 恰当使用，循序渐进**

在双语教材的选择上，教师从各种途径获得英语原版教材，对各种教材进行认真的选择、编排。内容选择有如下原则：①可以用外语进行教学的部分内容；②虽然高考已不作要求，但对学科而言又是很重要的、很有益的部分内容；③是现行教科书上没有的，却是国外同学段的学生学习的既有趣又有用的部分内容。

双语教学所选择的教学内容尽可能贴近学生的学习和生活，选取大量生动的图片，极大地调动了学生的英语学习兴趣；教材编排合理，难易适中，照顾到不同层次学生学习的需要，使双语教学更能够被学生接受。

在双语教学实验中，英语课堂用语用的多少、恰当与否，对学生具有直接的影响。教师要依据循序渐进的原则（尤其是各个学科的专业名词的大胆使用、反复使用），使课堂上英语的复现率和利用率逐步提高，最终提高学生用英语进行理性思维的能力和口语表达的能力；要充分利用包括多媒体课件在内的各种手段和参考资料，采用与之相适应的教学方法，提高教学的实际效果。

### 2. 师生互动，主动参与

双语教学实验的目的是让学生获得学科知识与外语学习的双丰收。这里的外语学习主要指学生听外语和说外语的技能。这就要求在课堂上不能是教师一言堂，更要关注学生的主动参与。如：地理课上让学生观看介绍各个国家的影像资料，生物课上让学生阅读食品包装上的英文成分表，物理课上让学生作实验展示，化学课上举办学生辩论赛，环境保护课上让学生共议环保措施，还有上网查阅科技资料等。正是这些多样的素材与活动的设计，使学生能够更好地参与到双语学习中，获得收益。

### 3. 注重鼓励，培养情商

不同于英语课，双语教学的目的并不在于逐字逐句地纠正单词或语法，而是更强调能否利用英语进行其他学科的学习。因此，课堂上正确、及时、恰当的鼓励与评价对学生的双语学习和情商水平的提高是非常有益的。应鼓励学生用放松的心情学习双语，把英语当成学习知识的工具，乐于用英语表达对知识的理解。

### 4. 过程评价，关注成长

双语组推广多元化的评价方式，不断完善发展性评价体系，注重过程性评价。学期结束后的双语作业形式多样。如：课后以小组为单位，针对某一课题（如介绍病毒）制作 PPT 并进行全班交流；上网搜索某一课题的资料，做形式多样的小测验。教师还通过课堂上学生对回答问题的参与度等多种指标，为学生建立综合动态的成长手册。

5. 师资培训，更上台阶

双语教学成败的关键在师资，授课教师既要精通本学科的知识，又要通过外语来讲授。我校双语教学工作坚持近十年，双语教学的成绩取得与双语组教师的自身努力是分不开的。双语教学活动总是按计划进行，双语组教师除了完成常规的教学工作，还能积极开展有效的组内听课，每次听课都力争解决一至两个问题，不断改进教学方法，利用一切有效的资源充实和丰富自己。每学期的校内展示课双语组从不错过，各学科教师依次进行区级乃至市级的双语教学展示。我校双语组还走出去与兄弟学校如上海中学、苏州外语学校等进行双语学习交流，收获颇丰。

为进一步提高双语教师的教学，学校领导有计划地让双语教师出国接受培训。参与双语教学的外语组教师多次到英语国家接受短期培训，为双语教学的质量提高奠定了非常好的基础。2004 年全国双语教学论坛在上海举行，我校双语教师积极参与了此次教学交流和研讨活动。这些活动对加强我校双语教学规划与管理很有帮助和启发，将进一步推动我校双语教学的发展和提高。2005 年，在校领导的关心和支持下，我校英语俱乐部正式成立，并邀请外籍教师每周两天利用中午半个小时的时间与各位会员交流，以“双语课堂用语培训”形式开展活动，满足了非英语教师对自身双语教学素质发展的需求。我校还开设了国际班，聘请双语教师和外教进行授课，双语教师和外教之间加强了沟通交流，互相学习，收获匪浅。

双语教研组也积极配合学校的各类对外交流活动，学生在这类活动中开阔了视野，丰富了课堂以外的知识。

总之，双语组的发展和壮大，已成为我校教学的一大亮点之一。

# 四、格致教学的实施

## （一）教研交流积极促进

### 1. 教学展示周活动

学校在2002年确定了旨在改善课堂教学的“未来课堂”研究，提出了课堂教学体现“精、活、实”要求的研究方向。学校每学期开展一次为期一周的公开教学研究展示周活动，每次展示周都围绕“未来思维”的要素来设定一个研究主题。近四年的研究主题如下。

2005年第一学期的研究主题：“未来课堂”的探索——让学生爱学、会学的教法探索

2005年第二学期的研究主题：“生命、青春、责任”

2006年第一学期的研究主题：探求“二主”的和谐结合

2006年第二学期的研究主题：“三维目标”和谐整合　课堂教学追求实效

2007年第一学期的研究主题：优化教学　提高实效

2007年第二学期的研究主题：提升思维品质　提高课堂效能

2008年第一学期的研究主题：注重过程评价　提升学生学力

教学展示周的主题确定后，由教研组推荐优秀教师执教，邀请市、区专家和同行前来听课指导。课后，教研组利用教研活动时间对课堂实录开展评议讨论。最后，执教教师结合自己课后的感受写出反思性总结。教学展示周为教师教学交流提供了良好的平台，通过展示，教师可以锻炼、提升自己的教学能力，也能学习到其他优秀教师的教学特色，相互促进。教学展示周受到了教师们的极大欢迎，同时也促进了日常教学的改进。

2. 教研组教学交流

紧紧抓住教研组的建设是我校教育质量提高的关键。校长提出：教研组长是学科的带头者、学术的把关者、教学的研究者、合作的核心者、矛盾的化解者。只要认真阅读我校教研组和备课组的活动记录，就会对此有深切的感受。我校的课堂是开放的，随堂听课蔚然成风。据统计，我校一年之中校行政和专家视导室的随堂听课高达一千三百多节。这真是令人惊叹的数字。

此外，教研组常常围绕某一专题进行交流探讨。以物理教研组为例，在二期课改推进的过程中，物理教研组教师始终关注课堂教学。他们在各校听课时发现不少课中出现了课件过度使用，甚至用课件代替实验的现象，大家对这一现象议论纷纷。于是，物理教研组首先在教研活动中进行交流、讨论，并形成了一致意见："课件可以放慢运动过程，便于课堂分析和讨论。另外，对课堂中实验很难做出的内容，如原子物理学的实验、电场的有关实验，高中课堂无法实现，则课件不失为一个非常好的补充。但仍需视具体情况，适度掌控，不宜完全取代实验。"由于教师们在此问题上及时统一了思想，在教学实践中根本没有出现以课件代替实验的不良现象。

3. "激活课堂"活动

2004 年，我校邀请了六省一市重点高中的数学教师，首次举办了"激活课堂"的数学教学专题研究交流活动，这项围绕如何激活学生思维、提高课堂思维品质开展的跨省市教学交流活动，一直持续至今。通过数学以及其他学科的类似活动与全国各地同行们交流，我们进一步打开了教学思路，扩大了教师们的课堂视野，对教学起到良好的促进作用。

## （二）教育科技有效利用

### 1. 学科专用教室的建立

近年来，学校为满足教师在课堂教学中运用现代教育技术的要求，方便教师在教学中开展信息技术和学科教学的整合，新建和改造了三十多个多媒体教室，基本做到每个学科都有满足学科需求的专用教室。特别是在国内居于领先水平的数字化地理教室，其设计指导思想是：全国领先，设备精良，功能齐全，使用便捷。整个教室由八个区域组成，分别是教学演示区、学生成果展示区、学生阅览区、听课区、学生活动区、教学陈列区、地理信息展示区、教学管理和备课区，具有情境功能、演示教学功能、网络教学功能，能满足不同课型的教学需求。数字化地理专用教室为学生研究性学习提供了演示和网络相结合的学习环境，是学生上网收集、加工、运用信息的最佳场所。

历史专用教室采用的是广电腾龙6344M型多媒体电脑辅助教学系统，由教师主控台和50个电脑终端组成，教师可将多媒体信息（语音、图像、文字）同步传输到每一个学生的计算机屏幕上，这种教室将教学带入了一个崭新的世界。目前，高一年级约一半的历史课在专用教室进行。新技术为教师接触更丰富多样的教学资料提供了方便。如清华同方的历史素材库为我们提供了大量信息，包括正文、资料数据、音乐、声音、画像。通过多媒体手段，教师可在课堂教学中给学生输送包括正文、录像、动画、声乐、高质量的图表等在内的综合内容。这能帮助教师开拓思维，改变其在课堂上传统的角色和方法，同时，教师也可利用新科技，设计鼓励学生进行探究的学习任务，自己旁观聆听，深入了解学生对概念的理解和思维的发展。对学生而言，新科技使学生能接触到过去所没有的丰富的信息与新颖的教学方式，使他们更好更快地达到教学目标：激发学习兴趣，强化思维力度，提高教学效益，扩大信息量，寓思想教育于历史知识传授之中。

生物专用教室全称为“多媒体视频网络生物实验室”，实验室里装备精良，每个实验桌都配备了电子显微镜和台式机，这些台式机可控制摄像头，采集实验过程中的视频资料并将之投射到大屏幕上，供学生们观摩。它的建成和使用改变了传统的生物实验模式，特别是解决了生物实验过程中及时检验学生使用显微镜的效果问题。借助双向网络传输技术实现了教师与学生、学生与学生之间的多向互动和多向交流，促进了学生的“探究型”、“自主型”、“合作型”学习，展示了学生自主学习的全过程，做到了“网络教学，多向互动，探究学习，培养能力”。

此外，我校是上海市最早建成天象厅的中学，天象厅可以演示在地球上任意时间、任意地点观测到的星空和天象，有利于学生在模拟环境中感受、学习天文知识。其他学科的专业教室和实验室也都为课堂教学提供了有利支持。

**2. 多媒体教学应用**

目前，学校的日常教学已全面采用了先进的多媒体方式，全校三十多个教室均安装了大屏幕投影设施，并全面接入校园网。上课时，教师们用随身携带的戴尔 LatitudeD505 笔记本电脑，从学校网络中心的一台 PE1400 资源服务器上下载课件，进行播放和演示，让学生们在轻松愉悦之中学到知识，掌握技能。

学校自 1997 年起就开始了多媒体教学软件的制作，并且每年进行一次音像制品与多媒体教学软件的评比工作，至今已形成了较丰富的内容。学校进入了首批“全国现代教育技术实验学校”的行列。我们认为，要培养创新型人才，就必须让学生从应试教育的狭隘知识怪圈中跳出来，真正跳进大千世界中、丰富的知识海洋中去。只有这样，学生才能深切体验到知识的丰蕴与价值，才能通过教师正确的引导不断完成通过获取信息、选择信息、理解信息、领悟信息，并通过联想、思维与创新理念获得灵感，再通过重组信息、更新信息、变化信息等达到创新与创造这一实践过程，实现培养创新型人才的目的。

在多媒体教学应用方面，我校还有一个专门的“数理教学系统”，其主要功能是模拟各种数理化现象，以直观的方式向学生传授那些难以理解的知识点。该系统的后台位于学校网络中心，由一台 PE1600SC 服务器担任承载，系统的客户端软件有数、理、化三个不同版本，分别安装在不同科目任课教师的戴尔笔记本电脑上。上课时，教师们用笔记本电脑通过校园网登录该系统，只需输入相应的参数及应用指令，就会自动生成函数曲线、电路状态等数理现象，并通过投影设施显示在教室的大屏幕上。除上述多媒体教学系统外，戴尔设备还支撑着电子阅览室、教研室、实验室等校内其他部门。在这些部门服务的主要是戴尔台式机，包括 OptiPlexGX270、GX280 等多种机型共一百三十多台。其中电子阅览室有五十多台，供学生浏览电子图书、上网或撰写报告；剩余的几十台分布于各教研室和实验室。

## （三）教学评价成功导向

教学评价对课堂教学具有逆向指导作用。对一堂课的评价标准和对学生课业的评价标准，都对课堂教学起着重要的影响。科学客观的评价才能对课堂教学起到积极的导向作用。

### 1. 一堂好课的评价

我校按照新课改的理念和教学理论制订了课堂教学评价表，用来反馈教师的教学状况，并提出指导性意见和建议。课堂教学评价的指标包括目标确定、内容组织、过程实施、教学效果、特色和创新、教师素养六个方面，分为“好”、“较好”、“一般”和“较差”四个等级，最后给出总体评价和评语。课堂教学评价不仅关注教师在教学过程中的具体表现，还关注学生在课堂上的行为表现、情绪体验、过程参与、知识获得及交流合作等多个方面。评价标准中的“好”、“较好”、“一般”、“较差”的具体标准如下。

“好”：能较好地落实新课程标准提出的三维目标要求，能创设利于激发学生的积极性、易于让学生参与教学的情境和时空，让学生经历知识发生、形成和应用的过程，真正成为学习主体；在教学过程中教师主导作用发挥比较明显；能恰当运用信息技术手段促进学生学习；教学效果好。

“较好”：有一定的改革意识并在教学过程中有所体现；能把握住教学的基本要求和教材的重点；教学过程组织比较流畅；能较好地完成知识、能力与方法方面的教学任务。

“一般”：有改革的愿望，能基本完成教学的要求，但在正确把握基础与发展的关系等方面还不够到位，存在某些方面的欠缺或偏差。

“较差”：教学的基本要求尚不能得到落实。

教师可以依据课堂教学评价标准来给自己的教学进行评价诊断，也可以通过教师间互评进行教学交流。尤其在公开教学研究展示周活动期间，众位听课教师都采取同一标准对同一堂课进行分析评价，提供了很好的教学研讨机会，促进了教师对教学的反思。

### 2. 学生课业的评价

近年来，学校进行了“推动学生本体发展，创新综合素质评价”的课题研究，同时对多领域进行调研、实验、跟踪、反馈，认为对学生行之有效的评价是：实施多元评价，用宽广的视角启示学生；实施过程评价，用发展的视角激励学生；实施分层评价，用科学的视角关爱学生。尤其提出了一种要让学生体验成功、建立自信的评价策略，其要点如下：①以找学生优点为评价的出发点；②以激励和表扬为评价的主要方式；③以学生个体为主要评价参照标准；④正确评价学生的成败；⑤扩大评价范围，困难学生也有多方面的才能和个性，要把每一个学生的优点、长处都纳入评价的范畴；⑥在多向评价流程中以学生为主体。

我校的评价还强调：打造民主、有序的新课堂，保护学生的独特思维，促进学生个性化发展；改革传统的命题方式，注重考察学生的思维能力；针对学生的个体差异展开评价等。这些都有利于“激活思维，自主发展”这一教学理念的实施，进而让每一个学生都能体验成功，实现差异发展。

# 第六章 校长领导力与教育创新

# 一、立足文化理念的领导方略

学校的文化是一种“弥漫”，它弥漫在校园的空气中。学校文化既是无形的又是有形的，是可以感知的。学校要传授给全体学生共性的能力，就是“为人之道”和“为学之道”，这是学生得以持续发展的普适性的立身之本。但是，学校还要培养他们独特的个性，那就是一种“人无我有、人有我优、人优我新”的独特气质。培养学生的全面素质，不仅是靠在课堂教学中传授的学科知识，而且是靠在课堂教学中传递的一种学术文化。因此，作为校长必须十分关注学校文化的建设。

## （一）实现校长领导力的三个境界

校长领导力的实现过程有三个境界。第一个境界是人治。我们有一批老校长，他们有丰富的学识、高尚的人格、丰富的管理经验。这些老校长在位的时候，凭这三点，可以把一所学校管理得井井有条。那么，这种管理模式实际依托的是什么？依托是个人，也就是人治。人治，它的表现形式就是人管人，比如学校人事的安排，校长可以安排不同的教师教不同的年级，因为校长对每个教师有自己的评价。但这种人管人的管理模式势必有它的弊端，因为校长和普通人一样都具有七情六欲，他的情绪也会被各种纷扰所左右。这些影响都隐含在校长一种细微的情感表述里面。这些情感因素在实际的管理过程中势必会对校长的决策有影响。一个人心情好的时候，什么事情都好商量；心情不好的时候，什么事情都不好商量。这是什么原因？这就是人治。人治有它的优点，校长的经验、人格、学识，大家都服；人治也有它的缺点，校长的决策有时要受自身情绪的干扰。

进入法制社会之后，我们校长想到的是制度，学校通过制订一系列的规章制度来实施管理。所以，现在到每一所中小学，都会发现有一本学校管理手册。这个管理手册就是制度，对学校来说就是“小法律”。这个“小法律”客观上取代了校长，校长就是拿着这个制度来进行管理。那么，这种管理有什么弊端呢？这就是机械性。校长管理的对象是教师，是知识分子，他们有各种各样的随着外界刺激反射产生的情感波动，这些问题必然反映到教师日常的工作之中。校长如果单纯地依靠学校的制度来解决问题，片面强调法律面前人人平等，能否真正解决问题？因为制度是六亲不认的，校长如果用这种机械的制度来对待每一个不同的人，就可能挫伤教师的积极性。所以制度可以说是一把双刃剑，有时看似公平，但是缺乏了一点人情味。

当前，我们提倡建设和谐社会，校长们又在探索“文治”的方法。因为，在依法治国的背景下，社会强调法治是对的，乱世用重典，但是用重典的同时，是不是关注到了人所特有的感受呢？是否注意到了由于外界干扰而引发的职业不稳定性呢？所以在强调依法治校的同时，还要强调以德治校，要从道德的角度去提升教师的职业归属感，提升教师的专业精神，这就是所谓的文治。文治就是文化管理。文化就是一种共同认同的价值，就是大家认可的一种文化“潜规则”，也就是学校中的一种氛围，是教师们的行事规则，该怎么做的事情，不用校长去告诉教师，教师凭着职业操守也会自觉地去做。我们中国古代的知识分子追求的人生最高境界是“慎独”，就是当一个人独处的时候，他能够省诫自己凡事要非常谨慎，这就是读书人追求的一种理想——独善其身。如果一个人做什么都要用制度来制约，那就还没有达到这种境界。现在大家都讲素质，素质是什么？素质就是不用提醒。任何规章对于自觉的人来说，就是一张废纸，毫无意义。所以，文化实际是共同的核心价值、共同的行事规则。校长都会碰到师资流失的问题，比如，学校有几个教师调走了，这种现象就会造成一种舆论，“这个学校的校长管理有问题”，或者说，“这个学校没有凝聚力”等。实际上，人才的流动是非常正常的，流失的教师就是不认同学校的文化。当一个人对他所属团队的核心价值不认同的时候，就会出现认同背离。他不认同这种文化，就会选择离开。所以，不要把教师流失看成一件惊天动地的事，因为在人才流动的过程中，认同学校文化的人又流动了进来。知识分子的流动主要是文化认同的问题。现在是市场经济，当然也有追求物质和功利的人。古代的知识分子讲

“士为知己者死”，他为什么会愿为知己者赴死呢？实际就是认同了其文化，认同了其价值。因此文化管理的要义，实际上是要营造一种共同的归属感，这就是文治的特点。一个校长在实际管理中都要经历三个境界，而且有时候这三种办法是交互使用的：对有些人是需要制度管理的，对有些人是需要人情管理的，对大部分人是需要文化管理的。

### （二）领导和管理的文化差异

领导和管理有什么区别？在学校里面，校长是一个领导者，也是一个管理者，两者有什么差异？在管理实践中，它们是有差异的。领导就是决定做正确的事，它是一种文化的判断力。比如说一所学校要有一个发展走向，这是校长的判断，体现了一个校长的文化判断力。那么，管理是什么？管理就是把决定执行到最正确，把决定要做的事情设法做到最正确，那是一种职业的执行力，而不是一种价值的判断力。因此，领导和管理是有差异的，而且是一种本质性的差异。所以当一名校长，实际是对整个学校的办学理念、办学特色、发展方向的把握，是一种文化判断和价值判断。作为领导，不能也不要事无巨细，什么都管，校长必须记住自己的角色定位，他履行的不是一种管理行为，而是一种领导行为。

校长在学校中的行为定位应如何把握？在现今的校长群体中，我们可以作一个大致的分类。第一种是“循规蹈矩”型的校长，这样的校长凡事都以红头文件为准，凡事都以领导的讲话为准，丝毫没有自己的想法和看法，因此这样的校长在学校里的角色就是“传声筒”，是“二传手”。他们所谓的管理就是文件管理和上级的管理，事实上他们只是作为一个完成上级布置工作要求的执行者，算不上是一个管理者，更算不上是一个领导者。第二种是“萧规曹随”型的校长，这样的校长凡事都以先例为准，以前任的做法为准，学校的管理就是“依样画葫芦”，因此这样的校长充其量只能算是一个“守成者”，是“克隆者”。他们所谓的管理就是求稳，丝毫没有考虑到社会的进步、时代的发展对学校管理的新要求，传统的办法是否能够应对新的情况。如果说这样做是出于对前任校长的尊重，那只是一种不负责任的推脱。因为任何管理都要应对新的发展了的实际，不能墨守成规。即使是以前很有效的方法，遇到新的问题也不一定有用。同时我们并不是说一概地否认前任校长的一切做法，关键是采用拿来主义的态度，有用的继续沿用，不实用的要及时调整，这才是对传统真正的尊重。第三种是“顺时而变”型的校长，这样的校长认真学习红头文件，领会文件的精神，也执行上级布置的工作，但是他们不是机械地执行文件，不是机械地完成上级布置的工作，而是善于把握时代发展的趋势，更重要的是根据学校的实际情况，选择学校的发展道路，制订适合学校发展的策略，办出学校的特色。这样的校长才是具有领导力的校长，这样的学校才可能持续地发展。

学校的管理可以说是事无巨细，校长如果埋头于纷繁的事务堆里面，那只能是终日劳碌，无暇考虑学校的长远发展。具有领导力的校长不是不管事务，而是掌控事务，充分调动学校各级管理者的积极性，充分授权，重点监控，及时评估，适时调整，使学校的日常运作有条不紊。这样，校长则可以腾出时间和精力来关注课堂、关注教师、关注学生，并从课堂、教师和学生中发现问题，总结典型，明晰下一步的发展方向和工作重点。因此，领导和管理的差异性主要在于校长的自我定位。如果负有领导责任的人去做那些管理者应该做的事情，那么长此以往学校的各级管理者就不会有工作的积极性和创造性。而校长的领导角色错位也必然导致校长的宏观思考和决策能力的退化，最终导致学校发展远景的缺失。

### （三）领导行为的文化改变

校长领导行为的文化改变，可以从以下几点做起。

第一，善于聆听，鼓励别人多谈他们自己的事情。在学校活动中，我们习惯了校长的一言堂和教师的一言堂。作为校长，要规划学校的发展远景，要制订相关的学校政策，必须高度集中教师的智慧和学生的智慧。所以，校长要多倾听教师和学生的意见、建议。校长要从尊重师生人格的高度出发，鼓励师生多谈他们自己的经历、苦恼、想法，鼓励尽可能多的人畅所欲言。这个过程实质上是一种大信息量的摄入，校长在倾听了尽可能多的师生谈他们的想法之后，再整合这些信息，就能够从这些信息中提取出一个高位的理念。如果一所学校有一百多名教师，他们都能够向校长敞开心扉，谈他们的想法，校长只需把他们最精华的东西整合起来，然后形成一个共同的目标就行了。所有的人都在朝着这个目标努力，因为所有人谈出来的交集的部分，就是他们共同的价值归属。

第二，不责备、不埋怨，总表现出对别人的言行感兴趣。知识分子都很有个性，都很有想法。每一个有个性的人都会表现出一种，或者做出一种、说出一些和校长的理念有所冲撞的东西。遇到这种情况怎么办？体现校长行为文化的选择就是，当教师做出与校长想法相悖的事情的时候不要去责备教师。因为过多的责备只能加剧这种对立和矛盾冲突。另外是不埋怨。所谓不埋怨就是包容，一个人做错了事情，已经很内疚了，再加以责备，这不是在已有的伤口上再撒上一把盐吗？领导文化中的一种特质就是包容心。有了这种包容心，校长就能够总表现出对别人的言行感兴趣。有时候，校长即使不认同某些教师的看法，但在行为上面表现出对他的所言很感兴趣，这也是一种包容的态度。有时候，有些教师做的事情可能和校长的价值观相违背，但只要不是严重的错误，校长就要包容他。江山易改、禀性难移，妄想通过制度改变人的个性，那简直是不可能的事情。因此，做校长的一定要宽容，对于别人的难以改变之处予以谅解。

第三，设法让自己更多地去帮助别人。当校长还有很重要的一点，就是设法让自己更多地去帮助别人。当领导，不管职位高低，要做的事情，就像小平同志讲的："管理就是服务，甘当'后勤部长'。"校长是一个团队的负责人，要时刻想着为团队里面的每个人搭建发展平台，要有甘为人梯的精神，尽自己最大的可能想方设法去创设条件，为教师们发展服务。所以，领导不是高高在上，领导实际是作高位的思考，然后是作下位的服务。这样是否会削弱校长的领导权威呢？其实不然。从服务的角度来加强管理，会拉近领导者与被领导者之间的情感距离和心理距离，会更好地形成工作合力。如果教师们碰到什么困难，整日抑郁寡欢，客观上就会影响工作。如果校长能够出面帮助他们解决问题，教师们就会卸下包袱，心存感激，工作的热情和干劲会更高。在教师的专业发展方面同样如此。看到自己培养的学生超过了自己，这就是作为教师最大的成功，教师不会去嫉妒自己的学生。校长看待教师的成绩也应如此，如果一个校长能够领导一大批特级教师和高级教师，这说明校长有本事，因为他领导的人层次都很高，可见他的领导水平也很高。所以，校长要很清醒地知道一个道理，不是权力大就等于水平高。校长要用好手中的权力，创设各种条件让教师们比自己更加出名，学校的名师多了，学校的知名度才会更高。

以上所述，是校长领导行为的一种文化的改变，它不是一种行为的简单变化，因为它的背后有价值，有核心价值问题，那就是包容和尊重。

## 二、提炼价值特质的格致文化

### （一）中西方教育理念的共识

任何一个民族的文化都是这个民族的生存之根，发展之本。《周易》中有句话是“蒙以养正，圣功也”。“养正”的“正”区别于“邪”，就是说要通过教育使受教育者成为“正人君子”。《说文解字》中也讲道：“教，上所施下所效也；育，养子使作善也。”它形象地告诉我们一个简单的道理，那就是师长的榜样示范作用对孩子成长有巨大影响力。家长养育子女，学校教育学生，最终是要让我们的下一代做好人、说好话、做好事。朱熹是儒家思想的集大成者，他说：“古之小学教人以洒扫、应对、进退之节，爱亲、敬长、隆师、亲友之道，皆所以为修身、齐家、治国、平天下之本。”他强调了一个人的成长必须从细节入手，循序渐进，从而最终发展成为德才兼备的经国之才。

改革开放以后，我国教育界引进了国外的一些教育理念，给予我们很多启示，因为人类对教育有许多共识。亚里士多德是古希腊的一位数学家、哲学家，也是一位教育家。他对教育有许多独到的、开创性的见解。他说：“教育的最高境界是道德。”当然，他说的道德不是我们现在所指的学校德育的狭义范畴，而是一种体现全面育人理念、注重全人素质的大道德教育观。18、19 世纪瑞士教育家裴斯泰洛齐提出了“教育性教学”的理念，也就是说任何的教学活动都应当有教育性。虽然我国的素质教育提出以“德育为先”的理念，但是当面临对学生的终极评价的时候，德育的评价就显得很苍白，这就是我们学校要面对的世俗文化。

校长对育人目标的思考应该是教育和教学力求不要“两张皮”，而是一个和谐的统一体。西方有句谚语，叫做“人的一半给上帝，一半给恺撒”。西方人大都把上帝视为精神的化身，是信仰的代名词。从人的成长历程来看，人确实是需要有精神引导的，需要有信仰追求。从学校教育的实际状况来看，一名学生在进入学校之前是一个自然人，学校教育的整个历程就是使学生从自然人走向社会人。当学生完成学校教育而后走上社会时，就从一个自然人变成了一个社会人。因此，学生在成长过程中需要思想教育和人格培养，这就要求学校教育给予学生人生追求目标的指导，使他们确立一种精神和信仰的追求目标。如果缺失了这一个核心目标，那就不能说学校教育取得了成功，也不能体现学生成长的全面性。

当然，学校教育阶段是学生养成社会公德的关键时期，还需要加强对学生的行为规范的养成教育。我们的学校教育比较多地关注学生的学业成绩，而忽视了学生公共素质的培养，所以暴露出学生在一些基本道德行为规范方面有所缺失。这不能全部归咎于学生，而应该检视学校教育和家庭教育的缺失。从一定程度来讲，学生道德方面存在的某些问题，更多就是社会、学校、教师和家长的问题。我们可以设想这样的情景：当一个家庭吃完晚饭以后，父母亲拿着报纸或书籍在阅读，或者听着悠扬的音乐，这时候孩子是非常安静的，他会认真地去做作业，因为环境给了他一种好的暗示；而当一个家庭吃完晚饭以后，父母亲呼朋唤友打麻将，然后要求自己的孩子好好做作业，这样的环境下孩子会好好做作业吗？所以要强调教育是一种道德，不仅仅是说学校，还应该包括所有负有教育者责任的人。总之，学校不仅仅要关注学生的学业水平，还要将学生的思想道德和行为表现作为育人不可或缺的重要内容加以落实。

美国教育家杜威说过：“道德目的应当普遍存在于一切教学之中，

并在一切教学活动中居于主导地位。如不能做到这一点，‘一切教育的最终目的在于形成品德’这句尽人皆知的话就成了伪善的托词。”爱因斯坦是个大科学家，又是个有很高人文素养的学者，他对于教育问题有非常独到的见解。他说：“仅仅用专业知识教育人是不够的。通过专业教育，他可以成为一种有用的机器，但是不能成为一个和谐发展的人。让学生对价值有所理解，并且产生热烈的感情，那是最基本的。他必须对道德的善有鲜明的辨别力。”他指出价值“是最基本的”，他所谓的价值也就是我们讲的道德素养，他认为这才是教育应该培养学生具备的最基本的、最核心的素质。其实，说到底教育就是“向善”的事业，要教育孩子说好话、做好事、做好人。

### （二）“格致文化”的根脉

我校保留着一座近百年历史的老楼，现在已将其作为校史楼，旁边有四块镌刻着“格物致知”四个字的汉白玉石碑。这就是我们始终不变的校训。136 年前建成的“格致书院”，后来改名为“格致公学”，再后来改为“上海市市立格致中学”，新中国成立后改为“上海市格致中学”，不管怎么改，“格致”两个字都没有改动。这在上海的老校中是唯一的。所以“格致”代表的不仅仅是校名，它代表的是一种历史和一种学校文化。“格致”出自《礼记·大学》中的“格物，致知，诚意，正心，修身，齐家，治国，平天下”，这是儒家文化所倡导的“八目”，它总结了中国传统文化的育人理念。对“格物致知”最通俗的解读就是通过探究客观事物然后获得知识，获得智慧。学习的过程是学生在获取知识的同时也感悟人生哲理的过程，“德”和“才”同时在学，同时在提高，这样就能成为德才兼备的人，这样的人才能成为国家的栋梁，才能够“治国平天下”。

### （三）“格致文化”的特质

由于我校的创办有其特定的历史背景，所以我校的文化烙有鲜明的时代特征。它主要表现在以下几个方面。

第一，科学崇理的学校精神。我校是中国近代洋务运动背景下创办的一所新型学校。我校的学校精神是“科学、崇理”。论及“科学”，格致书院是近代中国上海最早系统引进并传授西方自然科学知识，培养民族科技人才的新型学堂，所以它的历史地位和其他书院不一样，它的教育理念和传统书院不一样。当时格致书院使用的教材全部是从英国引进的原版自然科学教材，教师全部从欧美聘请。孙中山和康有为也先后考察过格致书院。近代中国没有“科学”一说，国人把自然科学统称为“格致学”，把自然科学研究者都称为“格致家”。所以，我们学校的办学特色就是科学教育。当然，现在我们来谈论“科学”，不仅是指科学知识，更重要的是科学的方法、科学的态度和科学的精神。我们所说的“崇理”，不仅仅是指理科，它指的是研究自然科学应该具有的一种理性的思维和理性的态度。所谓“崇理”就是遵从客观规律。

第二，校本多元的课程原则。学校的课程设置体现了学校的办学特色，也反映了学校的办学理念，因为所有的学校教育活动都依存于学校课程这一平台。当年的格致书院制定了一整套独具个性的学校课程，叫做“格致课艺”。这里的“艺”不是艺术，而是技术和工艺，是实际操作的技能。书院的课程不同于传统书院，主要设置的是科技课程，而且这些课程大都从西方引进，如数学科目就细分为 16 门分科，在规定学生必修 6 门的基础上，让学生任意选择其他科目。当年的格致课程中还有许多旨在培养学生实践动手能力的课程，并且建立了相应的实验室，便于学生演示实证。此外，书院对学生的考试也不是死记硬背，而是考查学生运用知识解决实际问题的能力，考题中有大量融合其他知识与能力的考题，如“中国有无建铁路之必要”，这个题目涉及很多学科的问题，政治的、经济的、军事的、外交的、天文的、地理的，实际上就是考查学生的综合知识和综合能力。所以，格致书院实施的课程是一种多元的、综合的课程。

第三，人本创生的管理理念。“人本”指的是学校的办学宗旨服务于师生的发展，学校的一切教学活动着眼于学生持续发展的学能培养，学校的管理重心始终偏重于为师生的发展搭建平台。因此，校长的领导行为影响着学校的发展，而学校的发展又影响着教育的发展。学校发展的创生性决定了学校不能墨守成规，不能止步不前，必须顺应时代的发展而不断改变。我校的创办就体现了一种时代的创新，它的办学理念、课程文化、学生文化、教师文化都开了时代的先河。它在其后漫长的发展历程中历久不衰，不断提升，正是源于它对时代发展的主动顺应和不竭的创新实践。所以，学校的生存发展本质上也反映出学校自身的文化创造力。学校的发展有时候表现为在管理制度上有所突破，有时候表现为在教法上有所突破，有时候表现为在教学内容上有所突破，一切突破的关键是什么，就是理念的突破。所以，思想解放、转变观念是第一位的。没有理念转变就没有实践创新。

### (四) 彰显学校文化特质的标志

彰显一所学校文化特质的标志主要有三个。

第一，独特的文化底蕴。一所好学校，一定有它独特的文化底蕴。因为这是它独有的历史积淀所形成的学校精神和核心价值，所以它是不能被简单模仿的。比如说我校，它的文化核心价值就是“格物致知”的思想。一百多年来，“格物致知”这一理念亘古不变，始终是我校的校训。全球以“格致”命名的学校有十多所，在我国台湾地区有两所，这些学校的办学历史长则百余年，短则三五年。为什么这些学校都不约而同地取名为“格致”，因为“格致”代表了近代教育新学的发端，“格致”是一个教育符号，它独特地体现了中国传统文化和西方文化相融合的一种教育理念。它是在特定时代和特定社会背景下生成的，具有独特的历史和独特的内涵。

第二，鲜明的人才个性。一所学校培养的学生可以折射出这所学校的办学理念和办学特色，他们是学校核心价值的“形象大使”，学校文化的独特性都可以形象地在人才个性中体现出来。朱镕基总理在上海担任市长期间曾到我校视察，当时我校是上海所有重点中学里校园面积最小、教育设施较差的一所学校。它地处市中心，占地6亩，有一栋老大楼和一片小操场。但是，朱镕基同志在参观了学校的校史馆，看到我校历史上培养出来的一大批杰出校友后，感慨地评价道："三流的校舍，二流的设备，培养一流的人才。"这个评价说明了学校优良校风的影响，说明了教师队伍的作用。我校办学历史上为国家培养了12位两院院士和一大批杰出的科技人才，他们的身上集中体现了我校这种办学理念和育人特色。我校培养的毕业生绝大多数都集中在自然科学领域，这个现象集中反映了我校的办学个性。中科院院士、复旦大学原校长、英国诺丁汉大学现任校长杨福家先生是我校校友，他回忆当年读高中的时候，十分动情地说："我在格致中学遇到了好老师，他们教会我两样东西，一个是怎么做人，一个是怎样学习。在这里，我懂得了做人的道理，也懂得了学习的方法。"

就像独特的气候条件孕育独特的物种一样，一所学校特有的文化环境也会造就一批批独具个性特长的人才。学校应当创设独特的文化环境，使每一个学生都能在这样的氛围中个性化地发展。我们痛恨计划经济时代的划一性、统一性，学校办得"千校一面"，培养的学生"万人一面"，学校教育就像一条工业"流水线"。这样的学校教育是对人性的一种摧残。学校应该保护和发展每一个学生的个性特长，无论在学术方面、行为方面、知识方面还是思维方面，学生都要有自己的学术强项，都要有独立的人格，也只有这样的人，今后才可能出类拔萃。

第三，集聚的教育资源。现在全社会越来越热的"择校"现象，究其原因是社会对优质教育资源的选择。选择什么样的学校，孩子和家长的选择标准是不一样的，因为追求的价值不一样。大部分学生选择学校的标准偏重于硬件，要看这所学校操场够不够大，活动设施够不够全，课外活动够不够丰富。家长选择学校的标准则不同，因为家长希望自己的孩子最终能够考上理想的学校，希望自己所选择的学校能够确保实现这一愿望。现在能够证明孩子成才的最重要标志就是能不能考上名牌大学。要考取好的大学首要的是选择名师资源集聚的学校，所以本质上家长的择校是在选择名师。为什么现在有些学校校园很小，设施一般，但却人满为患，究其原因是这里汇聚了一批名师。办学校靠什么？正如清华大学老校长梅贻琦说的："所谓大学者，非谓有大楼之谓也，有大师之谓也。”办学主要靠教师，特别是一些资深的名师。现在许多学校之所以出名，就是因为其培养出来的人都是出类拔萃的，这样口口相传，众口成碑，最终确立了学校的社会影响。因此，办学校主要不是靠学校的设施设备有多先进，而是靠一批名师来培养出类拔萃的学生。所以，校长在提升学校办学品质的时候，关键是抓好教师队伍的建设，这才是学校的可持续发展的根本。

综上所述，办好一所学校的核心问题是独特的学校文化和一支高素质、有个性的名师队伍。只有学校有特色、教师有特点，最终培养出来的学生才有个性。

## 三、追求时代特征的人本德育

当前，人们在探讨许多社会问题的时候，都习惯于把产生这些问题的原因归咎于学校教育。社会在充分认可基础教育对学生的智能发展富有成效的同时，对学生的情感、态度和价值观方面所暴露的问题也给予了不少的批评。学校的“育德”功能怎样才能更有效地得以实现，已成为德育发展的当务之急。我们有必要对传统德育进行历史的反思，这种反思是为了赋予学校德育以更鲜明的时代性，寻找学校道德教育的最佳适切度，赋予学校德育更多的人文内涵。

传统的学校道德教育是一种“硬塑”的教育模式。该模式将德育的目标设计成一种划一的模型，通过学校和教师机械的“工作”，最终把学生塑造成趋同于德育目标的“成品”。这种计划经济体制下由应试教育模式来完成的道德教育流程，显然与市场经济条件下的人才培养目标不相适应。德育无论从它的价值抑或效能上，都应该体现一种充满人文关怀的教化活动，更多地表现出满足学生多元发展需要的人文化特质。

早在18、19世纪，瑞士著名教育家裴斯泰洛齐就提出了“教育性教学”的观点，也就是把智育与德育作整合的理解。康德也曾经说过这样的话，“文化是使人文明化”，即教育是为了达到使人文明的目的。

中国的传统文化主要是建立在儒家伦理基础上的文化，中国古代的思想家大都认为，要实施统治必须“教化”百姓。顾名思义，教化乃教而化之。“教”是为了“化”，“教”是手段，“化”是目的。我们认为，当前学校的德育必须研究如何有效地把德育的主旨内化为学生的心志和行动，从而在社会生活中表现出一个高尚的人所应该具有的文明的品行、高雅的品位、健康的品性、优秀的品质和高尚的品格。学校德育应该通过学校文化的建设，成为学生不断实现自身文明的体验、感悟和实践的过程。德育应该积极地去探索顺应青少年身心发展规律的、体现社会化与人文化特点的内容和方法。德育创新并不是在“废墟”上重建，而是摒弃那种不重实效的“形式德育”、不重体验的“言语德育”、不切实际的“主旨德育”和不重学生的“单边德育”。我们必须在德育的理念、内涵、载体等方面力求创新，以适应社会的发展对德育提出的新要求。

### （一）变“工作德育”为“目标德育”

学校德育是一项工作还是教育的终极目标？这个问题的提出是为了真正确立德育在整个教育活动中的核心地位。众所周知，工作属于操作层面，目标属于理念层面。当我们把德育作为一项具体工作的时候，实际上就已经把德育的核心地位人为地降低了。德育的目标应该也必须通过具体的工作加以落实，而问题的关键在于，如果我们只是停留在操作层面来思考的话，往往导致德育只是在形式上做文章，而忽视德育的本质特征。在现今的学校中，班主任管理班级日常事务，上设德育处主管学校德育工作，再上去有分管德育的校长，无形中形成了学校德育相对封闭的管理系统。虽曰“全员德育”，但实际上系统之外的成员没有非常明确的职责和义务，系统以外人员的介入只是他们个人良好师德的一种表现。如果遇到学生中出现了行为偏差或品性不端等方面的问题，首选是找班主任老师，如果解决不了，再送到德育处去处理，如果德育处解决不了，那一定是请示分管德育的校长来解决。这套模式经过几十年的运转，都已经约定俗成，人们也就不足为奇了。然而，正是这种德育的格局严重地制约了德育的创新。德育的“工作化”倾向，实质上是对德育功能认识的不足和功能定位的不当。

教育是一项道德事业，没有道德目标的教育，不是真正的教育。这里举一个通俗的例子来加以说明。一个人每天要摄入一定量的食盐，如果一日三餐中没有了食盐，淡而无味的食物可能谁都吃不下。但如果我们把这些食盐从一日三餐中提取出来，让人一下子吃掉，可能谁都受不了。德育同样如此。德育的目标必须渗透在智育、体育、美育等所有学校教育活动的全部过程中，因此，所有的教师在传授学科知识的时候要把“教人智”和“使人善”两个目的有效整合。教育应该成为完全意义上的道德教育，德育应该成为整个教育的最高目标。任何促进学生智力发展和身心发展的教学活动，都应该服务于一定的道德目标，达成使人善、使人智、使人能的要求。总之，教育的全部工作和终极目标都可以归结在道德这一概念之中。综观世界各国，道德被普遍地认为是整个教育的最高目标和终极目的，因此我们的学校德育也理当成为学校教育的最高目的。从这个意义上来说，德育应该属于“教育目标”的范畴，而不仅仅是学校工作的一个方面，德育在整个教育格局中，应当处于统领一切教育活动的核心地位。

德育应该怎样成为核心？这就要扭转学校德育以“工作”代替“目标”的认识误区。在指导思想上，真正确立德育的核心地位，改变“德育是一部分人的事情”的状况，确立“人人都是德育工作者”、“教育过程处处有德育”的理念。在操作层面上，构建全员德育的体系，让德育成为每个人的德育，让德育成为每个教师的自觉行为。无论是在课程的内外、课堂的内外还是在学校的内外，德育无处不在，德育无处不为，德育无人不为。

### （二）变“主旨德育”为“话题德育”

当今社会呈现出政治多极化、经济全球化、文化多元化、信息网络化和价值多样化的特征。在市场经济条件下，个人价值取向的多元化已经成为不争的事实。学生对社会现象的认识和判断有了更大的思考空间，学生在个人的成才标准、成才方向和成才路径等方面有了更大的选择空间。我们必须承认这种思考与选择的道德合理性和人文合理性，但同时又要坚持主流价值的导向。我们知道，教育承担着为国家未来事业培养合格接班人和建设者的重任，因此学校必须通过教育教学活动来向学生传授国家所倡导的核心价值和主流意识。我们应该克服学校德育的泛化倾向，这里所说的“泛化”主要指德育的说教化。针对学校教育的“三个不适应”现状，即“不适应青少年身心发展的特点、不适应社会生活的新发展、不适应全面推进素质教育”，从德育的实现形态上加以改革。师生关系由权威型转向以平等对话为特征的民主型，教育方式由灌输式转向启发式，学生管理由封闭式转向参与式，让德育回归教育的原生态，更加遵循学生的身心特点和认知规律，更加凸显人文性。

千变万化的社会生活是德育取之不尽的题材，我们要把外界环境、学生心理和德育内容看成一个综合的动态系统，寻找三者的结合点，通过调动人的迁移思维能力来提高接受的有效性。眼下不少教师都抱怨，现在的学生真难教，“大道理不要听，小道理不屑听”。我曾经对部分高中学生作过一项有关德育主题活动实效性的调查，其中一个问题为“下列哪种主题教育活动方式最能吸引你参加”，供选择的选项为校会、班会、小组讨论会、辩论会 。调查结果显示学生的认同率依次为辩论会、小组讨论会、班会、校会。其理由为“辩论会能围绕一个话题，双方展开辩论，每人都可以参与讨论，发表意见”。也有人说“真理越辩越明”，“即使作为听众我也能从双方的辩论中得到启发”。这一结果告诉我们，学生普遍对一言堂式的德育活动感到不满。他们认为教师讲的很多大道理比较空泛，远离现实生活，听起来索然无味。上述调查结果也传递给德育工作者一个信息，那就是怎样把教育者的主观意图通过学生乐于接受的形式加以传递。

应当承认，向学生灌输主流的世界观、人生观和价值观，不失为学校德育的一个重要方法。但我们也应该看到，随着市场经济的不断发展，社会的开放度和学生的自主性也在不断增强。商品交换的原则侵蚀到社会生活和人们的精神领域，导致国家、集体意识的弱化，日趋复杂的社会环境也对中学生产生许多负面影响，这一切社会发展中的问题都或多或少地影响了德育的灌输效果。德育是充满智慧的教育，它的过程也应当是启迪智慧的过程。难道德育的手段真的贫乏到只有依靠灌输了吗？我们是否还在信守“我讲你听、我教你懂”的教条？德育应该回归时代生活，在学生的生活世界中寻找德育话题。我们可以将德育的主旨隐含在德育的话题中，从生活现象入手，让学生在参与社会问题的分析过程中体验、感悟生活的真谛，在生活中感受道德、感悟道德、养成道德，而不是将成人的意图强加给学生。因为，只有让学生关注时代生活，关注生命发展，才能使他们对自身有所要求。我参加过一堂旨在进行爱国主义教育的班会课，班主任老师摒弃了满堂说教的做法，先是从学生中征集班会课的话题，再从众多的话题中选一个最为热门的，设计了“话说中国人圆了飞天梦”的班会课，然后以“神舟”六号飞船上天作为话题引导学生展开讨论。整节班会课群情激昂，学生踊跃参与，在学生的讨论过程中，教师不失时机地归纳出“科技强国”、“团队合作”、“和平利用太空”、“人文关怀”等结论，最后归结到爱国主义的主题。整个教学过程如行云流水，师生充分互动，十分自然地达到了教育的目的。可见，德育不是那种直白的一厢说教，也不是成人观念的再现，而是学生经验的再现和学生智慧的碰撞，显现水到渠成的自然状态。因此，我们要探索“寓德于知、寓德于乐、寓德于美、寓德于管”的方法，将德育化为学生乐于参与的话题情境，因为只有主动的参与，才能打开他们接受信息的思维大门。

总之，教育是对受教育者心理上施行的一种正确的、有目的的和系统的感化工作，其目的在于使受教育者养成教育者所期望的品质。我们不要简单地把学生看成一个“容器”——只需把教育内容往“容器”里面灌装，而是把学生看成一个未燃烧的“火把”，教育活动就是教师用火种去点燃学生头脑中的“火把”，使之熊熊燃烧。也就是说，要善于捕捉德育的最佳时机，选取能够引发学生兴趣的热点话题，创设一个能够吸引学生广泛参与的话题情境，把学生带入话题情境之中，唤起他们的经验和知识，使他们参与教育活动，在活动中引发思考。一旦学生对某项事物、某个话题产生了探究的欲望，教师就可把握其兴奋点，将其兴趣自然地转引到教育目标上来，这样就很自然地完成了教育设计，达到了教育目的。教育的艺术在于建立教育计划与教育目标之间的通道。教育的主旨只有通过学生自身的积极活动，才能内化为学生内在的精神财富。

### （三）变“言语德育”为“行动德育”

德育是对学生思想道德品质的教化和培养，这种教化和培养不应当是外在的说教和灌输，而应通过受教育者的自觉接纳来实现。所以，德育的实践性、体验性、养成性非常之强。德育只有唤起学生的自我思考，才能达到自我教育的目的，这才是成功的教育。传统德育的方式多为课内的言语灌输，体现了教师善意的教育控制，表面看去学生顺从或沉默，但实际上学生内心抵触，教师也无法真正了解学生的内心世界。现代德育改革必须改变这种表面平静而内在汹涌的状况，更加重视教育对象的内心感受。著名教育家杜威曾经根据教育目的的存在状态，把教育的目的分为内在的教育目的（教育过程中当事人的教育目的）和外在的教育目的，进而强调外在的教育目的只有转化为内在的教育目的，教育目的才能发挥最大的作用。他说：“如果家长或教师提出他们自己的‘目的’作为儿童生长的目标，这和农民不顾环境情况提出一个农事理想，同样是荒谬可笑的。”

我们不得不承认，当前学生群体中普遍存在着“说起道理头头是道，碰到问题双脚直跳”的现象。问题的症结在于传统的道德教育偏重理论的学习，而缺乏行动的研究。其实，德育除了必要的理论讲授，更应注重实践体验和行动研究，在实践活动中习得经验和知识。因为，德育效果的最大化不在于怎么说，而在于怎么做。中学阶段是学生实现由“学校人”向“社会人”转变的准备阶段，在这个阶段，学生不仅需要掌握基础的科学文化知识，还要掌握适应社会的基本的生存能力，确立为人处世的基本准则。因此，德育最需要避免的可怕结果，就是学校培养的学生只是崇尚空谈的“理论家”，而非注重实践的“实干家”，或者说是当面一套、背后一套的“两面人”。解决这个问题的关键在于坚持理论与实践的统一，在于把理论内化为学生的主观意志。事实上，道德概念的宣讲式教育、大规模的主题教育活动，如果得体得法，倒也确实能打动人，使人热血沸腾。然而时代发生了深刻的变革，学生发生了明显变化，如果我们还是一味地试图用那种居高临下的教育方式和脱离生活实际的空头理论来教化学生，那么只会引起学生的抵触。所以，应该变革那种“书里来、书里去”的德育模式，让学生更多地接触社会，用自己的双眼去观察社会，用自己的手脚去体验生活，用自己的头脑去思考问题，在行动中习得生存本领，在体验中感悟人生哲理。一句话，就是变单纯的“言语德育”为“行动德育”。

马克思主义认为，产生社会思想和社会理论的源泉不应当从思想和理论本身去寻找，而要从社会的物质生活中去寻找。青少年正是世界观、人生观和价值观形成的关键时期，他们思想活跃，乐于接受新的思想、新的观念、新的事物。但由于他们的思想品质还没有发展成熟，容易产生思维的偏执和行为的偏差，因此正面的道德教育和必要的规范约束是不可或缺的，也是必须加强的。可是，外在的道德要求毕竟要通过内化才能达到自律的效果。所以，我们在加强外在灌输和约束的同时，一定要调动学生自我的实践教育功能，充分发挥学生在德育行动中自我体验的能动性。事实上，活动作为德育的载体不是新鲜的事情，但是问题的焦点在于德育活动不能流于形式，要注重效果。流于形式的活动不但不能起到积极的作用，反而会带来很多负面效应。德育活动作为实现德育目标的有效载体，应该吸引学生广泛参与，让学生从中得到亲身的体验，把这种体验内化并升华为自我的道德准则。

德育活动的设计也应体现人文性的特点。一是在指导思想上，我们要真正确立以学生为本的思想，还学生以习得的自主权利，尊重学生通过实践来实现自身价值的权利，使学生获得思想道德上的成熟。二是在实施策略上，我们要充分考虑学生的接受度，还学生以活动设计和活动选择的权利。德育活动的内容要贴近学生的生活实际，活动的形式要尊重学生的意愿。我校曾经对即将离校的高三毕业生作过一次调查：“你认为高中阶段最有教育意义的活动是什么？”学生的选择依次为：军训、革命老区考察、调查人才市场、旁听庭审等。为什么最艰苦的军训反而最让学生难忘？用学生的话来讲，“烈日让我们体验到当兵的艰辛，汗水让我们体验到战士的意志。”为什么革命老区的考察使学生久久难以忘怀？学生的思想小结中如是说：“我从来没有想到中国还有这样贫困落后的农村，也从来没有感受过如此纯朴的民风。”在对人才市场进行调查之后，学生们对“当代社会对人才素质的要求”有了深刻的了解。旁听法庭的庭审后，学生普遍感到接受了一次生动的法制教育。从学生的反馈来看，这些开放式的德育活动之所以受到学生的欢迎，表面看来是由于形式的改变，而引发的后续效应却让我们深思，即好的德育形式可以提高德育的实效性。德育课堂的“搬家”不仅仅是简单的形式变化，更重要的是让我们找到了一条通向实现道德理想的道路。学生广泛参与的开放的德育活动，为学生提供了自我教育的舞台，拓展了学生自主发展的空间。

以创新的思维来思考德育的创新，是教育创新的重要内涵。具有创新特质的教师从来不满足于单一的教学模式，总是善于根据教育对象的变化，善于按照教育内容，不断地更新教育手段。德育原本应是内容丰富、形式多样的教育，这种教育应该诗情化、艺术化和哲理化。只有教育手段有特色，才能使受教育者在轻松、自然的状态下愉快地接受教育，从而得到情感的陶冶、理性的升华。在教学形式上，应以多样化代替程式化，从讲授、辅导为主转变成模拟演示、学生参与体验为主，适时恰当地运用行动研究法、问题辩论法、案例分析法、课题合作法等形式，以增强教育活动的思辨性；可以运用情境模拟、角色扮演、头脑风暴等方法，以增强教育活动的趣味性；可以借助学生中流行的一些新潮、前卫和网络化的语言，以增强教育活动的感染力；在条件成熟的情况下，也可以借助网络技术、虚拟教育环境和虚拟角色，构建网络条件下学生自主学习的平台，用现代信息技术创设德育的行动空间。上述的行动策略无非是为了使学校的道德教育化枯燥为生动、变深奥为浅显，化平淡为丰富、变沉闷为轻松，真正让德育成为学生乐于参与的有吸引力的活动，从而使他们在行动中体验道德的真谛。

发挥德育过程中学生的能动作用，确立学生提高道德素质的主体地位，就要大胆地让学生开放智慧、施展才能、张扬个性，培养学生的创新精神和实践能力。实现这一目标必须靠学生亲身去经历一个不断实践、感悟、内化的德育过程。因此，德育应是一个动态的过程，必须适时开展相应的活动，寓德育目的于活动之中。没有行动，德育是静态的，也必然是乏味的；没有行动，德育就失去了感召，也必然是说教的；没有行动，再好的德育目标也只能停留在书本上、课堂里。行动必须贯穿在德育的整个过程中，让学生在行动中得到启迪、受到教育、取得收获。

### （四）变“单边德育”为“互动德育”

“假如我是学生，我会怎样看待学校的德育活动?”我们不妨站在学生的角度来一个“换位思考”，来了解学生的求知需求和价值取向，这对于德育的改革和创新是十分必要的。审视现有的学校德育模式，从德育内容到活动方式全都由教师为学生事先设定，仿佛德育活动的设计成了教师的“专利”，学生只是被动的接受者。这样的德育活动给学生的感觉就是“学校要我做”、“老师要我做”，而不是“我要做”、“我应该做”。造成这种情况的原因是什么？首先，教师认为自己是当然的“传道、授业、解惑”者，教师的天职就是向学生传授前人总结的知识和经验，所以“我讲你听”是天经地义的，几千年来的传统课堂就是这样的，无可厚非。其次，师道尊严的余威仍在作祟。不少教师还是放不下架子，总以为自己说的都是真理，学生必须听教师的。总之，教师头脑中的传统观念还根深蒂固。殊不知，现代社会的急剧变革，现代教育的快速发展，现代学生的明显变化，使得教师固有的知识结构和生活经验远远不能适应学生的变化。因此，教师必须通过不断地学习来充实提高自己的职业能力，这种学习不但向书本学，向实践学，还向学生学。德国教育家凯斯特纳在他的《开学致辞》一书中告诫学生：“不要完全相信你们的教科书！这些书是从旧的教科书中抄来的，旧的教科书又是从更老的教科书中抄来的。老的教科书又是从更老的教科书中抄来的……教师不是教官，也不是上帝，他不是一切都知道，他也不可能一切都知道。”此话提出了一个非常尖锐的问题，那就是教师的权威受到了挑战。

教育是一种活跃的双边活动，由教师的“教”和学生的“学”两方面构成，缺了哪一个都毫无价值。“教”是为了“学”，“学”才是真正的目的。因此，教师必须充分考虑学习者的感受。德育何尝不是这样，德育也应该是一种师生的互动行为。教师针对学生可能产生的心理茫然、认知冲突、思想疑问乃至行为偏离所进行的单向传授是必不可少的，但要使德育更有实效，还必须激发学生的兴趣，调动学生的积极性。据此目的，德育要创设一种全面交互的格局，教师作为德育行动的主导者，要善于把学生吸引到德育行动中来，使之成为德育的行动主体，变学生的被动学习为主动学习，师生互动，共同提高。现代德育必须体现学生的行动主体性和发展性，其过程应充分展开师生之间的双向互动，避免教育者的独占性。

第一，建立平等对话的平台，尊重学生的话语权。教师应承认师生的人格是平等的，在寻求真理的过程中，教师只是比学生先走了几步，“师不必贤于弟子”。师生共同探讨的是一个结果并不完全确定的主题，而是意在追求一种有待发现的未知领域。在“平等对话”的理念下，师生都感到自己是在接受教育，是在进行一种互补。

第二，激发学生发现的欲望，培养学生创新的能力。德育区别于其他学科教育的地方是，它不能以书本为中心、以知识为本位；它不同于一般意义上的“传道、授业、解惑”。德育过程不在于教师告诉学生什么是真理，而在于教会学生怎样去观察，怎样去思考，怎样去发现真理。因此，教师的责任是激发学生去探究道德的内涵，引发学生积极思维，进而指导学生确立正确的世界观、人生观和价值观，并帮助其明确实现理想的道路，而不是简单地按照教师自己的理想去塑造学生。

第三，针对社会热点和认识难点，共同寻求破解策略。传统的教育很注重体系的完整性，而在内容的针对性上创意不够。要使德育更有感召力、吸引力，就要聚焦社会热点、学生的困惑。比如传递时事新闻、分析社会时尚、扫描校园热点等，都可以作为道德教育的切入点，因为这样的问题容易刺激学生的神经，容易引发学生的争议，也为师生互动创造了条件。然而，师生互动也绝非各自表述，不了了之，教师可以借此了解学生的内心世界，发现学生的认识误区，然后适时加以引导。总之，教师的“教”要教在学生的未知之处，教师的“导”要导在学生的困惑之处，只有恰到好处的点拨和引导，才能让学生茅塞顿开，收到“单边”教育无法达到的教育效果。实践也证明，在德育创新的实践中，互动的德育方式可以改变传统德育的被动局面，取得良好的效果。

当然，所谓的互动应该是全程、多维的互动。它既有师生之间的互动形式，又有学生之间、学校和家庭之间、学校和社区之间的互动形式。学生间的互动也可以由学生自主组织，实现自我教育，教师为学生提供互动的时空，学生在交流互动中体验教育的内涵。教师和家长间的互动，通过家长委员会达到学校、教师和家长三者之间的互动。学生与社区之间的互动可以充分利用学校所在地的社区资源，也可以安排学生到父母工作的单位进行社会实践。除了对象之间的互动以外，课程也是可以利用的互动资源，如思想政治课、校会课和班会课、团队活动、党课学习小组、团校等，都可以探索师生互动的“碰撞—反思—互补—升华”的德育模式。体现于所有德育活动之中的互动模式，重在加强人际交流，重在学生的自我体验内化，重在师生的同步发展，重在德育的感染力和实效性。

“授业、善诱”谓之“教”，“德高、业精”谓之“师”，合而为一才能称为教师。新时代教师的功能将定位为学生学习的合作者、促进者和帮助者。教师新形象的显著特征是对学生的真诚、尊重和公正。如前所述，德育作为素质教育的核心，它要求所有的教师应以全新的视野看待学生，树立“学生主体”的学生观，把学生作为责权主体来看待，在教育过程中强化责权主体意识，重塑新型师生关系。创新是对前人的一种超越。没有继承，创新就失去了基础；而没有创新，继承也就失去了实际意义。因此，中小学德育工作要坚持继承与创新的统一，在继承中创新，在创新中继承。

## 四、凸显育人特色的课程生成

众所周知，课程是学校教育的载体，课程品质决定教育质量。只有着眼于课程领域的改革，才能突破素质教育的发展“瓶颈”。校长一定要以“文化自觉”的眼光和胆识，聚焦学校的课程改革，创新学校课程。所谓文化自觉，是指人们对其生存环境的文化根脉、形成过程、文化特点和发展趋势的“自知之明”。“文化自觉”要求一种理性的文化思考，追求一种高远的文化境界，坚持一种执著的文化追求，表现一种高度负责的行动。“文化自觉”的核心是“文化选择”，而“文化选择”的目的是“文化创造”。它旨在唤醒人们的文化主体意识，激发人们的文化创新精神。这也是在深化教育改革过程中大家所期待的新课程文化的“生成”。

学校课程改革的基本点是围绕人的发展来设计，注意课程功能、结构、内容、实施与管理的转变。在这次课程改革中，出现了许多创新内容，如在课程结构上的均衡性、综合性、选择性，在教学方式上的个性化、多样化、生活化，实行国家、地方、学校三级管理，增强课程对地方、学校及学生的适应性等。在推进改革的进程中，我们要注意以下几方面的问题：从根本上转变不适应改革的观念；建立与课程改革相适应的保障与评价机制；探索课程改革的学术支持机制与指导系统；加强教育科研队伍建设；提高每一所学校的课程建设与教学研究的能力。

校长有当然的责任对课程改革的经验和教训进行反思，对课程改革的条件和策略进行研究。当前在多元化文化背景下规划学校的课程改革，其意义包括：增强课程的多样性，为不同文化背景的学生提供平等的学习机会；突出课程的时代性，促进不同生活背景的学生和谐共生；增强课程的开放性，增进对多元文化的理解和包容。

下面将从“传统课程的文化寻根”、“时代课程的文化顺应”、“国际课程的文化借鉴”三个方面进行解读。

### （一）传统课程的文化寻根

文化积累是文化突变的基础，文化积累到一定的阶段，必定会产生质的变化，表现为一种飞跃。从文化积累的角度看，要求学校的课程保持相对稳定，有延续性。从文化突变的角度看，则要求学校对课程进行大的改革，以适应时代的发展。

我校的前身格致书院是近代中国首开传播西方自然科学之先河的新型学堂，其主要创始人徐寿、华蘅芳、徐建寅等都是近代中国自然科学的领军人物。书院的办学定位和教学实践奠定了课程的“实学”基础。所谓实学，可以概括为“实习、实讲、实行、实用之学”，其核心即“经世致用”的思想。书院的课程和考课都体现了“有益于时，有用于世”的课程目标，凸显了“经世致用”的课程特色，折射出“富国强兵”的时代要求。

近年来，我校在课程改革实践中，注意传承格致书院“经世致用”的课程特色，制订了《格致中学课程建设纲要》，系统提出了课程理念、课程原则、课程定位、发展策略和保障机制，比较完整地构建了具有格致特色的课程体系。在编制学校课程时，我们力求学校课程能够鲜明地体现历史形成的办学特色和现代社会的育人目标，特别强调课程建设的自主性和科学性。我校确立了“生本、多元、整合、创意”的课程理念，有机统整三类课程，做到基础型课程校本化，拓展型课程多元化，研究型课程自主化。我们提出新的学校课程必须在高质量完成国家课程的基础上，力求“呼应时代，关注前沿，借鉴国际”，拓展学习领域和丰富课程内涵。在课程建设的过程中，我校坚持“源于学生，高于学生，合作创生”的发展策略，既充分关注学生多元学习的发展需求，又能承载起学校提出的育人目标。目前，我校的课程由四大类（公民人格、文化科学、身心意志、创意技艺）、八个学科群（民族历史和文化、科学知识和技能、人类自然和社会、艺术审美和体验、心智体能和意志、社会责任和实践、学科先导和竞赛、世界文化和交流）和一百多门课程构成。

在我校的课程中有一批体现格致传统特色的校本课程。历史组开设的“格致学”，重在介绍近代中国科学教育的发展史，又从哲学的角度诠释“格物致知”的唯物主义观。劳技组开设的“创造学”，通过介绍我校创始人、中国近代化学家徐寿等的科技发明实例，激发学生的创新潜能。这门课还介绍发明创造的方法，鼓励学生尝试创造。学校开辟了“创意工作坊”，鼓励学生把自己的专利制成作品。2007 年以来，我校学生申请获得的国家专利就有四百三十多项。在拓展型课程方面，我校开设了头脑奥林匹克、智能机器人、创意设计、美境方案设计、环保产品设计与制作、天文观测、环境监测等二十多门科技类课程。在课程实施时，我们强调“格物致知”的践行理念，注重培养学生的动手实践能力。地理和生物两门基础型课程，每学期都压缩出三周的教学时间，让给拓展型和研究型课程。我校还定期组织学生进行实地实境的环保考察和实验，如气象预报、中心城区空气污染指数监测、苏州河水质跟踪分析等。

中国现有的学校课程应体现中国社会历史发展进程中的传统文化元素，应从历史文化中孕育而成。像我校这样的历史老校具有得天独厚的传统优势，只要我们善于从学校的传统文化中去发掘课程资源，古为今用，就会让自己站在巨人的肩膀上，具有更高更开阔的视野。

### （二）时代课程的文化顺应

学校的课程建设也要表现为对时代发展脉搏的把握，对课程发展的自主意识。一所学校的课程设置完全可以“循规蹈矩”，按照国家课程的要求来做；也完全可以“萧规曹随”，循着惯例去做。但是，学校教育的社会性、时代性决定了学校的课程必须反映时代的特征，呼应社会发展的需要。当前的时代要求学校培养更多的创新型人才，所以学校的课程也应当“顺时而变”。作为校长不能为了眼前的功利，或是为了规避风险，对时代的变化、对学生的需求视而不见，而是应该主动适应这种变化和需求，从而创造出体现时代特征、适合当代学生需要的新的课程。

当然，课程的创新不应该是一种颠覆性的改变，而应是一种适应性的改变。我校在课程改革起步阶段就明确提出，我们的课程不是重构，不是全新打造，而是在对原有课程去粗取精的基础上推陈出新，使之更能够体现时代的特征，更能够满足学生的需要。课程的需求方和接受者是学生，课程的提供方和施行者是教师。我校原有的课程和学生需求的矛盾比较突出，学生需要的课程学校不能提供，学校有的课程学生又不满足。究其原委就是供需不匹配，学校不了解学生的课程需求，学生也没有渠道表达需求。为了让课程更贴近学生的学习要求，学校首先应该了解学生的课程需求。我们请校学生会出面，面向全体学生进行了无记名的课程需求调查。调查结果显示，我校学生普遍认同理科见长的课程优势，但感到学校提供的有关人文社会科学方面的课程比较少。这个调查结果也给校长上了一课，让校长知道了学生对课程的要求，他们希望学校加强人文社科类课程的建设。如果再往深处去想，学生的想法其实也反映了时代对学校教育提出的要求，社会需要学校培养的是科学精神和人文素养兼备的人才。

我校顺应学生的课程需求，积极开发人文社会科学类的校本课程，一批拓展型课程在较短的时间内开了出来。如"邓小平理论导读"、"经典哲学"、"时政风云"、"大国崛起导读"、"当代中国外交"、"中华经典文化讲堂"、"中西文化比较"、"文学与哲学"、"口语交际能力"、"中国传统文化漫谈"、"格致学"、"中国传统节日和民俗文化"、"中国的民族英雄"、"中国民间艺术"、"乡土地理"、"旅游双语"等。随之，一批批校本教材也编写完成。"经典哲学"介绍哲学简史，帮助学生了解中外著名哲学家和他们的经典哲学观点。"金融常识"介绍金融基本常识，旨在培养当代青年全新的理财观念和能力。"中国传统民俗节日"介绍民俗知识和民族文化，进行生动的民族精神教育。"综合才艺拓展"则完全改变了高中生上艺术课"坐着听、坐着看"的被动学习形态，让学生亲身体验音乐创作、才艺表演、演讲朗诵、服装设计、舞美设计、动漫创作等时尚艺术，吸引了更多的学生参与艺术创造，培养了学生高雅的情趣和审美的素养。

实践证明，学生的课程需求已经成为学校课程建设的驱动力，一批富有时代气息的课程为学校课程建设注入了新的活力，教师开发课程的积极性随着学生课程需求的增加也不断提高，学校课程发展呈现出良好的态势。

### （三）国际课程的文化借鉴

由于多元文化主义的兴起和影响，多元文化教育也随之而来。我们要以开放的心态、理性的态度来借鉴外来的课程文化。所谓理性，指的是任何跨文化的传播，不仅要顾及空间差异，而且必须考虑不同发展阶段的时间差异。我们在积极借鉴外来课程文化时，也应充分考虑它们各不相同的“生存环境”，考虑不同“文化个体”的“异质相斥”，理性地“移植”和“嫁接”，做到“和而不同”。总之，“文化自觉”理念要求我们对本民族文化要“自美其美”，对待外来文化也要“美人之美”。

当前我们探索的课程多元化，当然也包括国际各种教育形态之间的课程合作。作为近代上海第一所中外合作开办的学校，我校素有包容多元文化的传统。我们开展国际课程的合作与交流，其目的是为了培养学生的国际素质，即国际意识、国际价值、国际知识、国际技能和国际行为。我校不是照搬照抄国外的课程，而是采取“拿来主义”的态度，或全部引进，或部分引进，或校本改造，或全部输出。

第一，全面认识、理解不同课程文化的特质和差异，理性借鉴国际课程。借鉴不是一种简单的引进，诸如搬几门国外学校的课程来“摆门面”，而是在对外来文化理解的基础上，引入先进的课程理念和做法，然后将其融入到我们自己的课程里面，生成一种融合国际元素和民族元素的新课程。我校引进了瑞典的环境（YMP）课程，该课程的实施分为三个阶段。第一、第二阶段我们使用瑞典的课程内容，学生通过网络学习相关教程，并完成作业。原教材第三阶段的内容由于不符合国情，我们就完全舍弃，由我校生物组教师设计课程内容。我们设计了若干针对治理上海城市污染的环保课题，然后运用前两个阶段学到的知识和方法，组织学生开展课题研究。在最后评价时，结合研究性学习的要求进行课题评估。在处理这门课程时，我们借鉴了瑞典课程中先进的研究方法和前沿的环保技术，然后根据我校学生的实际，创新了整个课程结构和内容，这就是前面所讲的不同课程元素的整合。目前，我们引进了美国的 AP 课程和 SAT 课程中的某些科目，引进了英国雅思课程中写作训练的科目，这样既弥补了中式英语教学的缺陷，也提高了学生的英语学习兴趣。我校从我国香港地区引进心理教材之后对教材进行结构性重组，选取其中适合高中生年龄和心理特征的课程内容，借鉴香港学校开放式的心理教学模式，增强了课程的针对性和操作性。开放式的心理教学打破了心理课程的神秘色彩，学生还成立了心理社团，针对高中学生常见的心理问题开展讨论研究，学生之间进行咨询，收到了意想不到的效果。

第二，提升外语学习能力和水平，拓展多元文化的视野。近年来，我们把开设第二外语课程作为课程建设的重要部分。学校先后开设了法语、德语、日语、西班牙语和韩语课程。从学生的反馈来看，第二外语语种的扩大可以满足部分学生的需求，还能够拓宽学生了解多元文化的视野。因为语言是文化的载体，一个人如果学了某种语言，一定会更主动地、更多地去了解相应国家或地区的历史文化，从而获得更为深刻的文化理解。此外，我校还先后开设了数学、生物、物理、化学、地理、环境科学的双语课程，为学生打开了更多了解世界的窗口。

第三，积极推介、输出中华文化课程。我们绝不要认为国外的课程都好，抓到篮里都是菜，其实我们有些课程也是国外学生非常感兴趣的。如我校的海外友好学校就引进了我校的校本课程“中国民族文化”。我校对国际学生开设了“乡土地理”、“中国传统节日介绍”、“学做中国菜”等课程。来我校交流的外国学生都要随班就读，上午随班听课，下午研习中国文化课程，如书法、篆刻、剪纸、茶艺等，晚上则体验中国的家庭伦理文化。

我校的课程建设经过几年的实践探索，已经明显呈现出以下特征：本质上传承格致的优良办学传统，突出了格致的办学特色；进入了社会发展和学科发展的前沿领域；支撑了学校提出的人才培养目标；基本满足了学生多元发展的学习需求；开发了一批具有格致特色的校本课程；形成了一支具有课程开发能力的研究型教师团队。

综观历史，任何新文化的产生都是时代发展的产物，在新文化出现之前旧文化一定会顽固地坚持，这段僵持胶着的时期可能是漫长的，也是痛苦的，但是最后胜利的肯定是死死坚持的一方。能够死死坚持到最后的人一定是有坚定信念的、意志坚韧的、有创新精神的人。所以，“文化自觉”关键是人的自觉。人若不自觉，文化不会有创新。人若不创新，文化不会有发展。创新的文化是高度自觉的人创造的。校长的“文化自觉”是校长对学校历史、现状和未来作出价值判断与文化选择的过程，更是一个实践探索和发展创新的过程。当前，校长们应该站在历史和当代的交会点上，寻找文化发展的合理道路。校长应该是传统课程的反思者、优秀课程的传承者、先进课程的引领者、特色课程的创新者。

## 五、提升研究素养的教师发展

### （一）对研究型教师专业发展的背景思考

作为一所办学历史悠久、文化传统深厚、教学特色鲜明的百年老校，在学校发展的各个历史时期，学校始终视师资队伍建设为立校之本。格致中学长盛不衰的秘诀正是学校拥有一支优秀的教师团队，他们秉承学校“格物致知，求实求是”的校训，努力实践着“热爱学生、教学严谨、勇于探索、言传身教”的优良教风，为培养一批批优秀学子默默地贡献着自己的聪明才智，在平凡的奉献中实现了非凡的生命价值。

我校自20世纪70年代起建立了资深教师带教青年教师的制度，老教师的言传身教为青年教师的快速成长起到了积极的作用。随着素质教育的不断深入和师资队伍结构的不断变化，对教师专业发展的要求也越来越高。1996年，我校正式启动面向全体青年教师整体性提高的“希望之光”研修计划。1999年，我校提出了“创建学习型学校，培养研究型教师”的教师专业发展目标。2003年，我校又制订了《格致中学教师专业发展纲要》，对教师的专业发展提出了五个方面的要求：更新教育观念，加深对教师专业自主发展的认识；构建符合时代和学校发展要求的专业知识与技能的校本培训框架；建立健全教师教育的校本培训机制；加强教师专业发展的理论和实践研究；创设教师专业发展的校本环境。

### （二）研究型教师专业发展的目标定位

当今社会已全面进入知识创新时代，“研究”已经成为推动现代社会前进的主要方式，也成为现代人工作学习的显著特征。教师这一特殊职业群体要顺应社会发展的趋势，高质量地组织教育活动，自然离不开对传统教育的研究，也离不开对未来教育的研究，更不能不研究我们施教群体自身的各种变化。教育是一门科学，科学的发展靠的就是科学的研究。争当一名研究型的教师，善于研究教材、研究教法、研究技术，是教师专业成长的时代要求。现代的教师教育理念认为，要将教师培养的职前、职中和职后三个阶段的时段概念淡化，使教师的专业发展贯穿于教师职业生涯的始终。实践也表明：促使教师成为一名研究者，是提升教师专业水平的关键因素。从教师专业成长的角度说，教师专业知识的拓展、专业能力的提高和专业情意的发展，都离不开研究。一名教学新手想成为合格的教师，也许还可以靠在实践中个体的摸索，或者模仿他人的成功经验来实现这种转换。但是，从一名合格教师成长为具有鲜明风格和特色的教师，则必须通过自身不懈的“研究”来实现。成功教师的成长经历告诉我们，不善于研究的教师充其量只能成为一名“教书匠”，而绝对不可能成为教育专家。基于以上思考，我校将教师专业发展的目标设定为：继承优秀传统，赋予时代精神，培养师德高尚、业务精湛、人格独立、诚信关爱、富有进取精神和国际胸怀的研究型教师。这样定位的思维原点在于，学校要走向具有国际意义的教育现代化，必须注重培养具有研究能力的教师团队。所以，培养研究型教师不是简单的师资队伍建设的方法问题，而是学校可持续发展的根本策略和方针问题。

为实现这一目标，我们提出了“创建学习型学校，培养研究型教师”的行动口号。学校从逐步构建和完善“以教师发展为本”的继续教育体系着手，搭建了教师专业成长的各种平台，运用政策导向和措施激励，激发教师专业自主发展的内驱力，帮助教师在专业发展的过程中追求一种持续发展的态势，最终完成自身的蜕变。经由这样一个认识不断提高、实践不断深入的过程，全校教师对“争当研究型教师”的要求逐步形成了“勤学善思、依托科研、行动研究、自主发展”的共识。

### （三）对研究型教师发展内涵的认识

“研究型教师”的特征主要表现为以下几点。

第一，研究型教师首先是学习型教师。教师应当是一个终身学习者，这是由教师特定的职业要求所决定的。教师对知识以及能力的掌控程度，决定了教师的教学品质。也就是说，对新知识的学习和了解是研究型教师的职业发展的基础，没有永续学习能力的话，一个教师只能成为旧有知识的“复印机”，而不能成为新知识和新技术的创造者。因此，教师必须自觉地、自主地不断学习先进的教学理论，学习不断发展的学科知识，学习不断出现的新技术手段。总之，教师必须具备可持续发展的学习能力，并将它们运用于指导自己的教育教学实践。同时，教师必须顺应教育发展新的形势要求，树立现代的教育价值观；要根据未来社会对人才素质的需求，树立现代的人才质量观；要符合现代社会文明的走势，树立新型的师生关系观。学习型教师还必须具有较强的科研意识和科研能力，能不断拓宽学习领域，准确把握研究方向，积极探索研究方法，努力培养自我超越、敢为人先的创造精神。

第二，研究型教师必须是复合型教师。现代学科发展已经进入知识创新、学科交叉、体系整合的阶段，尤其是在新课程改革的背景之下，各类课程的互相渗透，新型学习领域的拓展，对教师传统的知识结构提出了挑战。教师不单是本学科的专业教师，还应当学习、掌握相关学科和新兴学科的知识，构建更有广泛性、相关性、多元性的知识结构。从教师专业化的角度来重新审视教师的综合素质，当代教师的素质还应当突出三种整合能力：一是善于把当代科学发展的前沿信息与所任学科的教学有机整合；二是善于把学科所蕴涵的科学精神、科学态度和科学方法与提高学生的人文素养有机整合；三是善于把现代教育技术与学科教学内容有机整合。这些整合能力的提高不仅是技术层面的，更是对教师学习能力的考验。只有善于学习的教师才能够成为适应知识结构交叉、学科领域互补、技术手段多样的复合型专业人才。

第三，研究型教师必须是创新型教师。学生个性的多样性和教学活动的多变性决定了教师研究领域的多向性，也为教师的创造性劳动提供了无限的空间。教师的创造力是教师所有劳动中最有价值的，没有教师的创造就很难有学生的创造。所以，创新型教师不拘泥于传统，不为陈规戒律所束缚，也不人云亦云。他们有自己对学科知识体系独到的理解，又善于构建科学的知识体系。他们时刻关注学科的发展走向，及时地将新的知识和方式补充到自己的教学活动之中。在教学中，他们有自己建立在科学批判精神基础上的教学理念，有自己独特的教学风格。他们善于鼓励学生的发散思维，容忍学生中怪异的想法和做法。他们把学生的求异和创新，哪怕是很幼稚的，也看成最伟大的创造。他们还能够熟练驾驭完成教学目标的教学方法和技术手段。所以，他们培养的学生往往是特别能表达独立见解的、有创意的、能创造第一的人。

第四，研究型教师必须是反思型教师。反思能力的有无和强弱，是判定教师专业发展水平高低的重要标志。一个成功的教师会尝试各种方法的教学效果，每一次的尝试都会引发一次反思。如此循环往复，不断实践，不断反思，才可能积累丰富的教学经验。教学反思的过程本质上是一种自我的否定，这种否定可能是全部的，也可能是部分的。有时候，这种否定是非常痛苦的，但是对教师来说，它的意义是非常重大的。因为，当一个教师对自己的教学思想和行为进行自我否定的时候，正是其思想和心智成熟的表现。因此，善于反思的教师正是通过不断否定“经验”来重建新的理念，重寻新的方法。当然，这种反思应当建立在科学的批判精神之上，盲目的批判与缺乏理性分析的反思也可能会束缚思想和行动。

### （四）研究型教师专业发展的校本行动

我校在培养研究型教师的过程中，主要从转变观念、创设条件、完善机制三个方面进行了实践探索，以创造性的探索来实现教师专业发展的目标。

**1. 所谓转变观念，主要是指通过全员性的学习讨论逐步形成全体教师共同的价值取向，从而让教师了解实现专业发展的目标和路径**

我校从1999年开始举办“格致论坛”，意在通过论坛传播先进理念和成功实践。“格致论坛”先后以“读现代教育理论”、“听现代教育报告”、“看现代教育活动”等为专题，邀请专家学者以及成功教师登台讲学。校外专家的报告为教师的行动研究传递了新的讯息，本校教师的实践研究成果也为教师打开了新的视野。迄今为止，学校已经连续举办了42期“格致论坛”，共计七十多位教师登台交流学术成果。与此同时，学校注重营造浓厚的学术研究氛围，倡导“工作即学习”的观念，鼓励教师追求“德才兼备、教有所长”的自主发展模式。我们认为教师观念的转变必须从自主学习开始，最终要落实到教学行动研究中去。

从2003年起，学校根据上海市二期课改的要求，启动新一轮校本课程开发计划。我们提出学校课程要根植于“以学生发展为本”的理念，着眼于学生全面智能和优势智能的发展与拓展，立足于为学生提供更多的可选择课程和主动学习的平台，促进学生在厚实基础上的能力、身心、个性、特长的多元发展。学校课程建设的策略是：全面优化基础型课程，充实丰富拓展型课程，发展多元研究型课程。学校要求教师围绕《格致课艺新编》的课程要求，大力开发校本课程。教师通过校本课程的开发，学习新知识和新技能，更重要的是在课程开发的过程中进一步加深理解课程的本质，提高自身的研究水平。在华东师范大学课程专家的指导下，我校教师已经独立开发出新的课程近二十门。目前，我校每学期能向学生提供拓展型和研究型课程六十多门。其中，具有学校特色的如“格致学”、“经典哲学”、“创新学”、“才艺素养指导”、“互动式环境教育及其活动设计”、“聚焦生命科学”等课程，将作为拓展型课程和研究型课程的重点在相应年级面向全体学生开设，从而将学生选择和学校推荐有机兼顾起来。参与课程开发的教师们认为，开发课程的过程是痛苦的，但是对自己的专业提高而言是快乐的。

实践证明，教师只有在实践中研究，并在研究中实践，才能反思传统的教学观和课程观，也只有通过自己的实践，才能真正体会到转变传统观念的重要性和必要性。

**2. 所谓创设条件，是指学校尽可能提供和创设有利于教师专业发展的机遇与条件**

要成为一名研究型教师，除了主观的努力之外，学校也应该为其的成长搭建平台，创造条件。我校在 2002 年确定了旨在改善课堂教学的“未来课堂”研究，提出了课堂教学体现“精、活、实”要求的研究方向。学校每学期都要组织一次为期一周的公开教学研究展示周活动，每次的展示周都围绕“未来课堂”的要素来设定一个研究主题。近几年来，我校先后以“课堂导学艺术”和“提升课堂思维品质”为主题，由教研组推荐优秀教师执教，邀请市、区专家和同行前来听课指导。课后，教研组利用教研活动时间对课堂实录开展评议讨论。最后，执教教师结合自己课后的感受写出反思性总结。我校还发起组织了全国部分省市的重点高中每年举行一次“六省一市‘激活课堂’数学教学专题研讨交流活动”。每次活动紧紧围绕课堂教学如何激活学生思维，提高课堂思维品质开展教学研究。这个活动迄今已经举行了六次，活动期间，浓厚的学术氛围和平等的交流切磋，为我校教师搭建了学习和实践的平台。

近年来，学校为满足教师在课堂教学中运用现代教育技术的要求，方便教师在教学中开展信息技术和学科教学的整合，新建和改造了三十多个多媒体教室，基本做到每个学科都有满足学科教学需求的专用教室。特别是在国内居于领先水平的数字化地理教室和生命科学实验室，为地理和生物学科的课堂改革创设了一个全新的教学环境。学校还采用引进和自建的办法，建设了多门学科的资源库，为实现课堂改革搭建了技术平台。

学校鼓励教师参加业务进修，为教师出专著，举办教师个人的专题学术研究活动等。学校还创造条件让教师出国学习进修和访问交流，以此开拓教师的国际视野。近年来，本校已有七十多名教师被派往美国、英国、澳大利亚、马耳他、新西兰、韩国、日本和中国香港等十多个国家或地区进行学术交流与业务进修。

### 3. 所谓完善机制，是指建立并不断完善教师教育校本培养的机制

我校的做法是：以分层带整体，以个性推共性。我们对不同层次的教师提出不同的要求，确定不同的达成目标。学校确立的以分层培养为特征的培养机制，就体现了普适性和特殊性的结合。学校针对不同年龄层次、不同职级的教师现状，积极建设教师专业发展的合理梯队。学校对特级教师和骨干教师提出要“出思路、出人才、出成果”的要求。各个层次的教师对发展目标进行自我定位，以成果育骨干，以互补求提高，使各种层次的教师都能学有方向，赶有目标，人人参与教育研究。

我校建立了较有成效的青年教师培养制度，学校曾经提出“四心”的要求，即“安心、专心、虚心、爱心”，采取“选苗子、结对子、让位子、压担子、结果子”的有效措施，用“老母鸡孵小鸡”的方法培养了一批又一批的优秀青年教师，使百年老校以高考的高升学率和各项竞赛的高得奖率闻名遐迩。在新形势下，如何提升学校的名校地位，保证学校可持续发展的后劲，关键还是看青年教师队伍的整体实力。我校根据青年教师任教年限的长短，将青年教师的成长阶段划分为适应期、成熟期和提高期，从五个方面（道德修养、教学能力、德育能力、科研能力、学习能力）制订培养规划，并设计了培养行动的系列计划，通过教学大奖赛、主题班会、命题比赛、自制多媒体课件、科研论文评比等促进青年教师水平的全面提高。特别值得一提的是，在资优学生的培养方面青年教师也显示出强劲的研究实力，在全国数学、物理、化学、生物和信息技术的竞赛中，我校学生成绩突出。

完善的机制中还包括一个影响研究型教师专业发展的关键因素，那就是评价机制。如果简单地采用基于应试教育的评价方法的话，研究型教师不可能出现。所以对研究型教师来说，应该有适合他们发展的特殊的“营养土”。我们对研究型教师的评价突破了传统的评价方式，不是单纯采用量化的、划一的方法，而是结合个性化的标准来评价他们的创造性工作，为研究型教师的成长创设一个宽松的氛围。我校在评价教师时，变甄别性评价为发展性评价，不是简单地以其承担的学科教学的学

生考试成绩论成败，而是对其研究成果的价值作出科学的评价，对其研究成果在教学中的运用效果作出客观公正的评价，允许教师在研究的过程中失败，也宽容地看待教师专业发展的个体差异。只有这样的工作环境，才可能催生出一批批的研究型教师。

#### 4. 促进教师专业发展的具体措施例举

（1）制订“教师个人专业发展计划”，促进全体教师专业水平的提升。根据我校四轮规划要求，在每一轮规划启动阶段，我校都要求每一位教师根据自己的专业基础和专业发展愿景，制订“教师个人专业发展计划”。

### 格致中学教师个人专业发展三年计划（2008. 9—2011. 7）

简述：

教师个人专业发展计划对教师个体和学校发展具有双重意义：对教师个体而言，专业发展计划有利于确定专业发展目标、指导教师的专业成长与发展，有利于促进教师的反思并改进教师的教育教学行为，有利于获得学校内部有关教育教学工作机会，有利于满足教师不断发展的需要；对学校发展而言，专业发展计划有利于使学校的发展目标与教师专业发展目标有机结合起来，有利于培养学校发展所必需的人才，有利于激发教师的工作积极性，有利于提高教师对学校的认同感，从而使学校和教师具有共同的愿景。

基于上述原因，在《格致中学教师个人专业发展三年计划（2005. 9—2008. 7）》基础上，根据全国和上海课程教材改革的总体要求以及我校新一轮五年规划的具体措施，我们从“师德修养、德育工作、教学工作、科研工作、学力提高”五方面设计了《格致中学教师个人专业发展三年计划表（2008. 9—2011. 7）》，希望各位老师能根据自己的实际情况和发展愿景，完成个人的新三年专业发展计划。

注：“师德修养”方面的要求请严格遵守中华人民共和国教育部2008年修订的《中小学教师职业道德规范（征求意见稿）》。

# 格致中学教师个人专业发展三年计划表

（2008. 9—2011. 7）

<table>
<tr><td colspan="2">姓　　名</td><td></td><td>性别</td><td></td><td>出生年月</td><td></td><td>教育工作年限</td><td></td></tr>
<tr><td colspan="2">最后学历</td><td></td><td colspan="2">所学专业</td><td></td><td>毕业学校</td><td colspan="2"></td></tr>
<tr><td colspan="2">最后学位</td><td></td><td colspan="2">毕业时间</td><td></td><td>任教学科</td><td colspan="2"></td></tr>
<tr><td colspan="2">职　　称</td><td></td><td colspan="2">任现职时间</td><td></td><td>校内职务</td><td colspan="2"></td></tr>
<tr><td rowspan="5">近三年专业发展总体情况及未来三年计划</td><td>参加何种学术团体及担任职务</td><td colspan="7">全国：<br>市级：<br>区级：</td></tr>
<tr><td>反映专业水平的称号</td><td colspan="7">□特级教师　□市学科带头人　□名校长、名师后备<br>□区级学科带头人　□区级骨干教师　□校级骨干教师</td></tr>
<tr><td>未来三年努力方向</td><td colspan="7">□正高级教师　□市学科带头人　□名校长、名师后备<br>□区级学科带头人　□区级骨干教师　□校级骨干教师</td></tr>
<tr><td>已获各种荣誉或表彰</td><td colspan="7">□国家级＿＿＿＿＿＿<br>□市级＿＿＿＿＿＿<br>□区级＿＿＿＿＿＿<br>□校级＿＿＿＿＿＿</td></tr>
<tr><td>未来三年努力方向</td><td colspan="7">□国家级＿＿＿＿＿＿　□市级＿＿＿＿＿＿<br>□区级＿＿＿＿＿＿　□校级＿＿＿＿＿＿</td></tr>
<tr><td rowspan="2">德育工作</td><td>班主任工作及学科德育渗透情况</td><td colspan="7">班主任工作年限＿＿＿＿年<br>班主任工作或学科德育渗透成效</td></tr>
<tr><td>未来三年德育科研方向（含全体教师）</td><td colspan="7">□1. 素质教育背景下的德育评价体系研究<br>□2. 学习共同体的构建和终身学能培养的研究<br>□3. 提高高中学生家庭教育实效性的研究<br>□4. 在社会实践活动中有效落实“两纲”教育的研究<br>□5. 其他：＿＿＿＿＿＿＿＿＿＿</td></tr>
</table>

续表

<table>
<tr><td rowspan="16">教学工作</td><td>近三年公开教学情况</td><td colspan="5">国家级（　　）节，市级（　　）节，区级（　　）节，校级（　　）节，教研组研讨课（　　）节</td></tr>
<tr><td>未来三年公开教学计划</td><td colspan="5">国家级（　　）节，市级（　　）节，区级（　　）节，校级（　　）节，教研组研讨课（　　）节</td></tr>
<tr><td rowspan="5">近三年教学获奖情况</td><td rowspan="2">获奖等第</td><td colspan="4">级别及获奖次数</td></tr>
<tr><td>国家级</td><td>市级</td><td>区级</td><td>校级</td></tr>
<tr><td>一等奖</td><td>（　）次</td><td>（　）次</td><td>（　）次</td><td>（　）次</td></tr>
<tr><td>二等奖</td><td>（　）次</td><td>（　）次</td><td>（　）次</td><td>（　）次</td></tr>
<tr><td>三等奖</td><td>（　）次</td><td>（　）次</td><td>（　）次</td><td>（　）次</td></tr>
<tr><td>未来三年教学能力发展计划</td><td colspan="5">1. 教学风格与特色的发展方向：□启迪型　□情感型　□幽默型　□质朴型　□严谨型　□其他________<br>2. 教学研究的方向：□教学设计　□信息技术与课程整合　□教学反思　□实验教学　□试题设计　□评价创新　□合作学习　□教学模式　□教学策略　□其他________<br>3. 努力方向：□胜任型教师□成熟型教师□研究型教师</td></tr>
<tr><td rowspan="6">近三年校内外带教情况</td><td>带教时间</td><td>姓名</td><td colspan="2">工作单位</td><td>带教成效</td></tr>
<tr><td></td><td></td><td colspan="2"></td><td></td></tr>
<tr><td></td><td></td><td colspan="2"></td><td></td></tr>
<tr><td></td><td></td><td colspan="2"></td><td></td></tr>
<tr><td></td><td></td><td colspan="2"></td><td></td></tr>
<tr><td></td><td></td><td colspan="2"></td><td></td></tr>
<tr><td>近三年指导学生获奖情况</td><td colspan="5">国家级：<br>市级：<br>区级：</td></tr>
<tr><td>未来三年指导学生计划</td><td colspan="5">□1. 学科竞赛辅导 □2. 学生社团指导 □3. 研究课题指导<br>□4. 其他：________________________________。</td></tr>
</table>

续表

<table>
<tr><td rowspan="6">科研工作</td><td rowspan="5">近三年科研工作成绩</td><td rowspan="2">课题研究</td><td>国家级（项）</td><td>市级（项）</td><td>区级（项）</td><td>校级（项）</td></tr>
<tr><td></td><td></td><td></td><td></td></tr>
<tr><td>科研论文</td><td colspan="4">撰写（　　）篇；公开发表（　　）篇，其中市级核心刊物及以上（　　）篇</td></tr>
<tr><td>教材编写</td><td colspan="4">共（　　）册<br>其中：公开出版（　　）册，校本课程（　　）册</td></tr>
<tr><td>获奖情况</td><td colspan="4"></td></tr>
<tr><td>未来三年科研工作计划</td><td colspan="5">课题研究：<br><br>论文撰写：<br><br>校本教材编写：</td></tr>
<tr><td rowspan="2">学力提高</td><td>近三年学力提高情况</td><td colspan="5">1. 学历提高：□硕士　□博士<br>2. 名师培养：□市名校长、名师基地　□区名师工作室<br>3. 职务培训完成情况：□完成　　□未完成<br>4. 校本研修参与情况：□全部参与　□部分参与<br>5. 其他业务进修：________________<br>________________________________。</td></tr>
<tr><td>未来三年学力提升计划</td><td colspan="5">1. 学历提高：□硕士　□博士<br>2. 名师培养：□市名校长、名师基地　□区名师工作室<br>3. “十一五”师训计划：□按时完成　□推迟完成<br>4. 校本研修参与计划：□全部参与　□部分参与<br>5. 其他业务进修：________________<br>________________________________。</td></tr>
<tr><td colspan="2">希望学校为自己的专业发展提供的条件</td><td colspan="5">1.<br>2.<br>3.</td></tr>
</table>

（2）制订《格致中学关于为骨干教师聘请导师管理条例》，加快成熟型教师向研究型教师转型。我校目前的师资构成以中青年教师为主，这些教师一般在大学毕业10年以后就被评为中学高级教师，专业发展的动力减退，大多数已处于专业发展的平台期。如何促进这些中坚力量突破专业发展的平台期，成为我校教师专业发展的“瓶颈”。为此，我校制订了《格致中学关于为骨干教师聘请导师管理条例》，通过内因驱动、外因推动的形式加速这些教师的专业发展。

## 格致中学关于为骨干教师聘请导师管理条例

2009年2月19日

为了提高我校教师的专业发展水平，加快成熟型教师向研究型教师转型，我校决定为在专业发展方面有强烈愿望的教师（以下简称学员）聘请名师作为导师（以自愿参加为原则）。为了确保这项工作的顺利实施，现制定管理条例如下。

第一条　学员和导师的条件

1. 学员条件　上海市“双名工程”名校长、名师后备，区级学科带头人，区级骨干教师，校级骨干教师，参加过上海市名校长、名师培养基地或高级研修班的学员，参加过黄浦区名师工作室的学员，以及在专业发展方面成绩显著且有强烈专业水平提升愿望的教师。

2. 导师条件　在市内外具有较高知名度的特级校长、特级教师、知名学者和研究者。

第二条　聘请导师的步骤

1. 或学员自己拜师，或由学校出面约请，商谈聘请事宜。

2. 填写《格致中学教师聘请导师登记表》，学校统一造册登记。

3. 举行“格致中学教师特聘导师受聘仪式”。

第三条　培养周期

两年

第四条　学员和导师享受的待遇

1. 学员待遇　学员可优先获得职称晋级、学历提高、外出考察、各类评优，优先获得学校提供的课题经费等机会。

2. 导师待遇　每学期发放导师津贴。

第五条　导师的指导任务

1. 诊断学员专业发展方向、优势和不足，对学员的专业发展提出可行性建议。

2. 指导学员每学期完成一节公开展示课，两年期间完成一节面向区内外的公开课。

3. 指导学员两年内主持完成一项校级课题，主持或参与一项区级及以上课题研究。

4. 第一年结束时，在学员完成“个人专业发展阶段性报告”的基础上，对学员学习情况进行鉴定。

5. 指导学员在培养周期结束前完成“个人专业发展个案研究”（不少于4000字）和“个人教学特色总结”（不少于4000字）。

第六条　学员的任务

1. 遵守师德规范，争做师德楷模；积极、主动、自觉地完成工作任务。

2. 聘任仪式当天学员提交一份《格致中学教师个人专业发展情况诊断表》（详见附件）给自己的导师，导师完成诊断后提交给学校备案。在导师诊断的基础上，两周内完成“个人专业发展两年规划”（不少于2000字）。

3. 第一年完成一份“个人专业发展阶段性报告”，并递交导师鉴定。

4. 每学期至少完成一节公开展示课，两年期间至少完成一节面向区内外的展示课。每次展示课后两周内上交一份“教学课例”，内容包括：教学设计（教材分析恰当、三维目标适切、教学方法有效、教学环节详细、设计思想清晰等）、教学实录、教学软件、专家点评、教学反思等。

5. 两年内至少主持一项校级课题，至少参与一项区级及以上课题，并按时完成该项课题。两年培养周期结束前上交该项课题（如果是主持人）或子课题（如果是参与者）的课题申请书、课题审批证明、课题开题论证报告、课题结题报告、课题结题证明。

6. 每年至少在市级及以上学术期刊发表一篇论文，并提交能够证明该论文发表的证明材料。

7. 在两年培养周期结束前完成“个人专业发展个案研究”（不少于4000字）和“个人教学特色总结”（不少于4000字）。

第七条　管理制度

1. 由教导处和教科研室负责日常管理。

2. 如果出现有悖师德、不按时完成工作任务、不服从学校工作安排、不积极参与相关活动等情况，即刻终止学员资格。

**附件　格致中学教师个人专业发展情况诊断表**

<table>
<tr><td rowspan="3">基本情况</td><td>姓　名</td><td colspan="2"></td><td>性别</td><td></td><td>年龄</td><td></td><td>职务</td><td></td><td>职称</td><td></td></tr>
<tr><td>任教学科</td><td></td><td>教龄</td><td></td><td colspan="2">任班主任年限</td><td></td><td>最后学历</td><td></td><td>毕业学校</td><td></td></tr>
<tr><td>家庭地址</td><td colspan="4"></td><td>邮编</td><td></td><td>电话</td><td colspan="3"></td></tr>
<tr><td rowspan="3">自我评价</td><td colspan="2">师德修养、师生关系</td><td colspan="9"></td></tr>
<tr><td colspan="2">教育思想与教育观念</td><td colspan="9"></td></tr>
<tr><td colspan="2">教育教学改革设想或实践</td><td colspan="9"></td></tr>
</table>

续表

<table>
<tr><td rowspan="6">自我评价</td><td colspan="2">教学能力</td><td></td></tr>
<tr><td colspan="2">教学风格与特色</td><td></td></tr>
<tr><td colspan="2">教育教学科研情况</td><td></td></tr>
<tr><td colspan="2">教育教学获奖或示范情况</td><td></td></tr>
<tr><td colspan="2">教育教学工作的主要实绩</td><td></td></tr>
<tr><td colspan="2">系统钻研过的相关专业的主要专著</td><td></td></tr>
<tr><td rowspan="5">导师诊断</td><td colspan="2">学员强项分析</td><td></td></tr>
<tr><td colspan="2">学员弱项分析</td><td></td></tr>
<tr><td rowspan="3">建议</td><td>发展方向</td><td></td></tr>
<tr><td>实施项目</td><td></td></tr>
<tr><td>达到目标</td><td></td></tr>
</table>

（3）颁布实施《格致中学关于推进教育科研工作的有关意见》，以科研引领教师专业发展。格致中学一百多年的办学实践证明，教育科研是提升教师专业发展的加速器，为此，我校进一步规范教育科研管理和奖励制度，颁布实施《格致中学关于推进教育科研工作的有关意见》，以科研引领教师专业发展。

## 格致中学关于推进教育科研工作的有关意见

2010年1月19日

《国务院关于基础教育改革与发展的决定》中明确提出要“积极开展教育教学改革和教育科研”，要求“广大教师要积极参加教学实验和教育科研”。《上海教育事业发展“十一五”规划纲要》指出：要“聚焦课堂、加强教研，开展教育教学实验和研究，更新教与学的观念和方法”。我校根据教育部和上海市教委加强教育科研工作的有关文件精神，把加强学校的教育科研工作作为加快教师专业发展、提高教学质量和优化学校管理的重要抓手。为达成我校提出的“科研兴校”目标，发挥全体教师教育科研的积极性，提高教育科研的全员意识，规范教育科研的常规管理，特颁布《格致中学关于推进教育科研工作的有关意见》。

一、关于规范教育科研评比制度的有关规定

学校鼓励教师围绕教育教学工作，积极开展教育科学研究。学校每年分两次进行评比和表彰。每年的年终举行“年度科研成果评比”，每年的教师节举行“教育科研先进表彰”。

（一）年度科研成果评比

1. 评比时间和范围

该项评比在每年年终进行，并在年底学校的精神文明建设表彰大会上宣布评选结果。参评的科研成果包括：本年度公开出版的专著（或编著）、公开发表的科研论文、结题的区级及以上课题。学校校级领导和科研室主任有关管理类的科研成果不参与评比。

2. 评比奖项及界定

评比奖项设“科研领军奖”、“科研标兵奖”、“科研积极分子”共三个等第，奖项等第界定详见附件1。

3. 奖励额度

所有奖项以“科研积极分子”的奖励为一个标准单位，按照以下比例发放。

科研积极分子:科研标兵奖: 科研领军奖 = 1:2:3

（二）教育科研先进表彰

1. 评比时间和参评对象

该项评比在每年的教师节表彰大会上宣布评选结果，予以表彰。评奖范围为上一学年度科研成果获奖的教职工。学校校级领导和科研室主任有关管理类的科研成果不参与评比。

2. 评奖等第及界定

本奖项设个人“特等奖”、“一等奖”、“二等奖”、“三等奖”共四个等第，奖项等第界定详见附件2。

3. 奖励额度

以“三等奖”的奖金为一个标准单位，按照以下比例发放。

三等奖:二等奖:一等奖:特等奖 = 1:2:3:6

二、关于课题经费资助制度的有关规定

（一）资助对象

课题经费资助的对象是已经获得立项的各级各类课题，根据课题的级别及审批单位划拨的课题经费数额，学校给予适当的经费资助。

（二）资助额度

对于审批单位划拨课题经费的各级各类课题，按划拨经费数额（直接划拨到我校财务账户上）的一定比例资助课题经费；对于审批单位没有划拨课题经费的各级各类课题，根据课题的级别，学校给予适当的经费资助。在课题通过立项后，下发50%的资助经费，待课题通过结题评审后，再下发另外50%的资助经费。资助额度详见附件3。

三、推进教育科研工作的保障措施

1. 建立“学科兼职科研员”制度

学校聘请若干名“兼职科研员”，协助学校教科研室开展教科研工作。兼职科研员主要承担发布科研信息、组织课题申报、指导课题研究和论文撰写、统计科研成果等职责，任期为两年。学校根据兼职科研员自身科研工作业绩和承担职责的完成情况，给予适当的奖励，并作为下一轮聘任的主要依据。

2. 成立“学校科研成果评审组”

“科研成果评审组”由校级领导、中层处室负责人、特级教师、区级学科带头人、教代会代表等组成，负责学校教育科研评比制度的完善、每年两次的教育科研评比工作、校级课题立项和结题评审工作。

3. 完善各级课题的管理制度

根据学校教育教学工作的需要，在广泛征求“科研成果评审组”和教研组长意见的基础上，制订《格致中学校级课题指南》和《格致中学校级课题管理条例》，在教研组长和兼职科研员的协助下，每年十月份组织教师申报校级课题，由学校“科研成果评审组”审批立项和结题论证。在此基础上，选拔优秀课题申报区级或以上的课题研究。

4. 在绩效工资改革中考虑教育科研实绩

在国家关于绩效工资改革文件中有如下规定：“奖励性绩效工资主要体现工作量和实际贡献等因素，在考核的基础上，由学校确定分配方式和办法。根据实际情况，在绩效工资中设立班主任津贴、岗位津贴、农村学校教师补贴、超课时津贴、教育教学成果奖励等项目。”参照绩效工资改革的精神，学校将在奖励性绩效工资中划拨一定比例，根据教师的教育科研实绩进行分配。

## 附件1　“年度科研成果评比”奖项等第界定

一、科研领军奖

1. 公开出版专著或编著的教育类图书（各类考试辅导书除外）者。

2. 公开出版基础教育教材、教参，并担任主编、副主编者。

3. 在市级及以上教育类核心期刊发表两篇及以上科研论文者。

4. 主持区级及以上级别的课题并通过结题论证者。

5. 其他由学校“科研成果评审组”认定符合条件者。

二、科研标兵奖

1. 参与编撰公开出版的教育类图书（各类考试辅导书除外），撰写1万字以上并有相关证明材料者。

2. 参与编写公开出版的基础教育教材、教参，撰写1万字以上并有相关证明材料者。

3. 在市级及以上教育类核心期刊发表一篇科研论文者。

4. 参与区级及以上级别的课题，撰写6000字以上课题报告或子课题报告，并通过结题论证者。

5. 其他由学校“科研成果评审组”认定符合条件者。

三、科研积极分子

1. 参与编撰公开出版的教育类图书（练习册除外），撰写5000字以上并有相关证明材料者。

2. 参与编写公开出版的基础教育教材、教参，撰写5000字以上并有相关证明材料者。

3. 在区级刊物（没有正式刊号）发表论文者。

4. 参与区级及以上级别的课题，撰写3000字以上课题报告或子课题报告，并通过结题论证者。

5. 其他由学校“科研成果评审组”认定符合条件者。

## 附件2　“教育科研先进表彰”奖项等第界定

一、特等奖

1. 在教育主管部门及其下属的教育业务部门举行的各类课题评审、论文评比中，国家级一等、二等奖获得者。

2. 在教育主管部门及其下属的教育业务部门举行的各类课题评审、

论文评比中，市级一等奖获得者。

二、一等奖

1. 在教育主管部门及其下属的教育业务部门举行的各类课题评审、论文评比中，国家级三等奖获得者。

2. 在教育主管部门及其下属的教育业务部门举行的各类课题评审、论文评比中，市级二等奖获得者。

3. 在教育主管部门及其下属的教育业务部门举行的各类课题评审、论文评比中，区级一等奖获得者。

4. 在教育学会及其下属的各学科专业委员会举行的各类课题评审、论文评比中，国家级一等奖获得者。

注：以上四项中如果同时具备两项，可以晋升为特等奖。

三、二等奖

1. 在教育主管部门及其下属的教育业务部门举行的各类课题评审、论文评比中，市级三等奖获得者。

2. 在教育主管部门及其下属的教育业务部门举行的各类课题评审、论文评比中，区级二等奖获得者。

3. 在教育学会及其下属的各学科专业委员会举行的各类课题评审、论文评比中，国家级二等奖获得者。

4. 在教育学会及其下属的各学科专业委员会举行的各类课题评审、论文评比中，市级一等奖获得者。

注：以上四项中如果同时具备两项，可以晋升为一等奖。

四、三等奖

1. 在教育主管部门及其下属的教育业务部门举行的各类课题评审、论文评比中，区级三等奖获得者。

2. 在教育学会及其下属的各学科专业委员会举行的各类课题评审、论文评比中，国家级三等奖获得者。

注：以上两项如果同时具备，可以晋升为二等奖。

说明：如果同一项科研成果获得多个不同级别的奖项，以最高级别的奖项计算。

# 附件3　各级各类课题经费资助额度

一、国家级课题

该类课题是指由教育部全国教育科学规划领导小组办公室审批立项的各类课题，包括全国教育科学重点课题、全国教育科学一般课题、全国教育科学规划课题、全国教育科学专项课题等。

国家级课题经费资助标准为：

1. 全国教育科学重点课题，按划拨经费1:1资助；

2. 全国教育科学一般课题，按划拨经费的80%资助；

3. 全国教育科学规划课题，按全国教育科学一般课题划拨经费的60%资助；

4. 全国教育科学专项课题，按划拨经费的60%资助。

二、市级课题

该类课题是指：由上海市教育委员会及其下属的业务部门审批立项的市级重点课题、市级一般课题和市级规划课题；由上海市教育委员会审批立项的“上海市普教系统名校长名师培养工程”教育科研专项课题；由上海市教委教研室和上海市青年教师教育教学研究学术委员会审批立项的青年教师课题。

市级课题经费资助标准为：

1. 市级重点课题，按划拨经费的60%资助；

2. 市级一般课题，按划拨经费的50%资助；

3. 市级规划课题，按市级一般课题划拨经费的40%资助；

4. “双名工程”专项课题，按划拨经费的40%资助；

5. 市青年教师课题，按划拨经费的40%资助。

三、区级课题

该类课题是指由黄浦区教育局审批立项的黄浦区教育科学攻关课题、重点课题、一般课题、规划课题以及区级青年教师课题。

区级课题经费资助标准为：

1. 区级攻关课题，按划拨经费的50%资助；

2. 区级重点课题，按划拨经费的40%资助；

3. 区级一般课题，按划拨经费的30%资助；

4. 区级规划课题，按区级一般课题经费的20%资助；

5. 区青年教师课题，按课题结题评审后发放奖金的30%资助。

四、校级课题

该类课题是指由学校“教育科研学术委员会”审批立项的课题，每项课题资助经费为区级一般课题经费的10%。

综上，我们从教师专业发展的背景、校本目标、内涵理解和实现方式四个方面，描述了我校在教师专业发展方面所进行的探索。我们在实践中深深感到，教育的现代化关键是教师素质的现代化，教师学能和教能的专业化，离开了教育工作者队伍的现代化，教育的现代化将成为一句空话。我们将坚持“人力资源是第一资源”的重要思想，继续全面推进教师的专业发展。

# 后　记

作为在格致中学这所百年老校工作的教育工作者，我们总是被学校的文化积淀和优秀传统所感染，总是被格致先人们的教育理念和教育实践所鞭策，总想为格致的进一步发展作些努力。但是，我们这群默默耕耘于教育第一线的园丁，由于深感才疏学浅，望先辈而慨然仰止，一直犹豫是否落笔书写格致的历史和未来。恰逢此时，北京师范大学裴娣娜教授接纳格致中学作为她主持的教育部哲学社会科学研究重大课题攻关项目“我国学校教育创新研究”的项目学校，力促格致中学总结教育创新经验，并带领她的学术团队悉心指导我们总结经验、展望未来。于是经过两年的辛苦耕耘，《格致文化的传承与创新》带着中国近代科学教育的风尘，带着时代变革的阵痛，带着改革开放的春风，带着21世纪中国教育的创新，带着一代代格致人的梦，在中国上海世博之年诞生。

我们努力尝试向读者忠实地传递格致“爱国”和“科学”的优良传统，传递格致“尊重自主选择，强调经世致用”的课程精髓，传递格致“格物致知，科学爱国”的德育内涵，传递格致“激活思维，自主发展”的教学特色。我们努力探索格致传统的传承与创新，探索格致课程的构建与实施，探索格致德育的实践与特色，探索格致教学的智慧与个性。我们以格致文化的传承与创新作为本书的灵魂，努力实践“在传承中创新，在创新中发展”。

衷心感谢裴娣娜教授对我们的悉心指导；感谢裴娣娜教授团队的史铭之、刘荣、许林、叶阳勇、张亚男、陈瑞生、李昱辉诸位老师为本书的成稿所作的努力；感谢格致中学名誉校长高润华老师为本书提供的众多素材；感谢格致中学王丽萍书记为本书的编写所做的协调工作；感谢格致中学何刚、张燕、李军、周隽、夏星、李艳6位老师撰写《格致德育的实践》和《格致德育的特色》；感谢格致中学高翀骅老师撰写《改革开放后的格致中学》；感谢格致中学王淑英、朱兆和、马莹、方梦非、娄华、鲍晓云、杨娟、闵红、张跃军、陆幸丽、李军、李文黎、夏星13位教研组长撰写《格致学科的特色》；感谢所有参与本书编撰默默付出努力的同人。

由于我们的水平有限，书中不足之处，敬请广大读者批评指正，谢谢！

**本书编委会**

**2010年9月于上海市格致中学**

责任编辑　何　艺
版式设计　宗沅雅轩　杨玲玲
责任校对　张　珍
责任印制　曲凤玲

**图书在版编目(CIP)数据**

格致文化的传承与创新:上海市格致中学教育创新研究/张志敏等著.—北京:教育科学出版社,2010.11(2012.9重印)
("守望者的凝思:读懂学校、读懂校长"系列论丛/裴娣娜主编)
ISBN 978-7-5041-5325-8

Ⅰ.①格…　Ⅱ.①张…　Ⅲ.①中学-学校教育-研究-上海市　Ⅳ.①G639.285.1

中国版本图书馆CIP数据核字(2010)第202750号

| | | | |
|---|---|---|---|
| 出版发行 | 教育科学出版社 | | |
| 社　　址 | 北京·朝阳区安慧北里安园甲9号 | 市场部电话 | 010-64989009 |
| 邮　　编 | 100101 | 编辑部电话 | 010-64981167 |
| 传　　真 | 010-64891796 | 网　　址 | http://www.esph.com.cn |
| 经　　销 | 各地新华书店 | | |
| 制　　作 | 北京金奥都图文制作中心 | | |
| 印　　刷 | 保定市中画美凯印刷有限公司 | 版　　次 | 2010年11月第1版 |
| 开　　本 | 169毫米×239毫米　16开 | 印　　次 | 2012年9月第3次印刷 |
| 印　　张 | 18.5 | 印　　数 | 5 001—6 500册 |
| 字　　数 | 253千 | 定　　价 | 36.00元 |